KB035207

직독직해로 읽는

반기문 영어 연설문

직독직해로 읽는

반기문 영어 연설문

개정증보판 1쇄 발행 2013년 5월 1일
개정증보판 4쇄 발행 2016년 5월 20일

편역 이현구
디자인 IndigoBlue
발행인 조경아
발행처 랭귀지북스
주소 서울시 마포구 포은로2나길 31 벨라비스타 208호
전화 02.406.0047
팩스 02.406.0042
이메일 languagebooks@hanmail.net
홈페이지 www.languagebooks.co.kr
등록번호 101-90-85278
등록일자 2008년 7월 10일
ISBN 978-89-94145-82-2 (18740)
가격 14,800원

잘못된 책은 구입한 서점에서 바꿔드립니다.
www.languagebooks.co.kr에서 mp3 파일을 다운로드 할 수 있습니다.
※ 이 책은 〈직독직해로 읽는 유엔 사무총장 반기문 영어 연설문〉의 개정증보판입니다.
본 책의 수익금 중 일부를 유니세프(unicef)를 후원하기 위해 기부합니다.

직독직해로 읽는

반기문 영어 연설문

이현구 편역

Language Books

들어가는 글

영어를 익힐 때 가장 중요한 목표는
원어민과 비슷한 속도로 읽고 듣고 이해하고,
그들과 유창하게 의사소통을 하는 것입니다.

한국인으로 영어를 외국어로 배워 유창하게 사용하는 세계의 지도자가 있습니다. 그분은 대중매체를 통하여 자주 접하는 유엔 사무총장 반기문입니다. 반기문 유엔 사무총장을 모델로 삼아 연설문, 성명서, 논평, 기자회견 내용을 공부할 수 있도록 교재를 구성하였습니다.

「직독직해로 읽는 반기문 영어 연설문」을 통하여 영어를 이해하는 능력(읽기, 듣기)과 표현하는 능력(말하기, 쓰기)을 원어민 수준으로 끌어올릴 방법을 제시하고자 합니다. 이 방법을 실천하면 매우 효과적으로 영어 실력을 높일 수 있습니다.

직독직해와 동시통역 연습을 활용하면 매우 효율적으로 영어를 습득할 수 있습니다. 또한 반기문 유엔 사무총장이 청년기에 영어공부에 열정적이었듯, 그분처럼 적극적이고 능동적으로 영어를 공부한다면, 영어를 잘할 수밖에 없습니다.

특히 직독직해에 익숙하지 않은 학습자와 '동시통역'이라고 불리는 영작 및 회화연습 방법을 직접 체험해보지 않은 학습자가 직독직해를 연습하고, 회화와 작문에 도움이 되는 동시통역 연습을 꾸준히 해보면, 그 효과를 인정할 수 있을 것입니다.

영어 공부를 할 때 항상 염두에 두어야 할 목표는 어떤 방법으로 공부하든 영어를 읽자마자 그 뜻을 빠르게 이해하고, 자신의 생각을 바로 영어로 표현하는 능력을 키우는 것입니다. 이런 목표를 성취하고자 할 때, 직독직해로 이해해야 하고, 동시통역 방법(직독직해로 된 해석을 보고 영어로 재구성하는 방법)을 꾸준히 실천하는 방법이 큰 도움이 될 것입니다.

본 책이 출판되도록 큰 도움을 주신 Language Books 대표님과 물심양면으로 전폭적인 지지와 성원을 보내준 아내와 가족에게 감사의 뜻을 전합니다. 또한 머지않아 두 번째 돌을 맞이하는 여식이 건강하고 바르게 성장하길 기원합니다.

2013. 4.
이현구

직독직해와 동시통역

영어 공부에 왜 직독직해와 동시통역 연습이 필요한가?

뉴스를 듣거나 영화를 보면, 1분이라는 짧은 시간에도 많은 말을 합니다. 영어 공부할 때에는 그렇게 빠른 속도로 이해하고, 빠른 속도로 말할 수 있는 능력을 키울 수 있는지가 중요합니다. 그래서 실제로 영어를 사용하는 속도에 적용할 수 있다면, 그것이 가장 효과적인 학습방법일 것입니다.

영어를 읽으면서 이해하고 자신의 생각을 영어로 표현할 수 있는 분이라면, 굳이 직독직해와 동시통역 연습을 의도적으로 실천할 필요가 없습니다. 하지만 영어를 읽는 속도가 느리고, 정확히 들을 수 없고, 영작이나 회화에 자신이 없다면, 직독직해와 동시통역 연습을 권합니다.

먼저, 「직독직해로 읽는 반기문 영어 연설문」에서 제시하는 영어 공부 방법의 장점을 간단하게 설명하겠습니다. 영어를 공부할 때, 읽기, 듣기, 말하기, 쓰기를 4가지 영역으로 나누어 개별적으로 공부할 필요가 없습니다. 그 이유는 이해하기(읽기·듣기)와 표현하기(말하기·쓰기) 영역으로 나누어 공부하기만 하면 되기 때문입니다. 영어를 빠르게 듣고 이해하려면, 직독직해로 영어를 빠르게 읽고 이해하는 연습이 선행되어야 합니다. 원어민들이 말하는 속도로 영어로 읽고 이해할 수 있다면, 듣기는 매우 흥미로워집니다.

그 다음에 어떤 내용을 영어로 듣고 이해할 수 있게 되면, 직독직해로 해석된 내용을 보자마자 영어로 바꾸는 연습을 합니다. 이것을 동시통역 연습이라고 부릅니다. 대부분 영어 학습자들은 평소에 영어로 말하는 연습이 절대적으로 부족하기 때문에, 동시통역 연습을 통하여 영어로 표현하는 연습을 합니다. 이런 동시통역 연습을 할때, 영어를 읽고 이해하고, 듣고 이해한 다음에 시작합니다. 하지만 동시통역 연습을 실천해보지 않은 분이라면, 얼마나 효과적인지 짐작할 수 없을 것입니다.

동시통역 연습을 꾸준히 실천한다면, 영어로 말하기와 쓰기는 아주 친숙해지고 원어민과 대화하는 것은 즐거워집니다. 동시통역 연습을 유창하게 할 수 있는 사람이라면, 어떤 내용을 생각하자마자 동시에 그 생각을 영어로 바꿀 수 있기 때문입니다.

읽기 가이드

연설문으로 영어 공부를 하면
고급 영어 학습과 동시에 국제 사회의 당면 과제와 시사 문제 등
여러 분야에 대한 지식을 늘릴 수 있습니다.
「직독직해로 읽는 반기문 영어 연설문」을 이용하여
최대 효과를 낼 수 있는 공부 방법을 소개합니다.

그것은 읽기 능력을 토대로, 듣기 연습을 하고,
듣기 능력을 토대로, 말하기 연습까지 하는 것입니다.

첫째, 직독직해로 읽는 연습을 하여, 원어민 속도로 읽는 능력을 키웁니다.
둘째, 본문을 빠른 속도로 읽고 이해할 수 있으면, 읽은 내용으로 듣기 연습을 합니다.
마지막으로, 동시통역 연습을 하여, 유창하게 말하는 연습을 합니다.

간단하게 말하면 영어를 **직독직해**로 **빠르게 읽는** 연습을 하고, 직독직해로 해석한 내용을 보면서 **영어로 말하는** 연습(**동시통역** 연습)을 실천하는 것입니다. 이런 목적을 성취하도록 「반기문 영어 연설문」을 직독직해로 읽고, 연습문제에서 동시통역 연습을 할 수 있도록 교재를 구성했습니다.

Step 1 영어 어순대로 이해하기: 직독직해

「반기문 영어 연설문」의 직독직해로 해설된 부분을 읽으면서 영어 어순대로 읽고 이해하는 연습을 합니다. 연설문, 논평, 성명서를 읽는 동안 모르는 어휘나 이해하기 어려운 문장이 나올지라도, 중요한 의미만 파악하고, 빠르게 읽고 이해해야 합니다.

두 번째로 속독 연습을 할 때는 모르는 어휘를 익히고 어려운 문장을 좀 더 정확히 이해해야 합니다. 성급하게 모르는 어휘와 문장을 단번에 모두 익히겠다고 지나치게 욕심을 부리면, 오히려 학습에 대한 흥미가 떨어져 지속적으로 공부할 수 없게 됩니다. 개인에 따라 차이가 있지만, 본 교재를 세 번 또는 네 번 읽으면서 모르는 어휘와 문장과 친숙해지면, 몰랐던 단어를 쉽게 익힐 수 있습니다. 또한 어렵게 느껴졌던 문장도 쉽게 이해할 수 있습니다.

Step 2 스스로 직독직해하기

직독직해로 해설된 부분을 학습하고 빠르게 읽는 연습을 합니다. 교재를 속독으로 읽고 이해할 수 있으면, '스스로 하는 직독직해'로 갑니다. 이곳에서 혼자 힘으로 직독직해를 하는 연습을 합니다. 이렇게 빠르게 읽는 연습을 권장하는 이유는 두 가지가 있습니다. 첫째 영어 어순대로 이해하는 능력을 키우는 것입니다. 그러면 원어민과 비슷한 속도로 읽고 이해할 수 있습니다. 둘째 읽기 속도가 빨라져야 듣기가 즐겁고 편해집니다.

Step 3 원어민 수준으로 듣고 이해하기

듣기 연습은 오디오 CD를 들으면서 원어민의 속도로 이해하는 것입니다. 영어로 쓰인 이야기를 빠른 속도로 읽고 이해할 수 있을 때 듣기 연습에 들어갑니다. 그래야 듣기 연습이 매우 즐거워집니다. 이런 연습을 꾸준히 하면, 원어민이 빠르게 말해도 듣자마자 이해할 수 있습니다. 이렇게 듣자마자 이해하는 능력을 키워야 유창하게 회화를 할 수 있는 기반이 마련됩니다.

Step 4 퀴즈 활용하기

공부한 연설문을 복습할 수 있도록 퀴즈를 만들어 놓았습니다. 각 퀴즈는 모두 두 개의 파트(A. 단어, B. 회화에 강한 동시통역)로 구성되어 있습니다. 연설문에 나온 주요 단어를 복습합니다. 회화에 강한 동시통역 연습에 있는 문장으로 영작을 해보고 영어로 말하는 연습을 합니다.

A. 단어

영어로 설명된 정의에 어울리는 단어를 찾는 것입니다. 적당한 단어를 보기에서 선택합니다. 이런 연습을 하는 목적은 영어로 풀이된 단어의 정의에 익숙해지면, 영어로 설명할 수 있는 능력을 기르는 데 도움이 되며, 유창하게 말할 수 있는 기반을 마련할 수 있습니다.

B. 회화에 강한 동시통역

영어의 어순대로 한글로 제시하고, 한글 해석을 보고 영작을 합니다. 영작을 제대로 할 수 있으면, 직독직해로 해설된 문장을 보자마자 영어로 말하는 연습을 합니다. 이런 연습을 권하는 이유는 듣기 능력과 회화 능력을 단기간에 향상시킬 수 있기 때문입니다. 동시통역을 연습할 때, 최대한 원어민처럼 유창하게 발음하고 원어민과 비슷한 속도로 말하면 더 효과적입니다.

목차

Part II 성명서 및 논평을 중심으로

Part I

연설문을 중심으로

1. 여성폭력의 근절
2. 교육의 중요한 과제
3. 허리케인 샌디
4. 유엔 사무총장으로 재선되고
5. 아세안 정상회담
6. 세계개발원조 총회 연설
7. 부산유엔기념공원에서
8. 팔레스타인과 결속을 위해
9. 유엔의 평화유지 활동
10. 유엔과 미국의 관계
11. 핵무기 없는 세상
12. 지속적인 시장 창출을 위해

1. 여성폭력의 근절

* 미첼 바첼렛 Michelle Bachelet

미첼 바첼렛은 2006년부터 2010년까지 칠레 대통령을 역임했고, 2010년 유엔 사무총장 반기문에 의해 유엔 여성의 수장으로 임명되었다. 바첼렛은 2006년 칠레 대통령선거에서 53% 이상의 득표를 얻어 최초 칠레 여성대통령이 되었다.

빈부의 격차를 줄이기 위해 사회적 혜택을 증가시키는 동시에 자유 시장경제정책을 추진하겠다고 공약했다.

* 여성폭력 종결을 위한 캠페인 UNiTE campaign

여성폭력 종결을 위한 캠페인의 정식 명칭은 여성에 대한 폭력 종결을 위한 연대(UNiTE to End Violence Against Women)다. 이 캠페인은 2008년에 시작되었고, 전 세계에서 여성에 대한 폭력을 방지하고 종결시키기 위해 대중의 인식을 높이고 정치적 의지 및 재원을 증가시키는 것이 목적이다.

이와 같은 비전을 실현시키려면 각각의 정부가 의미 있는 조치를 취하고 지속적으로 헌신해야 가능하다고 믿기 때문에 유엔 사무총장은 모든 정부, 시민단체, 여성기구, 남성, 청년, 민간부분, 미디어 및 유엔 기구에 협력을 요청했다.

유엔 사무총장 **반기문 – 명언 ①** 친절 Kindness

The best wisdom of life / is kindness.
인생 최대의 지혜는 / 친절이다

인생 최대의 지혜는 친절이다.

1. 여성폭력의 근절

A.

Every year at the United Nations, / officials come together /
매년 유엔에 / 관리들이 모입니다 /

to show their strong support / for ending violence against women.
강력한 지지를 나타내려고 / 여성폭력을 근절시키는 일에 대한.

I welcome / these strong, public denunciations / of this egregious
저는 환영합니다 / 이렇게 공개적으로 강력하게 비난하는 것을 / 이처럼 엄청나게 여성인권을 침

violation of women and girls' human rights.
해한 일을.

But this year, / one leader decided / to express his outrage / not only
하지만 금년에 / 한 지도자는 결심했습니다 / 자신의 분노를 표현하기로 / 연설뿐만 아

through a speech but in a different way.
니라 다른 방식으로.

President Evo Morales of Bolivia / staged a football match / to raise
볼리비아 대통령 에보 모랄레스는 / 축구경기를 개최했습니다 / 여성폭력 문

awareness of the problem.
제에 대한 인식을 높이려고.

I am proud to say / that Madame Bachelet was also there.
저는 자랑스럽게 말씀드리겠습니다 / 미첼 바첼렛 대통령도 그곳에 참석하셨다고.

She wore a jersey / and kicked the ball around. But more than that, /
바첼렛 대통령은 경기용 셔츠를 입고 / 공을 찼습니다. 하지만 그것보다, /

she scored / by showcasing our efforts to prevent and end violence.
그녀는 득점하였습니다 / 폭력을 예방하고 종식시키려는 우리의 노력을 돋보이게 하여.

She said, / "We are sending a clear message / to the world / that
그녀는 말했습니다 / "우리는 명확한 메시지를 보내고 있다고 / 전 세계에

violence is unacceptable / … that it can be prevented / … it can be
폭력은 용납할 수 없고 / 폭력은 예방할 수 있고 / 폭력을 뿌리 뽑

eradicated / … and we will be working very strongly on this."
을 수 있고 / 그리고 우리는 이런 목표를 성취하기 위해 열심히 일할 것이라고."

You can see / why Ms. Bachelet is the captain of my team!
여러분들은 이해할 수 있을 것입니다 / 왜 바첼렛 여사가 우리 팀의 주장인지!

Key Expression

아래 예문의 전치사 'of'의 쓰임새를 정확하게 이해하려면, 앞에 나온 명사와 'of' 다음에 나온 명사간의 관계를 알아야 한다. 첫 번째 'of'와 두 번째 'of' 모두 목적격 관계를 나타낸다. 그래서 'public denunciations of this egregious violation'을 '이처럼 엄청나게 여성인권을 침해한 일을 공개적으로 비난하는 것'이라고 해석한다. 즉 'violation'을 'denounce'의 목적어처럼 해석하고, 두 번째 'of'가 있는 'violation of women and girls' human rights'를 '이렇게 엄청나게 여성인권을 침해한 일'이라고 해석한다.

I welcome / these strong, public denunciations /
저는 환영합니다 / 이렇게 공개적으로 강력하게 비난하는 것을 /

of this egregious violation of women and girls' human rights.
이처럼 엄청나게 여성인권을 침해한 일을.

denunciation 비난, 탄핵 | egregious 엄청난, 터무니없는 | violation 위반, 침해, 위반 | outrage 격노, 분노 | stage (경기를) 개최하다 | awareness 인식, 인지 | jersey 경기용 셔츠 | showcase 두드러지게 나타내다 | unacceptable 용납하기 어려운, 받아들이기 어려운 | eradicate 뿌리째 뽑다, 박멸하다

B.

President Morales of Bolivia / is one of many leaders taking action.
볼리비아 대통령 모랄레스는 / 실천하는 많은 지도자 중 한분입니다.

My UNiTE campaign has built active partnerships / with national
여성폭력 종결을 위한 저의 캠페인은 활발한 동반자 관계를 형성했습니다 /

governments and leaders. The Presidents of Costa Rica,
국가 정부와 지도자들과 함께. 코스타리카, 과테말라, 모잠비크 대통령과

Guatemala and Mozambique, and the Prime Minister of Thailand, /
태국 수상은 /

are among those who are offering strong support. We are also
강력하게 지지하는 분입니다. 우리는 또한

developing national initiatives / from Uruguay to Seychelles,
국가계획을 수립하고 있습니다 / 우루과이부터 세이셸까지 걸쳐 있는 지역에서,

from Cambodia to Namibia to the Caribbean and beyond.
캄보디아부터 남미비아에 이르는 지역에서, 카리브 해 지역과 그 건너편 지역에서.

We are at work around the world / because violence against women
우리는 전 세계에서 일하고 있습니다 / 여성폭력은 세계에서 가장 많이 퍼져 있는

is one of the world's most pervasive human rights violations.
인권침해 중 하나이기 때문에.

This threat is rooted / in discrimination, impunity and complacency.
이와 같은 위협은 발생했습니다 / 차별, 처벌되지 않은 것과 무사안일주의에.

Violence stems from social attitudes / that belittle women and girls.
폭력은 사회적 태도에서 발생합니다 / 여성을 경시하는 (사회적 태도).

It is tolerated / through indifference, ignorance and fear of speaking
폭력은 용인(묵인)되었습니다 / 무관심, 무지와 과감하게 말할 수 없는 두려움으로 인해.

out. And it thrives / where families and communities pressure /
그리고 폭력은 번창합니다 / 가족과 공동체가 압박하는 곳에서 /

women to suffer in silence.
여성들에게 묵묵히 견디라고.

That is why / it is so critical / to tackle structural patterns of
그렇기 때문에 / 매우 중요합니다 / 여성차별이라는 구조적 유형과 맞서 싸우고 /

discrimination / and to redouble our efforts / to empower women.
우리의 노력을 배가하는 것이 / 여성의 능력을 키우기 위한 (노력을).

Key Expression

'be rooted in'에는 '(주어가) ~에서 발생하다, 기인하다, 강력한 영향을 받다'라는 의미가 있다. 즉, 주어가 발생한 원인은 'in' 다음에 오는 문장에 있다.

This threat is rooted / in discrimination, impunity and complacency.
이와 같은 위협은 발생했습니다 / 차별, 처벌되지 않은 것과 무사안일주의에.

initiative (목적을 달성하기 위한 새로운) 계획 | pervasive 퍼져있는, 만연하는 | discrimination 차별 |
impunity 처벌되지 않음, 무사 | complacency 무사안일주의, 자기만족 | stem from ~에서 생겨나다, 기인하다 |
thrive 번창하다, 번영하다 | critical 중요한 | tackle 문제와 맞서 싸우다 | empower 능력을 키우다, ~에게 권한을 주다

C.

Many international standards, treaties, declarations and resolutions
많은 국제적 기준, 조약, 선언과 결의안은 /

/ recognize women's rights as human rights / and specifically
여성의 권리를 인권으로 인정하고 / 여성폭력을 명확하게 비난합니다.

condemn violence against women.

These instruments apply at all times / — in war and peace, in
이와 같은 수단은 항상 이용됩니다 / 전쟁 시에도 평화 시에도,

poverty and wealth, in sickness and health, and throughout the
가난할 때도 부유할 때도, 아플 때도 건강할 때도, 평생 동안.

life cycle. Under all conditions, / women have a right / to lives of
어떤 상황에서도 / 여성들은 권리가 있습니다 / 품위 있고 안전한 삶

dignity and safety.
을 살 (권리가).

Today more than ever / we must hold on to the solid human rights
과거 어느 때보다 오늘날 / 우리는 견고한 인권체계에 의지해야 합니다 /

framework / that has been built over decades.
수십 년에 걸쳐 완성된.

But each act of violence against women / breaks the promise
하지만 여성폭력행위는 / 그런 체계에 표현된 약속을 위반하는 것

embodied in that framework.
입니다.

Each and every State has an obligation / to develop or improve the
모든 국가는 의무가 있고 / 관련된 법, 정책과 방침을 개발하거나 개선

relevant laws, policies and plans, / bring perpetrators to justice /
할 (의무가) / 범죄자에게 법의 심판을 받게 하고 /

and provide remedies / to women who have been subjected to
구제방법을 제시할 (의무가 있습니다) / 폭력을 당한 여성들에게.

violence.

Each and every organization, community and individual / has a
모든 기구, 지역 사회와 개인들은 /

responsibility / to speak out against customs or beliefs / that accept
책임이 있습니다 / 관습이나 신념에 대해 반대 의사를 분명히 말할 (책임이) / 여성폭력행위를

or condone acts of violence against women.
받아들이거나 봐주는 (관습이나 신념에 대해).

I applaud / the General Assembly's Third Committee for its action
저는 박수갈채를 보냅니다 / 이번 주 유엔총회 사회박애문화 위원회의 결정에 대해 /

this week / in passing its first-ever resolution / on eliminating the
첫 번째 결의안을 통과시킨 (결정에 대해) / 여성 성기를 절단하는 악습을 없

harmful practice of female genital mutilation.
애려는 (결의안을).

Key Expression

명사 'right'은 '도덕, 법률, 정치적 권리'라는 의미로 사용될 때, 'right' 다음에 'to'가 온다. 이런 경우 'to+동사원형' 또는 'to+명사'가 올 수 있으며, 어떤 권리인지에 대해 설명한다.

Under all conditions, / women have a right / to lives of dignity and safety.
어떤 상황에서도 / 여성들은 권리가 있습니다 / 품위 있고 안전한 삶을 살 (권리가).

treaty 조약, 협정 | declaration 선언 | resolution 결의안 | specifically 명확하게, 상세하게 |
hold on to ~에 의지하다, 매달리다 | embodied 표현된 | obligation 의무, 책임 | relevant 관련된, 적절한 |
perpetrator 범죄자, 가해자 | remedy 구제책, 구제방법 | condone 너그럽게 봐주다, 용서하다 | eliminate 제거하다, 배제하다 |
genital 성기의, 생식기의 | mutilation 절단, 훼손

D.

I look forward to / the Assembly's adoption of this resolution, /
저는 기대합니다 / 총회가 이 결의안을 채택하길 /
which would mark a major step forward / in protecting women and
결의안을 채택하면 주요한 일보 전진이 될 것입니다 / 여성들과 소녀들을 보호하고 /
girls / and ending impunity for this practice.
이런 악습이 처벌받게 하는데.

Ladies and gentlemen, /
신사 숙녀 여러분, /
The UNiTE to End Violence Against Women Campaign / is
여성폭력 종결을 위한 캠페인은 /
advocating for results / that ensure women and girls lead safer,
성과를 지지합니다 / 여성들이 더 안전하고 더 행복한 삶을 살게 하는 (성과를).
happier lives.

The campaign includes a Network of Men Leaders / to address
이런 캠페인에는 남성지도자 네트워크가 포함되어 있습니다 / 여성폭력을 다루는 (남
violence against women / because I strongly believe / we need male
성지도자 네트워크가) / 저는 강력히 믿기 때문에 / 남성 지도력이 필요하
leadership to tackle this problem.
다고 (믿기 때문에).
We need men / to change their mentality.
우리는 남성이 필요합니다 / 남성의 심리상태를 변화시키려면.
But I first applaud the women themselves / — including many of
하지만 우선 여성들에게 박수갈채를 보냅니다 / 이 방에 계신 여러분들을 포함한
you in this room — / who have brought us so far in this struggle.
(여성들에게) / 이런 투쟁을 지금까지 이끌어온 (여성들에게)
I look forward to the video / today showing voices of survivors.
저는 비디오를 보길 기대합니다 / 오늘 생존자들의 발언을 보여주는 (비디오를).
One of those women, / who now works with victims of violence, /
한 여성이 / 현재 여성폭력의 희생자들과 함께 일하는 (한 여성이) /
said: / "I urge them / to not be silent, / to be brave / and to fight for
말합니다 / "저는 희생자들에게 권합니다 / 침묵하지 말고, / 대담하게 / 꿈을 위해 싸우라고.
their dreams. [I tell them] / that they can go forward, / like I will."
[저는 그들에게 말합니다] / 그들도 성공할 수 있다고 / 제가 성공할 것처럼."

Today, Ladies and gentlemen, / let us strengthen our resolve / to end
신사숙녀 여러분, 오늘, / 우리의 결의를 굳건하게 합시다 / 여성폭력

violence against women and girls, / and to help realize their human
을 종식시키고 / 여성 인권을 실현하는데 도움이 되고자하는 (결의

rights.
를).

Thank you very much.
대단히 감사합니다.

Remarks at official commemoration of International Day
for the Elimination of Violence against Women
(28 November 2012)

impunity 처벌되지 않음, 무사 | advocate 옹호하다, 지지하다 | address (문제를) 다루다 | mentality 심리구조, 심리상태 |
victim 희생자, 피해자 | urge 권하다, 촉구하다 | resolve 결의, 결심

1. 여성폭력의 근절

A.

Every year at the United Nations, officials come together to show their strong support for ending violence against women.

I welcome these strong, public denunciations of this egregious violation of women and girls' human rights.

But this year, one leader decided to express his outrage not only through a speech but in a different way. President Evo Morales of Bolivia staged a football match to raise awareness of the problem.

I am proud to say that Madame Bachelet was also there. She wore a jersey and kicked the ball around. But more than that, she scored by showcasing our efforts to prevent and end violence.

She said, "We are sending a clear message to the world that violence is unacceptable … that it can be prevented … it can be eradicated … and we will be working very strongly on this."

You can see why Ms. Bachelet is the captain of my team!

B.

President Morales of Bolivia is one of many leaders taking action. My UNiTE campaign has built active partnerships with national governments and leaders. The Presidents of Costa Rica, Guatemala and Mozambique, and the Prime Minister of Thailand, are among those who are offering strong support.
We are also developing national initiatives from Uruguay to Seychelles, from Cambodia to Namibia to the Caribbean and beyond.
We are at work around the world because violence against women is one of the world's most pervasive human rights violations.
This threat is rooted in discrimination, impunity and complacency. Violence stems from social attitudes that belittle women and girls. It is tolerated through indifference, ignorance and fear of speaking out. And it thrives where families and communities pressure women to suffer in silence.
That is why it is so critical to tackle structural patterns of discrimination and to redouble our efforts to empower women.

C.

Many international standards, treaties, declarations and resolutions recognize women's rights as human rights and specifically condemn violence against women. These instruments apply at all times — in war and peace, in poverty and wealth, in sickness and health, and throughout the life cycle. Under all conditions, women have a right to lives of dignity and safety.

Today more than ever we must hold on to the solid human rights framework that has been built over decades.

But each act of violence against women breaks the promise embodied in that framework.

Each and every State has an obligation to develop or improve the relevant laws, policies and plans, bring perpetrators to justice and provide remedies to women who have been subjected to violence.

Each and every organization, community and individual has a responsibility to speak out against customs or beliefs that accept or condone acts of violence against women.

I applaud the General Assembly's Third Committee for its action this week in passing its first-ever resolution on eliminating the harmful practice of female genital mutilation.

D.

I look forward to the Assembly's adoption of this resolution, which would mark a major step forward in protecting women and girls and ending impunity for this practice.

Ladies and gentlemen,

The UNiTE to End Violence Against Women Campaign is advocating for results that ensure women and girls lead safer, happier lives.

The campaign includes a Network of Men Leaders to address violence against women because I strongly believe we need male leadership to tackle this problem. We need men to change their mentality.

But I first applaud the women themselves — including many of you in this room — who have brought us so far in this struggle.

I look forward to the video today showing voices of survivors.

One of those women, who now works with victims of violence, said:

"I urge them to not be silent, to be brave and to fight for their dreams.

[I tell them] that they can go forward, like I will."

Today, Ladies and gentlemen, let us strengthen our resolve to end violence against women and girls, and to help realize their human rights.

Thank you very much.

2. 교육의 중요한 과제

＊ 교육 계획 Education Frist Initiative

반기문 유엔사무총장은 번영하고 건전하며 공평한 사회를 건설하려면 청소년, 어린이, 여성의 교육에 기꺼이 투자하여 전 세계 모든 국가 및 사회 발전의 기반을 마련해야 한다는 신념으로 교육의 중요성을 강조하는 계획(Education First Initiative)을 발표했다. 이 계획의 기본 취지는 모든 어린이들을 교육시키고, 교육의 질을 향상하여 세계 시민의식을 함양하기 위한 것이다.

반기문 유엔사무총장은 사회를 빠르게 성장시키는 원동력인 교육을 통해 인적자원을 개발시키고 고용 기회를 늘리고, 불평등을 줄이고, 사회결속을 증진시키며, 더 좋은 세상을 만드는데 필수적인 지식, 기술, 가치관을 얻는다고 주장했다.

유엔 사무총장 **반기문 – 명언 ❷** 포용 Tolerance

Make / the people who criticize you / your friends.
만들어라 / 당신을 비판하는 사람을 / 당신의 친구로

나를 비판하는 사람을 친구로 만들어라.

2. 교육의 중요한 과제

A.

Let me begin by thanking / the Heads of States and Government /
감사의 뜻을 전하며 시작하겠습니다 / 국가원수 및 총리들에게 /

who have agreed to serve as Champions for Education First / and
Education First(교육의 중요성)의 지지자 역할을 하겠다고 동의했고 /

who are here today representing Australia, Bangladesh, Brazil,
오늘 이곳에 오스트레일리아, 방글라데시, 브라질,

Croatia, Denmark, Guyana, South Africa and Tunisia.
크로아티아, 덴마크, 가이아나, 남아프리카, 튀니지를 대표하여 참석하신 (국가원수 및 정부의 수뇌자들에게)

Thank you for your leadership.
여러분들의 리더십에 감사 드립니다.

I also want to recognize / the many partners and leaders / from
저는 또한 감사의 뜻을 전하고 싶습니다 / 많은 협조자와 지도자들에세 /

throughout the UN system including UNESCO, UNICEF and so
유네스코와 유니세프를 포함한 유엔 체제와 많은 다른 조직에서 오신 (협조자와 지도자들에게).

many others.

Allow me to pay a special recognition / to UNESCO Director-
특별한 감사의 뜻을 전하고자 합니다 / 유네스코 사무총장 이리나 보코바에게 /

General Irina Bokova / for the outstanding leadership UNESCO has
유네스코가 발휘한 뛰어난 지도력과 /

brought / and will bring to the success of Education First.
Education First를 성공시킬 유네스코의 지도력에 대해.

I thank / my Special Envoy for Education, Gordon Brown, / for his
감사의 뜻을 전합니다 / 저의 교육 특사 고든 브라운에게 /

strong voice for global education.
전 세계적인 교육을 지지하는 의견을 강력하게 표명한 것에 대해.

And to Mr. Chenor Bah, / thank you / for delivering a call to action
그리고 체노르바씨에게 / 감사의 뜻을 전합니다 / 전 세계 청년들의 참여를 요청해주신 것과 /

from youth around the world / — and for your powerful
본인의 강력한 메시지를 전해 준 것에 대해.

personal message.

I must say, / your story hit home for me.
정말로 / 당신의 메시지는 저의 가슴에 와 닿았습니다.

It brought back many memories.
많은 추억을 떠올리게 했습니다.

Key Expression

'allow me to+동사원형'은 '~하고자 합니다, 하겠습니다'라는 의미로 사용된다. 그래서 'allow me to pay a special recognition'을 '특별한 감사의 뜻을 전하고자 한다, 또는 특별한 공로를 인정하고자 한다'라고 해석한다.

Allow me to pay a special recognition / to UNESCO Director-General Irina Bokova /
특별한 감사의 뜻을 전하고자 합니다 / 유네스코 사무총장 이리나 보코바에게 /

for the outstanding leadership UNESCO has brought.
유네스코가 발휘한 뛰어난 지도력에 대해.

head of state 국가원수 | head of government 정부수반, 총리 | champion 옹호자, 지지자 |
recognize 감사하다, (공적 따위를) 인정하다 | envoy (외교의) 특사, 사절

B.

I did not have to read / about education-deprivation / in a newspaper or a text book.
제가 읽을 필요가 없었습니다 / 교육결핍에 대한 것을 / 신문에 실리거나 교재에 나온.

I had no text books.
저에게는 교재가 없었습니다.

In my small village after the war, / I had no school building.
전쟁이 끝난 저의 작은 마을에 / 학교 건물이 없었습니다.

Our class gathered under a tree.
저희 반 학생들은 나무 아래 모였습니다.

But whatever we lacked in supplies, / we made up for / in our passion for learning.
하지만 교육에 필요한 어떤 것이 부족할지라도 / 우리는 보충했습니다 / 배우려는 열정으로.

Growing up, / I saw the power of education / to transform people and whole societies.
성장하는 동안 / 저는 교육의 힘을 깨달았습니다 / 사람들과 사회전체를 변화시키는 (교육의 힘을).

And so / when I say education is my priority, / it comes from deep within me.
그래서 / 제가 교육이 중요한 것이라고 말할 때 / 저의 주장은 내면 깊은 곳에서 나온 것입니다.

I know / what Nelson Mandela means / when he says /
저는 압니다 / 넬슨 만델라가 무엇을 의미하는지 / 그가 말할 때 /

"education is the most powerful tool / … to change the world."
"교육이 가장 강력한 도구다 / 세상을 변화시키는."

That's my life.
제 삶이 그랬기 때문입니다.

Every one of us stands on the shoulders of / our teachers, our communities, our families / who believed in us and invested in our education.
우리 모두가 토대로 발전합니다 / 우리의 교사, 지역사회, 가족을 / 우리의 가치를 믿고 교육에 투자했던 (교사, 지역사회, 가족을).

We are here today / because we know / every child everywhere deserves / that same chance.
우리는 오늘 이곳에 모였습니다 / 우리는 알고 있기 때문에 / 어느 곳에 살든 모든 아이들은 가져야 한다는 것을 / 동등한 기회를.

Education is hope and dignity.
교육은 희망이며 존엄성입니다.

Education is growth and empowerment.
교육은 성장이며 역량강화입니다.

Key Expression

아래 예문처럼 복합관계대명사 'whatever'가 부사절로 쓰이면, '양보의 의미'로 사용된다. 그래서 부사절로 쓰인 'whatever 주어+동사'는 '무엇을 하든지, 상관없이'라고 해석한다.

Whatever we lacked in supplies, / we made up for / in our passion for learning.
교육에 필요한 어떤 것이 부족할지라도 / 우리는 보충했습니다 / 배우려는 열정으로.

deprivation 결핍, 상실 | priority 가장 중요한 것, 긴급사, 우선권 | stand on the shoulders of ~을 토대로 발전하다 | deserve 받을 가치가 있다 | dignity 존엄성 | empowerment 역량강화, 권한부여

C.

Education is the basic building block of every society / and
교육은 모든 사회의 기본 구성요소이며 /

a pathway out of poverty.
가난에서 벗어나는 통로입니다.

More education means less vulnerability / to extreme poverty
더 많이 교육받는 것은 덜 취약하다는 것을 의미합니다 / 심각한 가난과 기아에.

and hunger. More opportunities for women and girls.
여성들에게 더 많은 기회를 주어야 합니다.

More health and basic sanitation.
더 많은 양의 보건 및 기초 위생시설이 필요합니다.

More power to fight HIV, malaria, cholera and other killer diseases.
에이즈바이러스, 말라리아, 콜레라 및 다른 죽음을 초래하는 질병과 싸울 더 많은 힘을 주어야 합니다.

Indeed, progress on education brings progress / on all of
정말로, 교육의 발전이 성취하게 합니다 / 모든 밀레니엄 개발 목표를.

the Millennium Development Goals. And we must spare no effort /
그리고 우리는 노력을 아끼지 않아야 합니다 /

to achieve the MDGs by 2015. We have three years and three
2015년까지 밀레니엄 개발 목표를 성취하려는. 우리에게는 3년 3개월이 있습니다.

months. We must intensify our work. This is our collective
끊임없이 노력해야 합니다. 이것은 공동의 책임입니다.

responsibility.

Education First seeks to answer / the call of parents everywhere /
Education Frist는 들어주려 합니다 / 도처에 있는 부모들의 요구를 /

for the schooling their children deserve / — from the earliest years
아이들이 당연히 받아야 하는 교육에 대한 (요구를) / 초년기부터 성인이 될 때까지.

to adulthood.

Our new global initiative / will focus on three priorities.
우리의 새로운 글로벌 계획은 / 세 가지 중요사항에 주력합니다.

First, we must put every child in school.
첫째로, 우리는 모든 아이들을 학교에 보내야 합니다.

Every child / — regardless of gender, background, or circumstance
모든 아이들은 / 성별, 배경, 또는 환경에 관계없이 /

— / must have equal access to education.
교육을 받을 동등한 기회를 가져야 합니다.

No society can afford / for any child to drop out, be left out or
어떤 사회도 여유가 없습니다 / 어떤 아이라도 중퇴하고, 버려지거나 쫓겨나게 할 (여유가 없습니다)

pushed out.

Just one more year of schooling for a girl / could increase her future
한 소녀가 단지 1년 더 교육을 받으면 / 그녀의 장래 임금을 증가시킬 수 있으며 /

wages / by up to 20 per cent / -- wages which she is more than
20퍼센트 정도까지 / 소녀는 그 임금을 보낼 것입니다 /

likely to return / to her family and community.
가족이나 지역사회로.

vulnerability 취약성 | extreme 심각한, 극도의 | sanitation (공중) 위생 | spare no effort 노력을 아끼지 않다 | intensify 강렬하게 하다, 증가하다 | collective 공동의, 집합의 | call 요구 | initiative 계획 | priority 중요한 것, 우선권 | equal access to education 교육을 받을 동등한 기회

D.

This is the virtuous circle / we need to create.
이것은 선순환입니다 / 우리가 만들어야 하는.

Second, we must improve / the quality of learning.
둘째, 우리는 개선시켜야 합니다 / 학습의 질을.

Many children are in school / but learning very little / year after year. And too many young people graduate / without the tools and skills / for today's job market.
많은 아이들이 학교에 다니고 있습니다 / 하지만 배우는 것이 매우 적습니다 / 매년. 그리고 너무나 많은 청년들이 졸업합니다 / 도구나 기술 없이 / 오늘날 구직시장에 필요한.

We must bridge this gap / through stronger skills development and the power of technology.
우리는 이러한 격차를 해소해야 합니다 / 더 강력한 기술개발과 기술의 힘을 이용하여.

Third, we must foster global citizenship.
셋째로, 우리는 세계시민의식을 발전시켜야 합니다.

Education is about more than literacy and numeracy / — it is also about citizenry.
교육은 읽고 쓰는 능력과 산술능력 이상의 것이며 / 교육은 또한 시민에 대한 것입니다.

Education must fully assume its central role / in helping people / to forge more just, peaceful and tolerant societies.
교육은 전적으로 중심적인 역할을 맡아야 합니다 / 사람들을 도와줄 때 / 더 공정하고 평화롭고 아량이 있는 사회를 만들기 위해.

Excellencies,
각하,

Ladies and gentlemen,
신사 숙녀 여러분,

From here, we must take our message / to every continent … every country … every community.
우리의 메시지를 이곳에서 전달해야 합니다 / 모든 대륙 … 모든 나라 … 모든 공동체로.

We cannot stop / until every child, youth and adult has the opportunity / to go to school, learn and contribute to society.
우리는 멈출 수 없습니다 / 모든 아이, 청년과 성인들이 기회를 가질 때까지 / 학교에 다니고, 배우고 사회에 기여할 수 있는 (기회를)

This is our assignment. This is our homework.
이것이 우리의 과제입니다. 이것이 우리의 숙제입니다.

Let us pass the test / for the world's children.
시험에 통과합시다 / 세계의 어린이들을 위한 (시험에).

Let us put Education First.
교육을 가장 중요하게 생각합시다.

Remarks on Launch of Education First Initiative
(26 September 2012)

Key Expression

관계대명사가 생략되는 경우는 두 가지가 있다. 아래 예문처럼 동사의 목적격으로 사용되면 관계대명사가 생략된다. 그리고 전치사의 목적어로 사용된 경우도 관계대명사를 생략할 수 있다.

This is the virtuous circle / (which, that) we need to create.
이것은 선순환입니다 / 우리가 만들어야 하는.

virtuous circle 선순환 | bridge the gap 간격을 메우다, 격차를 해소하다 | foster 기르다, 발전시키다 | global citizenship 세계시민의식 | literacy 읽고 쓰는 능력 | numeracy 산술능력 | citizenry (일반) 시민 | assume (임무·책임을) 떠맡다 | forge 구축하다, 만들다 | assignment 과제, 임무, 숙제

2. 교육의 중요한 과제

A.

Let me begin by thanking the Heads of States and Government who have agreed to serve as Champions for Education First and who are here today representing Australia, Bangladesh, Brazil, Croatia, Denmark, Guyana, South Africa and Tunisia.

Thank you for your leadership.

I also want to recognize the many partners and leaders from throughout the UN system including UNESCO, UNICEF and so many others.

Allow me to pay a special recognition to UNESCO Director-General Irina Bokova for the outstanding leadership UNESCO has brought and will bring to the success of Education First.

I thank my Special Envoy for Education, Gordon Brown, for his strong voice for global education.

And to Mr. Chenor Bah, thank you for delivering a call to action from youth around the world — and for your powerful personal message.

I must say, your story hit home for me. It brought back many memories.

B.

I did not have to read about education-deprivation in a newspaper or a text book.

I had no text books.

In my small village after the war, I had no school building.

Our class gathered under a tree.

But whatever we lacked in supplies, we made up for in our passion for learning.

Growing up, I saw the power of education to transform people and whole societies.

And so when I say education is my priority, it comes from deep within me.

I know what Nelson Mandela means when he says "education is the most powerful tool …to change the world."

That's my life.

Every one of us stands on the shoulders of our teachers, our communities, our families who believed in us and invested in our education.

We are here today because we know every child everywhere deserves that same chance.

Education is hope and dignity.

Education is growth and empowerment.

C.

Education is the basic building block of every society and a pathway out of poverty.

More education means less vulnerability to extreme poverty and hunger.

More opportunities for women and girls. More health and basic sanitation.

More power to fight HIV, malaria, cholera and other killer diseases.

Indeed, progress on education brings progress on all of the Millennium Development Goals. And we must spare no effort to achieve the MDGs by 2015. We have three years and three months. We must intensify our work.

This is our collective responsibility.

Education First seeks to answer the call of parents everywhere for the schooling their children deserve — from the earliest years to adulthood.

Our new global initiative will focus on three priorities.

First, we must put every child in school.

Every child — regardless of gender, background, or circumstance — must have equal access to education.

No society can afford for any child to drop out, be left out or pushed out.

Just one more year of schooling for a girl could increase her future wages by up to 20 per cent -- wages which she is more than likely to return to her family and community.

D.

This is the virtuous circle we need to create.

Second, we must improve the quality of learning.

Many children are in school but learning very little year after year.

And too many young people graduate without the tools and skills for today's job market.

We must bridge this gap through stronger skills development and the power of technology.

Third, we must foster global citizenship.

Education is about more than literacy and numeracy — it is also about citizenry.

Education must fully assume its central role in helping people to forge more just, peaceful and tolerant societies.

Excellencies,

Ladies and gentlemen,

From here, we must take our message to every continent … every country … every community.

We cannot stop until every child, youth and adult has the opportunity to go to school, learn and contribute to society.

This is our assignment. This is our homework.

Let us pass the test for the world's children.

Let us put Education First.

3. 허리케인 샌디

* 유엔기후변화협약 United Nations Framework Convention on Climate Change

환경적인 문제인 것처럼 보이는 기후변화는 경제개발, 빈곤, 인구성장, 자원이용과 밀접한 관계가 있고, 지구상의 모든 생명체에게 심각한 영향을 끼치는 복잡한 문제이다.

기후변화에 세계가 공동으로 대처하기 위해 기후변화협약이 탄생했다. 유엔기후변화협약의 정식 명칭은 '기후변화에 대한 국제연합 기본협약(United Nations Framework Convention on Climate Change)'으로 1992년 리우회의에서 채택되었다. 이 협약에 동의한 국가들은 세계기후상승으로 인해 기후변화를 제한하기 위해 이산화탄소를 포함한 온실가스의 방출을 규제했다.

기후변화협약 중에 교토의정서와 발리로드맵이 대표적이며, 이와 같은 협약의 초점은 지구온난화를 일으키는 온실가스(메탄, 이산화질소, 염화불화탄소) 가운데 탄산가스의 방출이 가장 많기 때문에 탄산가스 배출량을 규제하는 것이다.

한편 세계기후변화에 적절하게 대처하기에 위해 국제사회는 정규적으로 만나 협약을 수정하거나 보완하고 있다. 대표적인 예로, 1995년 기후변화협약의 탄산가스배출 감소조항이 부적절하다고 인정하여 교토의정서를 채택했으며, 의정서에 따라 선진국들은 탄산가스의 방출감소 목표량을 정하기도 했다.

유엔 사무총장 **반기문 – 명언 ③** 배려 Consideration

Giving away to others / is earning.
타인에게 베푸는 것이 / 얻는 것이다

베푸는 것이 얻는 것이다.

3. 허리케인 샌디 Hurricane Sandy

A.

Thank you / for this opportunity to brief you / on the impact
감사합니다 / 여러분들에 알릴 수 있는 기회를 주셔서 / 허리케인 샌디의 충격을.

of Hurricane Sandy.

I know / that several senior officials have come before you /
저는 알고 있습니다 / 몇몇 고위 관리들이 여러분들보다 먼저 오신 것을 /

in various fora / to share information about the storm.
몇몇 포럼에서 / 폭풍에 대한 정보를 공유하려고.

But I wanted to be here myself / because I understand / the
하지만 저는 직접 이곳에 오길 원했습니다 / 제가 알고 있기 때문에 /

concerns you have raised / and believe / these matters are best
여러분들이 제기한 문제에 대해 / 그리고 믿기 때문에 / 이런 문제를 아주 적절하게 토론할 수 있다

discussed / together, frankly, face to face. In that spirit, / I look
고 / 솔직하게 함께 얼굴을 맞대면. 이와 같은 의미로 / 저는 기대합니다 /

forward to / a productive and much-needed discussion with you.
여러분과 생산적이며 절실히 필요한 토론을 하길.

Storms and emergencies / pose great tests and challenge.
폭풍과 비상사태는 / 큰 시험과 난관이 됩니다.

They may bring out the best / in people who work beyond
폭풍과 비상사태는 가장 좋은 것을 이끌어 낼 수 있습니다 / 직무의 범위를 넘어 일하는 사람들로부터 /

the call of duty / in trying and even in heroic circumstances.
견디기 어렵고 심지어 초인적인 상황에서.

But emergency situations / can also lay bare / where we may have
하지만 비상사태는 / 또한 나타나게 합니다 / 어떤 점에서 근거 없는 추측을 기반

been operating on flawed assumptions / and must do better.
으로 일했는지 / 어떤 점에서 더 잘 해야 하는지.

Such was the case / over the past two weeks.
그와 같은 상황이었습니다 / 지난 2주간은.

The United Nations continued to provide / its vital global services /
유엔은 계속 제공했습니다 / 중요한 포괄적인 서비스를 /

despite major disruptions. At the same time, / where there
상당한 혼란이 있었지만. 동시에, / 실수가 있는 곳에 /

were mistakes / — there must be lessons.
분명히 교훈이 있습니다.

We are determined to work with all of you / to learn and move forward.
우리는 기어코 여러분 모두와 함께 일할 작정입니다 / 배우고 전진하기 위해.

Key Expression

'동사+ing' 형태의 형용사는 능동 또는 진행의 의미로 사용되며, '과거분사'가 형용사로 사용되면 수동 또는 완료의 의미가 있다. 아래 예문의 'trying'은 형용사로 뒤에 나오는 'circumstances'를 수식하며, '힘든, 괴로운, 고통스러운'이라는 의미다. 좀 더 자세히 설명하면, 'trying circumstances'에는 '사람들을 견디기 어렵게 하는'이라는 의미가 있다.

Storms and emergencies may bring out the best / in people who work beyond the call of duty / in trying and even in heroic circumstances.
폭풍과 비상사태는 가장 좋은 것을 이끌어 낼 수 있습니다 / 직무의 범위를 넘어 일하는 사람들로부터 / 견디기 어렵고 심지어 초인적인 상황에서.

brief 사정을 알리다, 요점을 추려 말하다 | impact 충격, 영향 | forum 공개토론회의 fora forum의 복수 | pose (문제를) 제기하다 | bring out the best 가장 좋은 것을 이끌어내다 | beyond the call of duty 직무(업무)의 범위를 넘어 | heroic 초인적인, 영웅적인 | flawed 근거 없는 | assumption 억측, 가정 | disruption 혼란, 분열 | be determined to 기어코 ~할 작정이다 | move forward 전진하다

B.

Hurricane Sandy affected all of us / — the staff of your missions
허리케인 샌디는 우리 모두에게 영향을 끼쳤습니다 / 재외공관의 직원과

and their families, and the staff of the United Nations.
그들의 가족 그리고 유엔 직원들에게.

Moreover, the storm and its aftermath are still with us.
게다가, 폭풍과 폭풍의 영향은 아직도 우리에게 남아있습니다.

Here in the New York metropolitan area and along the East Coast of
이곳 뉴욕시 지역과 미국의 동해안 지역에서 /

the United States, / more than 100 people lost their lives / and many
백 명 이상이 목숨을 잃었고 / 많은 가족이 전

families remain without power and water.
력과 식수가 없는 상태입니다.

In the Caribbean, / five million people were affected / and 72 people
카리브 해 지역에서 / 5백만 명의 사람들이 폭풍의 영향을 받았고 / 72명이 사망했습니다.

died.

Fifty-four people died / in Haiti alone, / and hundreds of thousands
54명이 사망했고 / 아이티에서만 / 수십만 명이 피해를 당했습니다 /

of people were hit / by floods and heavy winds.
홍수와 강풍에.

In Cuba, / 20 per cent of the country's population / was affected.
쿠바에서는 / 그 나라 인구의 20퍼센트가 / 영향을 받았습니다.

There were also significant impacts / in Jamaica, the Dominican
또한 상당한 영향을 끼쳤습니다 / 자메이카, 도미니칸 공화국과 바하마에.

Republic and the Bahamas.

I have spoken / to the Presidents of Cuba, the Dominican Republic
저는 이야기를 했습니다 / 쿠바, 도미니칸 공화국, 아이티 대통령과

and Haiti, and the Prime Minister of Jamaica.
자메이카 국무총리와 함께.

I have written a condolence letter / to President Obama / and
저는 애도의 편지를 보냈고 / 오바마 대통령에게 / 이야기했습니다 /

spoken / with New Jersey Governor Christie, New York Governor
뉴저지 주지사 크리스티, 뉴욕 주지사 쿠오모,

Cuomo, Mayor Bloomberg of New York City and American Red
뉴욕시장 블룸버그와 미국 적십자 회장 맥엘빈 헌

Cross Chairman McElveen-Hunter.
터와 함께.

I expressed my solidarity to each, / and pledged the full support of
저는 그들 각자에게 결속을 표현했고 / 유엔이 최대한 지원할 것을 약속했습니다 /

the United Nations / for the recovery effort.
회복 노력을 위해.

Immediately after the storm, / we allocated money from the Central
폭풍이 있자마자 / 중앙비상대처 기금에서 할당했습니다 /

Emergency Response Fund / -- $5 million to Cuba and $4 million
쿠바에 5백만 달러와 아이티에 4백만 달러를.

for Haiti.

Key Expression

문장부호 'dash(-)'는 앞에 나온 말을 구체적으로 설명하는 역할을 한다. 그래서 대시 앞에 나온 'all of us (우리 모든 사람들)'를 구체적으로 설명하는 '재외공관의 직원과 그들의 가족 그리고 유엔의 직원들'이 온다.

Hurricane Sandy affected all of us / - the staff of your missions
허리케인 샌디는 우리 모두에게 영향을 끼쳤습니다 / 재외공관의 직원과

and their families, and the staff of the United Nations.
그들의 가족 그리고 유엔 직원들에게.

mission 재외공관 | aftermath 여파, 영향 | metropolitan 수도권의, 대도시의 | heavy wind 강풍 | impact 영향 | condolence 애도, 조상 | solidarity 결속, 단결 | pledge 약속하다, 서약하다 | allocate 할당하다, 배분하다

C.

Jamaica will receive an emergency grant / for health and food
자메이카는 비상보조금을 받을 것입니다 / 보건 및 식량안보 지원을 위한.

security support.

The United Nations is working closely / with national authorities,
유엔은 긴밀히 협력하고 있습니다 / 정부당국,

donors and emergency organizations / to ensure the strongest
원조국과 비상대책 기구들과 함께 / 국가적인 노력을 가능한 가장 강력하게 지원하

possible support for national efforts / to see to their needs today /
기 위해 / 현재 그들의 요구에 대처하고 /

and to strengthen disaster risk reduction for the future.
장래 재난위험 감소를 강화하려는 (각국의 노력을)

Excellencies, let me turn now / to the damage here at UN
각하, 이제 관심을 기울여봅시다 / 이곳 유엔본부의 피해에.

Headquarters.

Throughout the crisis, / my overriding concerns, and that of senior
폭풍의 위기 내내 / 저와 간부들의 가장 중요한 관심사는 /

management, / were to ensure the safety of delegates and staff, /
각국의 대표와 직원들의 안전을 보장하는 것이었으며 /

and to resume normal operations / as early as possible.
정상적인 운영을 재개하는 것이었습니다 / 가능한 일찍.

Let me underscore / that even though I was away from headquarters
강조하겠습니다 / 비록 제가 유엔본부에 없었지만 /

/ when the storm struck, / as the situation unfolded / I was in
폭풍이 강타하고 / 상황이 전개될 때 / 저는 계속 연락을 했고 /

constant touch / with the Deputy Secretary-General, / who was
부 사무총장과 / 부 사무총장은 본부

directing the response from Headquarters. I arrived back in New
에서 위기대응을 관리했다는 점을. 저는 뉴욕에 돌아왔고 /

York / on Wednesday evening, / and immediately joined the
수요일 저녁에 / 현장에서 진행되던 (위기 대응) 토론과 시도에 즉시 합류

discussions and efforts being carried out on the ground.
했습니다.

I am pleased to inform you / that there have been no reports of
여러분들에게 알려드리게 되어 기쁩니다 / 부상당하지 않았다는 것을 /

injuries / to staff members and their dependants.
직원과 그들의 부양가족들이.

However, several staff members have suffered damage to property /
하지만, 몇몇 직원들이 재산피해를 당했고 /

and experienced other difficulties.
다른 어려움을 겪었습니다.

I have reached out / to convey my sympathy and support.
저는 연락을 취했습니다 / 위로 및 후원의 뜻을 전하기 위해.

I know / you join me in these expressions of concern.
저는 알고 있습니다 / 여러분들도 저와 함께 관심을 표현한다는 것을.

Despite the severity of the storm, / material damages in the UN
심각한 폭풍에도 불구하고 / 상대적으로 유엔 공관의 손해가 퍼지는 것을 막을 수

compound are relatively contained.
있었습니다.

Key Expression

문장에서 'to+동사원형'이 명사역할을 하면, 주어, 목적어, 보어로 쓰인다. 아래 예문의 경우, 'to ensure ~'는 주어를 보충해주는 보어역할을 한다.

My overriding concerns, and that of senior management, / were to ensure the safety
저와 간부들의 가장 중요한 관심사는 / 각국의 대표와 직원들의 안전을

of delegates and staff.
보장하는 것이었습니다.

grant (특정 목적을 위한) 보조금 | work closely 긴밀하게 협력하다 | national authorities 정부당국 | emergency organization 비상대책 기구 | overriding concerns 가장 중요한 관심사 | ensure 보장하다, 확실하게 하다 | resume 재개하다, 다시 시작하다 | on the ground 현장에서 | dependant 부양가족 | damage to property 재산피해 | convey 전하다, 전달하다 | severity 가혹, 엄격 | contain 억제하다, 저지하다

D.

I will not go into details, / since senior officials have already
상세히 설명하지 않겠습니다 / 고위관리들이 이미 최신 정보를 알려줬고 /

updated you / and will continue to do so.
앞으로 계속 그렇게 할 것이기 때문에.

Suffice to say / that the most serious damage occurred / when
핵심을 말하자면 / 가장 심각한 피해를 입었습니다 /

flooding in the basement caused / the shutdown of the cooling
지하실의 침수가 일으켰을 때 / 냉각시스템의 정지와 /

system / and then, in turn, of the Primary Data Center of our ICT
결국 정보통신기술 기반시설인 주요 데이터 센터의 정지를 /

infrastructure.

Due to the rapidity of the shutdown, / there were difficulties /
갑자기 정지되었기 때문에 / 어려움이 있었습니다 /

in the migration to the Secondary Data Center in New Jersey.
뉴저지에 있는 부속 데이터 센터로 이전하는데.

Some communications systems / -- both data and phones -- were
통신시스템의 일부인 / 데이터와 전화는 /

severely affected. But the Secondary Data Center did allow us to
심각하게 영향을 받았습니다. 하지만 부속 데이터 센터 덕분에 유지할 수 있었습니다 /

maintain / critical IT systems and communication continuity, / with
중요한 정보통신 시스템과 통신의 지속성을 /

no data lost.
데이터의 손실 없이.

Let me also stress / that our global services were provided / without
또한 강조하겠습니다 / 전 세계적인 서비스를 제공하고 있다는 것을 / 중단하지 않

interruption. Many staff worked around the clock.
고. 많은 직원들이 하루 종일 일하고 있습니다.

The Situation Center was always in touch / with our field missions.
비상 대응 센터는 항상 연락을 하고 있습니다 / 현장 파견단과.

The Security Council was able to meet / in this building on
안전보장 이사회는 만날 수 있었고 / 이 건물에서 수요일에 /

Wednesday, / with full television and webcast coverage, / and
텔레비전과 인터넷으로 생방송을 하는 가운데,

took innovative steps / to continue its work; various plenary and
혁신적인 조치를 취했습니다 / 업무를 계속하기 위해. 여러 본회의와 위원회 회의가 있었고 /

committee meetings took place / on Thursday; / and the Secretariat
목요일에 / 사무국이 제대로 기능을 다하

was fully functioning / on Friday.
고 있었습니다 / 금요일에.

Key Expression

'due to'가 전치사구로 '~ 때문에(owing to)'라는 의미로 사용될 경우, 대개 'be 동사'나 명사 뒤에 온다. 하지만 아래 예문을 보면, 'due to'로 시작하는 부사구가 나온다. 이처럼 사용된 표현은 잘못된 것이라고 주장하는 사람들이 있었지만 현재는 올바른 표현으로 인정한다.

Due to the rapidity of the shutdown, / there were difficulties /
갑자기 정지되었기 때문에 / 어려움이 있었습니다 /

in the migration to the Secondary Data Center in New Jersey.
뉴저지에 있는 부속 데이터 센터로 이전하는데.

go into details 자세히 설명하다 | suffice to say 핵심을 말하자면 | infrastructure 기반시설, 산업기반 | migration 이주, 이전 | severely 심하게, 호되게 | critical 중요한 | continuity 지속성, 연속성 | webcast 웹캐스트, 인터넷 생방송 | innovative 혁신적인 | plenary 전원 출석의 | plenary meeting 본회의 | Secretariat 사무국

E.

However, it is clear / that in focusing so much on operations and
하지만, 명백합니다 / 운영과 기반시설에 지나치게 집중할 때 /

infrastructure, / we fell short / when it came to communications.
부족한 점이 있었다는 것이 / 통신에 관한 한.

The Secretariat made efforts / to reach out to staff and delegations,
사무국은 끊임없이 노력했습니다 / 직원과 대표단에 연락을 취하려고 /

/ including through the emergency information website and the
비상연락 웹사이트와 긴급 직통전화를 통해 /

telephone hotline, / and by email to Permanent Missions.
그리고 이메일로 대표부와 연락하려고.

But we learned / that too many email addresses / were out of date or
그러나 우리는 발견했습니다 / 너무나 많은 이메일 주소가 / 쓸모없거나 정확하지 않은 것

otherwise incorrect.
임을.

And in the broadest sense, / we should have done much more to
그리고 넓은 의미에서, / 우리는 최근의 정보를 알려주기 위해 더 많은 것을 했어야 했습

update / Member States, staff and the wider audience at large /
니다 / 회원국, 직원과 더 광범위한 방청자들에게 /

about the impact and implications of the storm.
폭풍의 영향과 결과에 대해.

I fully understand / the frustration of many delegates and staff
저는 충분히 이해합니다 / 많은 대표단과 직원들의 좌절감을 /

members / hoping for guidance, critical information or even just a
안내를 받고, 중요한 정보를 얻고 또는 안심시키는 말을 듣기 바라는 (대표단과 직원들의) /

reassuring word / during the disaster.
재해가 일어난 동안.

We are looking closely into / what worked and what did not work
우리는 면밀히 조사하고 있고 / 어떤 것이 성공했고 어떤 것이 잘못되었는지 /

/ during the response, / and are determined to fix / whatever went
재난에 대처하는 동안에 / 기어코 시정할 것입니다 / 잘못된 일을.

wrong.

This stock-taking exercise is being led / by the Chef de Cabinet.
상황점검 활동을 지휘하고 있습니다 / 유엔사무국 국장이.

It encompasses / crisis governance, infrastructure, technology,
상황점검 활동에 포함되어 있습니다 / 위기관리, 기반시설, 기술,

staff support and communications, both internal and external.
직원 지원과 내·외부 통신이.

We expect / this effort to generate practical recommendations / for
우리는 기대합니다 / 이런 노력에 의해 실용적인 건의가 이루어지길 /

strengthening business continuity and filling the gaps / that became
업무의 영속성을 강화하고 결함을 보완하는데 필요한 (건의가) / 위기동안 명백하게

evident during the crisis.
나타난 (결함을)

Key Expression

'when it comes to'라는 구어체 표현은 '~에 관한 한, ~에 대해서라면'이라는 의미로 사용된다.

In focusing so much on operations and infrastructure, / we fell short /
운영과 기반시설에 지나치게 집중할 때 / 우리에게는 부족한 점이 있었다는 것이 /

when it came to communications.
통신에 관한 한.

delegation 대표단, 파견위원단 | implication 영향, 함축, 암시 | stock-taking 상황을 점검하는 | Chef de Cabinet 국장 | encompass 포함하다, 에워싸다 | crisis governance 위기관리 | generate 발생시키다, 일으키다 | fill the gaps 결함을 보완하다 | evident 명백한, 뚜렷한

F.

As an initial quick adjustment, / we have created the United
초기 빠른 조정의 일환으로 / 우리는 유엔본부 비상정보 웹사이트를 구축했으며 /

Nations Headquarters Emergency Information Website, /

which will serve / all of us who work in the UN compound /
이 웹사이트는 도움이 될 것입니다 / 유엔본부 구내에서 일하는 모든 사람들에게 /

-- delegates, staff, NGOs, journalists and others.
즉 대표단, 직원, 비정부기구, 기자 및 다른 사람들에게 도움이 될 것입니다.

But of course, much more is likely to be necessary.
그렇지만 당연히 훨씬 더 많은 것이 필요할 것입니다.

Excellencies,
각하,

To show our solidarity with the UN's great and generous host
유엔본부가 있는 위대하고 관대한 미국과 뉴욕시와 결속을 보여주려고 /

country and city, / UN staff and I / have launched a donation drive.
유엔직원과 저는 / 기부운동을 시작했습니다.

We are also supporting / our own staff / who have suffered losses
또한 우리는 지원하고 있습니다 / 우리의 직원들을 / 손실 및 손상을 입은 (직원들).

and damage.

Finally, let me say / that we all know the difficulties / in attributing
마지막으로 말씀드리겠습니다 / 곤란하다는 것을 우리 모두가 알고 있다는 점을 / 단한번의 폭풍 발생이

any single storm to climate change. But we also know this: extreme
기후변화 탓이라고 말하는 데. 하지만 우리는 또한 알고 있습니다.

weather due to climate change / is the new normal.
기후변화에 의해 발생한 기상이변이 / 새로운 기준이 되었다는 것을.

This may be an uncomfortable truth, / but it is one we ignore / at
이것은 불편한 진실일 수도 있습니다 / 하지만 우리가 무시하는 진실입니다 /

our peril. The world's best scientists / have been sounding the alarm
위험을 무릅쓰고. 세계의 유명한 과학자들이 / 경고를 하였습니다 /

/ for many years.
다년간.

Our own eyes can see / what is happening.
우리의 눈으로 볼 수 있습니다 / 어떤 일이 일어나고 있는지.

There can be no looking away, / no persisting with business as
외면할 수 없고 / 평소처럼 일을 계속할 수 없고 /

usual, / no hoping / the threat will diminish or disappear.
바랄 수도 없습니다 / 위협이 감소하거나 사라지길.

Our challenge remains, / clear and urgent: / to reduce greenhouse
우리의 목표가 있습니다 / 명확하고 절박한 상태로. / (목표는) 온실가스 배출을 줄이는 것이

gas emissions; / to strengthen adaptation / to the even larger climate
고 / 적응력을 강화하는 것입니다 / 심지어 더 큰 규모의 기후변화 충격에 대

shocks / we know are on the way / no matter what we do; / and
한 (적응력을) / 우리가 알기로 현재 진행 중인 / 어떤 일을 우리가 하던 / 그리고 법적으

to reach a legally binding climate agreement / by 2015, / as states
로 구속력 있는 기후협약을 체결하는 것입니다 / 2015년까지 / 체결하기로 합의한

agreed to do / last year in Durban.
대로 / 지난해 더반에서.

Key Expression

'현재완료 진행형(have(has) been+~ing)'은 과거에 시작한 행동이나 상태가 현재에도 지속될 때 사용한다. 그래서 아래 예문의 'have been sounding the alarm'은 '과학자들이 과거부터 현재까지 계속 경고를 하고 있다'라는 의미가 있다.

The world's best scientists / have been sounding the alarm / for many years.
세계의 유명한 과학자들이 / 경고를 하였습니다 / 다년간.

compound 구내, 수용소 | NGO(Non-Governmental Organization) 비정부기구 | solidarity 결속, 단결 | attribute ~의 탓으로 하다, ~에 돌리다 | extreme weather 기상이변 | due to ~에 기인하는, ~때문에 | at one's peril 위험을 무릅쓰고 | sound the alarm 경고를 하다 | look away 외면하다 | persist 지속하다, 고집하다 | diminish 약해지다, 감소하다 | challenge 노력의 목표, 난제 | emission 발산, 방출 | adaptation 적응, 적응력 | binding 구속력 있는

G.

This is an opportunity, / not just a burden.
이것은 기회입니다 / 부담이 아니라.

It is a chance / to steer the world on a more sustainable path /
이것은 기회입니다 / 세계를 더 잘 유지할 수 있는 길로 인도할 (기회) /

-- creating the jobs and energy systems / and other foundations / for
그리고 일자리와 에너지시스템을 만들 것이며 / 다른 기반을 만들 것입니다 / 모두

long-term prosperity and stability for all.
를 위한 장기적인 번영과 안정에 필요한 (기반을).

This should be / one of the main lessons of Hurricane Sandy.
이것은 되어야 합니다 / 허리케인 샌디로부터 얻는 중요한 교훈이.

Let us make this wise investment / in our common future.
현명한 투자를 합시다 / 우리 공동의 미래를 위해.

Thank you for your attention.
경청해 주셔서 감사합니다.

Briefing to the General Assembly on the Impact of Hurricane Sandy
(09 November 2012)

steer (어떤 방향으로) 나아가게 하다, 인도하다 | sustainable 유지할 수 있는, 계속할 수 있는

3. 허리케인 샌디 Hurricane Sandy

A.

Thank you for this opportunity to brief you on the impact of Hurricane Sandy.

I know that several senior officials have come before you in various fora to share information about the storm.

But I wanted to be here myself because I understand the concerns you have raised and believe these matters are best discussed together, frankly, face to face. In that spirit, I look forward to a productive and much-needed discussion with you.

Storms and emergencies pose great tests and challenge.

They may bring out the best in people who work beyond the call of duty in trying and even in heroic circumstances.

But emergency situations can also lay bare where we may have been operating on flawed assumptions and must do better.

Such was the case over the past two weeks.

The United Nations continued to provide its vital global services despite major disruptions. At the same time, where there were mistakes — there must be lessons.

We are determined to work with all of you to learn and move forward.

B.

Hurricane Sandy affected all of us — the staff of your missions and their families, and the staff of the United Nations.

Moreover, the storm and its aftermath are still with us.

Here in the New York metropolitan area and along the East Coast of the United States, more than 100 people lost their lives and many families remain without power and water.

In the Caribbean, five million people were affected and 72 people died.

Fifty-four people died in Haiti alone, and hundreds of thousands of people were hit by floods and heavy winds.

In Cuba, 20 per cent of the country's population was affected.

There were also significant impacts in Jamaica, the Dominican Republic and the Bahamas.

I have spoken to the Presidents of Cuba, the Dominican Republic and Haiti, and the Prime Minister of Jamaica.

I have written a condolence letter to President Obama and spoken with New Jersey Governor Christie, New York Governor Cuomo, Mayor Bloomberg of New York City and American Red Cross Chairman McElveen-Hunter.

I expressed my solidarity to each, and pledged the full support of the United Nations for the recovery effort.

Immediately after the storm, we allocated money from the Central Emergency Response Fund -- $5 million to Cuba and $4 million for Haiti.

C.

Jamaica will receive an emergency grant for health and food security support.

The United Nations is working closely with national authorities, donors and emergency organizations to ensure the strongest possible support for national efforts to see to their needs today and to strengthen disaster risk reduction for the future.

Excellencies, let me turn now to the damage here at UN Headquarters.

Throughout the crisis, my overriding concerns, and that of senior management, were to ensure the safety of delegates and staff, and to resume normal operations as early as possible.

Let me underscore that even though I was away from headquarters when the storm struck, as the situation unfolded I was in constant touch with the Deputy Secretary-General, who was directing the response from Headquarters.

I arrived back in New York on Wednesday evening, and immediately joined the discussions and efforts being carried out on the ground.

I am pleased to inform you that there have been no reports of injuries to staff members and their dependants. However, several staff members have suffered damage to property and experienced other difficulties. I have reached out to convey my sympathy and support. I know you join me in these expressions of concern.

Despite the severity of the storm, material damages in the UN compound are relatively contained.

D.

I will not go into details, since senior officials have already updated you and will continue to do so.

Suffice to say that the most serious damage occurred when flooding in the basement caused the shutdown of the cooling system and then, in turn, of the Primary Data Center of our ICT infrastructure.

Due to the rapidity of the shutdown, there were difficulties in the migration to the Secondary Data Center in New Jersey. Some communications systems -- both data and phones -- were severely affected. But the Secondary Data Center did allow us to maintain critical IT systems and communication continuity, with no data lost.

Let me also stress that our global services were provided without interruption. Many staff worked around the clock. The Situation Center was always in touch with our field missions. The Security Council was able to meet in this building on Wednesday, with full television and webcast coverage, and took innovative steps to continue its work; various plenary and committee meetings took place on Thursday; and the Secretariat was fully functioning on Friday.

However, it is clear that in focusing so much on operations and infrastructure, we fell short when it came to communications. The Secretariat made efforts to reach out to staff and delegations, including through the emergency information website and the telephone hotline, and by email to Permanent Missions. But we learned that too many email addresses were out of date or otherwise incorrect. And in the broadest sense, we should have done much more to update Member States, staff and the wider audience at large about the impact and implications of the storm.

I fully understand the frustration of many delegates and staff members hoping for guidance, critical information or even just a reassuring word during the disaster. We are looking closely into what worked and what did not work during the response, and are determined to fix whatever went wrong.

This stock-taking exercise is being led by the Chef de Cabinet.

It encompasses crisis governance, infrastructure, technology, staff support and communications, both internal and external. We expect this effort to generate practical recommendations for strengthening business continuity and filling the gaps that became evident during the crisis.

F.

As an initial quick adjustment, we have created the United Nations Headquarters Emergency Information Website, which will serve all of us who work in the UN compound -- delegates, staff, NGOs, journalists and others. But of course, much more is likely to be necessary.

Excellencies,

To show our solidarity with the UN's great and generous host country and city, UN staff and I have launched a donation drive. We are also supporting our own staff who have suffered losses and damage.

Finally, let me say that we all know the difficulties in attributing any single storm to climate change. But we also know this: extreme weather due to climate change is the new normal.

This may be an uncomfortable truth, but it is one we ignore at our peril.

The world's best scientists have been sounding the alarm for many years.

Our own eyes can see what is happening. There can be no looking away, no persisting with business as usual, no hoping the threat will diminish or disappear.

Our challenge remains, clear and urgent: to reduce greenhouse gas emissions; to strengthen adaptation to the even larger climate shocks we know are on the way no matter what we do; and to reach a legally binding climate agreement by 2015, as states agreed to do last year in Durban.

G.

This is an opportunity, not just a burden. It is a chance to steer the world on a more sustainable path -- creating the jobs and energy systems and other foundations for long-term prosperity and stability for all.

This should be one of the main lessons of Hurricane Sandy.

Let us make this wise investment in our common future.

Thank you for your attention.

Quiz 1

A. 단어 – 다음 제시된 단어의 설명을 읽고, 어떤 단어를 설명하는지 〈보기〉에서 어울리는 단어를 고르세요.

1. an act that disregards an agreement or a right
2. the practice of treating one person or group differently from another in an unfair way
3. to do well; prosper
4. very important
5. a formal agreement between two or more states
6. a moral or legal duty to do something
7. to overlook or forgive an offence
8. someone who has been attacked, robbed, or murdered
9. a determination or decision; a fixed purpose
10. someone who is sent to another country as an official representative
11. the lack of something that you need in order to be healthy, comfortable, or happy
12. prime concern, first concern, primary issue, most pressing matter
13. being of a high or of the highest degree or intensity
14. the state of being clean and conducive to health
15. to take upon oneself
16. something that you think is true although you have no definite proof
17. relating or belonging to a very large city
18. a person who depends on another person for support, aid, or sustenance
19. to produce or cause something
20. to continue steadfastly despite opposition or difficulty

〈보기〉

discrimination	persist	victim	assumption	obligation
dependant	sanitation	resolve	deprivation	metropolitan
extreme	envoy	assume	critical	priority
condone	generate	thrive	violation	treaty

Answer

1. violation 2. discrimination 3. thrive 4. critical 5. treaty 6. obligation 7. condone 8. victim 9. resolve 10. envoy 11. deprivation 12. priority 13. extreme 14. sanitation 15. assume 16. assumption 17. metropolitan 18. dependant 19. generate 20. persist

B. 회화에 강한 동시통역 연습 - 다음을 영어로 쓰고 말해보세요.

1. 우리는 명확한 메시지를 보내고 있습니다 / 전 세계에 / 폭력은 용납할 수 없고.
2. 폭력은 사회적 태도에서 발생합니다 / 여성을 경시하는 (사회적 태도에서)
3. 과거 어느 때보다 오늘날 / 우리는 견고한 인권체계에 의지해야 합니다.
4. 저는 기대합니다 / 총회가 이 결의안을 채택하길.
5. 우리는 남성이 필요합니다 / 남성의 심리상태를 변화시키려면.
6. 저는 감사의 뜻을 전합니다 / 저의 교육 특사 고든 브라운에게 / 전 세계적인 교육을 지지하는 의견을 강력하게 표명한 것에 대해.
7. 정말로, / 당신의 메시지는 저의 가슴에 와 닿았습니다.
8. 제가 읽을 필요가 없었습니다 / 교육결핍에 대한 것을 / 신문에 실리거나 교재에 나온.
9. 오늘 이곳에 우리는 모였습니다 / 우리는 알고 있기 때문에 / 어느 곳에 살든 모든 아이들은 가져야 한다는 것을 / 동등한 기회를.
10. 더 많이 교육을 받는 것은 덜 취약하다는 것을 의미합니다 / 심각한 가난과 기아에.
11. 모든 아이들은 / 성별, 배경 또는 환경에 관계없이 / 교육을 받을 동등한 기회를 가져야 합니다.
12. 어떤 사회도 여유가 없습니다 / 어떤 아이라도 중퇴하고, 버려지거나 쫓겨나게 할.
13. 우리는 기어코 일할 작정입니다 / 여러분 모두와 함께 / 배우고 전진하기 위해.
14. 자메이카는 비상보조금을 받을 것입니다 / 보건 및 식량안보 지원을 위한.
15. 우리는 면밀히 조사하고 있습니다 / 어떤 것이 성공했고 어떤 것이 잘못되었는지 / 재난에 대처하는 동안에.

Answer

1. We are sending a clear message / to the world / that violence is unacceptable.
2. Violence stems from social attitudes / that belittle women and girls.
3. Today more than ever / we must hold on to the solid human rights framework.
4. I look forward to / the Assembly's adoption of this resolution.
5. We need men / to change their mentality.
6. I thank / my Special Envoy for Education, Gordon Brown, / for his strong voice for global education.
7. I must say, / your story hit home for me.
8. I did not have to read / about education-deprivation / in a newspaper or a text book.
9. We are here today / because we know / every child everywhere deserves / that same chance.
10. More education means less vulnerability / to extreme poverty and hunger.
11. Every child / - regardless of gender, background, or circumstance - / must have equal access to education.
12. No society can afford / for any child to drop out, be left out or pushed out.
13. We are determined to work / with all of you / to learn and move forward.
14. Jamaica will receive an emergency grant / for health and food security support.
15. We are looking closely into / what worked and what did not work / during the response.

4. 유엔 사무총장으로 재선되고

* 유엔 사무총장 Secretary-General of the United Nations

유엔 사무총장은 유엔의 상징이며, 외교관, 공무원, CEO의 역할을 하고, 가난하고 취약한 사람들을 대변한다. 공식적으로 유엔사무국의 수석 행정관으로 사무국의 업무를 지휘하고 감독한다. 전직 유엔 사무총장들에 의하면, 사무총장이란 "지구상에서 가장 변화무쌍하고 도전적인 정치적 직업"이며, "세계의 치어리더, 세일즈맨, 부채 해결사, 고해 신부"라고 말하기도 했다.

사무총장의 임기는 5년이며 중임이 가능하지만 두 번 이상 연임한 경우는 없다. 유엔 헌장에 의하면, 안전보장 이사회의 추천을 받고 유엔 총회에 의해 임명된다. 그리하여 사무총장 후보는 안전보장 이사회의 상임이사국 5개국 중 어떤 나라가 거부권을 행사할지라도 안전보장 이사회의 추천을 받을 수 없으며, 상임이사국 국적을 소유한 후보자가 선출된 경우는 없다.

사무총장의 주된 업무는 기후변화, 군비축소, 금융위기, 빈곤, 세계보건, 평화유지와 안보, 여성의 권익, 질병퇴치 등과 관련된 것이다. 이런 업무를 수행하기 위해 외국출장이 자주 있으며, 업무상 외국을 방문할 때 국가원수 수준의 대우를 받는다.

* 유엔 총회 United Nations General Assembly

총회는 유엔의 최고 의사결정기관이며, 정책을 수립하고, 유엔을 대표하는 기관이다. 193개 회원국으로 구성되어 있으며, 유엔 헌장에 따라 다양한 국제문제를 심의하는 기관이다. 총회는 주로 매년 9월에서 12월까지 본회의 기간에 이루어진다. 주요 업무는 국제 평화와 안보, 회원국의 가입 승인, 예산문제에 대해 결정하는 것이다. 이런 문제를 결정할 때 3분의 2의 찬성투표가 필요하지만, 다른 문제를 결정할 때는 단지 과반수를 넘기면 된다. 의사결정시 각 회원국은 1개의 투표권을 가지고 있다.

* 유엔 안전보장 이사회 United Nations Security Council

유엔 헌장에 따라, 안전보장 이사회의 주요업무는 국제평화와 안전을 유지하는 것이다. 안전보장 이사회는 5개의 상임이사국과 10개의 비상임이사국으로 구성되어 있다. 각 상임이사국은 거부권을 행사할 수 있다. 어떤 상임이사국이 거부권을 행사하면, 어떤 결정도 내릴 수 없는 만장일치 제도를 채택하고 있다. 안전보장 이사회에 평화를 위협하는 문제가 제기되면, 우선 당사국간에 평화적인 수단으로 합의를 하도록 권고한다. 하지만 이런 권고가 효력이 없으면, 분쟁이 더 악화되는 것을 방지하기 위해 당사국에 정전 명령을 내린다. 그다음 절차로 안전보장 이사회는 분쟁지역의 긴장을 완화하기 위해 평화유지군을 파견하고, 경제제재를 가하고 군사행동을 취한다. 안전보장 이사회의 다른 주요업무는 회원국 가입 및 축출을 건의하고, 사무총장 후보자를 선출한다.

* 유엔 헌장 United Nations Charter

유엔 헌장은 1945년 6월 26일 샌프란시스코에서 50개국이 조인하였다. 유엔 헌장에 따라 유엔(United Nations)이라고 불리는 국제적 조직이 탄생하였으며, 헌장은 조직의 기본 활동과 원칙을 정하였다. 헌장은 서문(Preamble)과 조항(Article)으로 이루어져 있고, 다시 장(Chapter)으로 분류되어 있다. 예를 들어 제1장의 제1조에는 유엔의 목적이 기술되었으며, 그것은 국제평화와 안전을 유지하며, 국가 간 우호관계를 유지하며, 협력을 이루는 것이다. 그리고 제7장의 제24조에 의해, 안전보장 이사회는 경제적, 외교적, 군사적 제제를 가할 수 있으며, 분쟁을 해결하기 위해 군사력을 사용할 수 있다.

* 다국간 공동정책 Multilateralism

다국간 공동정책이란 국제관계에 대한 용어로, 특정한 문제에 대해 여러 국가가 공동으로 대처할 경우에 해당된다. 유엔이 어떤 목표를 성취하기 위해 활동하면, 여러 회원국이 지지해야 효과적으로 활동할 수 있다. 예를 들어, 핵문제, 기후변화, 금융위기는 한 국가의 문제만이 아니기 때문에 여러 나라가 공동으로 대처해야 한다. 이와 같은 문제를 해결하려면, 여러 국가가 공동으로 문제를 인식하고 해결방안을 모색해야 하기 때문에 다국간 공동정책이라는 개념이 자연스럽게 적용된다. 한편 다국간 공동정책과 상반되는 개념은 일방주의(Unilateralism)이다.

* 집단행동 Collective Action

집단행동이란 어떤 목표를 성취하려 할 때, 하나 이상의 당사자가 참여하는 것이다. 유엔 헌장의 규정에 따라 어떤 지역에 분쟁이 발생하여 안전보장 이사회가 평화유지군을 파견하기로 결정하고, 유엔 회원국들이 평화유지군을 파병한다. 이것이 집단행동의 한 예이다.

* 녹색성장 Green Growth

녹색성장이란 경제 개발을 추진할 때, 환경(녹색; Green)과 개발을 모두 다 중요시하는 개념이다. 환경보다 성장을 중요시하던 과거의 경제성장 패러다임의 단점을 보완하고, 친환경적 경제성장을 이루기 위해 환경을 파괴하지 않는 방식으로 천연자원을 이용하는 것이다.

유엔 사무총장 **반기문 – 명언 ④** 유머 Humor

Sense of humor / is a great property.
유머감각은 / 큰 자산이다

유머감각은 큰 자산이다.

4. 유엔 사무총장으로 재선되고

A.

President of the General Assembly,
유엔 총회 의장,

Presidents of the Security Council, the Economic and Social
안전보장 이사회 의장, 경제사회 이사회 의장 그리고

Council and the Trusteeship Council,
신탁통치 이사회 의장,

Foreign Minister of the Republic of Korea,
대한민국 외무부 장관,

Vice Presidents of the General Assembly,
유엔 총회 부의장,

Representatives of the Five Regional Groups,
5개 지역 연합 대표,

Permanent Representative of the United States,
(유엔주재) 미국 상임대표,

Excellencies, Distinguished guests,
각하, 귀빈 여러분,

Ladies and gentlemen,
신사 숙녀 여러분,

With your decision this afternoon / ... with your warm words ... /
여러분들의 결정으로 오늘 오후에 / 여러분들의 따뜻한 말로 /

you do me a very great honor, / beyond expression.
여러분들 덕분에 저는 큰 영광을 얻었습니다 / 표현할 수 없을 정도로.

Standing in this place, / mindful of the immense legacy of my
이곳에 서서 / 전임자(과거 사무총장)들의 거대한 유산을 잊지 않고 있는 /

predecessors, / I am humbled by your trust / and enlarged /
저는 여러분의 신임 덕분에 겸허해지고 / 마음이 넓어집니다 /

by our sense of common purpose.
우리 공통의 목적 의식 때문에.

This solemn occasion is special / in another respect.
이렇게 엄숙한 행사는 특별합니다 / 또 다른 측면에서.

On being sworn in, / a few moments ago, / I placed my hand /
취임선서를 할 때 / 조금 전에 / 저는 손을 놓았습니다 /

on the UN Charter ... / not a copy, but the original /
유엔 헌장에 / 복사본이 아니라 원본에 /

signed in San Francisco.
샌프란시스코에서 조인된.

Our Founding Fathers deemed / this document so precious /
우리 선조들은 생각했습니다 / 이 문서(헌장)가 매우 소중하다고 /

that it was flown back to Washington, / strapped to its own parachute.
그래서 헌장을 비행기에 싣고 워싱턴으로 회항했습니다 / 낙하산에 붙들어 매어.

No such consideration was given / to the poor diplomat /
이러한 배려를 하지 않았습니다 / 불쌍한 외교관에게 /

accompanying it; / he had to take his chances.
헌장과 함께 오는 / 그는 자신의 운에 맡겨야 했습니다.

We thank the U.S. National Archives / for their generosity in
우리는 미국 국립 기록원에 감사를 드립니다 / 헌장을 오늘 빌려주는 너그러움과 /

lending it today, / and for their care in preserving it.
헌장을 보존하는 관심에 대해.

Key Expression

동사 'deem'은 '~을 ~라고 여기다, 생각하다'라는 뜻이며, 매우 격식을 차린 표현이다. 이 동사 다음에는 목적어와 목적보어가 올 수 있다. 목적보어로는 명사와 형용사가 올 수 있다. 'consider'는 이와 비슷한 의미로 사용된다.

Our Founding Fathers deemed / this document so precious.
우리 선조들은 생각했습니다 / 이 문서(헌장)가 매우 소중하다고.

trusteeship (유엔의) 신탁통치 | permanent 상임의, 상설의 | excellencies 각하(장관, 대사 등에 대한 존칭) | distinguished guest 귀빈 | mindful 잊지 않는 | immense 거대한 | legacy 유산 | predecessor 전임자, 선배 | solemn 엄숙한 | swear in (~에게) 취임선서를 하게 하다 | founding father 선조 | deem ~으로 생각하다 | strapped 붙들어 맨 | National Archives 국립 기록원 | generosity 너그러움, 관대 | preserve 보존하다

B.

Excellencies,
각하,

Ladies and gentlemen,
신사 숙녀 여러분,

The Charter of the United Nations / is the animating spirit and soul
유엔 헌장은 / 생기를 주는 정신이자 영혼입니다 /

/ of our great institution.
우리의 위대한 조직(유엔)에.

For sixty-five years, / this great Organization has carried /
65년 동안 / 이 위대한 조직은 품고 있었습니다 /

the flame of human aspiration ...
인류의 염원인 성화(불꽃)를...

From the last of the great world wars, / through the fall of the Berlin
마지막 세계대전부터 / 베를린 장벽이 무너지고 /

Wall / and the end of apartheid.
인종차별이 끝날 때까지.

We have fed the hungry, / delivered comfort to the sick and
우리는 굶주린 사람들을 먹이고 / 아프고 고통 받는 자들을 위로하고 /

suffering, / brought peace to those afflicted by war.
전쟁으로 괴로워하는 사람들에게 평화를 가져다 주었습니다.

This great Organization, / dedicated to human progress ... /
이 위대한 조직은 / 인류의 발전에 헌신하는 /

is the United Nations.
유엔입니다.

Excellencies,
각하,

We began our work together, / four and a half years ago, / with a
우리는 임무를 함께 시작했습니다 / 약 4년 반 전에 /

call for a new multilateralism ... / a new spirit of collective action.
새로운 다국간 공동 정책을 요구하면서 / 집단행동의 새로운 정신인.

We saw, / in our daily work, / how all the world's people look more
우리는 알았습니다 / 일상적인 임무를 수행할 때 / 어째서 세계의 모든 사람들이 더욱더 기대를 걸고 있는지

and more / to the United Nations.
/ 유엔에.

We knew then ... / and more so now ... / that we live in an era of
우리는 그당시 알았고 / 이제는 더 절실히 알고 있습니다 / 우리는 통합되고 서로 연결된 시대에

integration and interconnection, / a new era where no country can
산다는 것을 / 이런 새로운 시대에는 어떤 국가도 모든 난관을

solve all challenges on its own / and where every country should be
독자적으로 해결할 수 없고 / 모든 국가는 문제 해결의 일환이 되어야 합니다.

part of the solution.

That is the reality of the modern world.
그런 것은 현대 세계의 현실입니다.

We can struggle with it, / or we can lead.
우리는 그런 현실에 맞서 싸울 수도 있고 / 또는 앞장서서 이끌어 나갈 수 있습니다.

Key Expression

'from'은 '어떤 사건이 시작된 시점'을 나타내고, 'through'는 '어떤 사건이 끝나는 기간'을 표현하므로 '사건이 끝날 때까지'라고 해석한다.

From the last of the great world wars, / through the fall of the Berlin Wall /
마지막 세계대전부터 / 베를린 장벽이 무너지고 /

and the end of apartheid.
인종차별이 끝날 때까지.

animating 생기를 주는 | aspiration 염원, 열망 | apartheid (남아프리카의 흑인에 대한) 인종차별 | afflict 괴롭히다 | dedicated 헌신하는 | integration 통합 | interconnection 상호 연결(접속) | struggle 맞서다, 맞붙어 겨루다

C.

The role of the United Nations is to lead.
유엔의 역할은 앞장서서 이끌어나가는 것입니다.

Each of us here today / shares that heavy responsibility.
오늘 여기에 참석한 우리 각자는 / 그 무거운 책임을 함께 지고 있습니다.

It is why / the UN matters / in a different and deeper way /
그렇기 때문에 / 유엔이 중요해졌습니다 / 다르고 더 심각하게 /

than ever before.
어느 때보다.

To lead, / we must deliver results. Mere statistics will not do.
앞장서서 인도하려면 / 우리는 성과를 내야합니다. 단지 통계표만으로는 충분하지 않습니다.

We need results / that people can see and touch /
우리는 성과가 필요합니다 / 사람들이 보고 만질 수 있는 (성과가) /

- results that change lives - / make a difference.
삶을 변화시킬 수 있는 (성과가) / 변화를 일으키는 (성과가 필요합니다)

Mr. President,
의장님,

Excellencies,
각하,

Ladies and gentlemen,
신사 숙녀 여러분,

Working together, / with goodwill and mutual trust, /
협력하는 동안에 / 호의와 상호 신뢰를 바탕으로 /

we have laid a firm foundation / for the future.
우리는 단단한 기반을 마련했습니다 / 미래를 위한.

When we began, / climate change was an invisible issue.
우리가 시작할 때 / 기후변화는 무시당하는 문제였습니다.

Today, / we have placed it / squarely on the global agenda.
오늘 / 우리는 그 문제를 놓았습니다 / 확실히 세계가 토의할 안건에.

When we began to work together, / nuclear disarmament was frozen
우리가 함께 일하기 시작할 때 / 핵무장 해제는 시간 속에 멈춰 있었습니다.

in time.

Today, / we see progress.
오늘 / 우리는 발전을 봅니다.

We have advanced / on global health, sustainable development and
우리는 발전했습니다 / 세계 보건, 환경 파괴 없이 지속하는 발전과

education. We are on track / to eliminate deaths from malaria.
교육부분에서. 우리는 제대로 궤도에 올랐습니다 / 말라리아로 인한 사망을 없애는 일에.

With a final push, / we can eradicate polio, / just as we did smallpox
마지막 진격만 하면 / 우리는 소아마비를 근절시킬 수 있습니다 / 우리가 오래전에 천연두를 근절시

long ago.
킨 것처럼.

We have shielded / the poor and vulnerable / against the greatest
우리는 보호했습니다 / 가난하고 취약한 사람들을 / 가장 큰 경제적 격변으로부터 /

economic upheaval / in generations.
수대에 걸쳐.

Amid devastating natural disasters, / we were there, saving lives ... /
파괴적인 자연재해가 일어나는 때 / 우리는 그곳으로 가서 생명을 구했습니다 /

in Haiti, Pakistan, Myanmar. As never before, / the UN is on the
아이티, 파키스탄, 미얀마에서. 과거와 달리 / 유엔은 선두에 서있습니다 /

front lines / protecting people and also helping build the peace ... /
사람들을 보호하고 평화를 증진하는데 도움을 주는 일에 ... /

in Sudan, the Democratic Republic of the Congo and Somalia; /
수단, 콩고민주공화국과 소말리아에서 /

in Afghanistan, Iraq and the Middle East.
아프가니스탄, 이라크와 중동에서.

We have stood firm for / democracy, justice and human rights.
우리는 확고히 지지했습니다 / 민주주의, 정의와 인권을.

We have carved out a new dimension / for the Responsibility to
우리는 새로운 양상을 창조해냈습니다 / 보호하려고 책임을 지는.

Protect.

We created UN Women / to empower women everywhere.
우리는 유엔의 여성을 창조했습니다 / 도처에 있는 여성들의 능력을 길러주는.

That includes the UN system itself.
그러한 일은 유엔 조직 자체에도 있습니다.

And yet, / we never forget / how far we have to go. We must
하지만 / 우리는 결코 망각하지 않습니다 / 얼마나 멀리 우리가 가야하는지. 우리는 계속해야 합니다 /

continue / the important work / that we have begun together.
중요한 일을 / 우리가 함께 시작했던 (중요한 일을)

Key Expression

'the+형용사'가 보통명사의 복수와 같은 의미로 사용될 수 있다. 아래 예문의 'the poor and vulnerable'을 '가난하고 취약한 사람들'이라고 해석한다.

We have shielded / the poor and vulnerable / ~
우리는 보호했습니다 / 가난하고 취약한 사람들을 / ~

deliver results 성과를 내다 | statistics 통계표 | do ~으로 충분하다 | mutual 서로의, 상호관계가 있는 | invisible 무시당하는, 눈에 보이지 않는 | empower 능력을 주다 | squarely 확실히 | agenda 안건 | disarmament 무장해제 | sustainable (환경을 파괴되지 않고) 지속될 수 있는 | on track 제대로 궤도에 오른 | eliminate 몰아내다, 없애다 | eradicate 근절시키다 | polio 소아마비 | shield 보호하다 | vulnerable 취약한 | upheaval 변동, 격변 | amid 한창 ~하는 중에 | devastating 파괴적인 | stand for 지지하다 | empower 능력을 길러주다

D.

Excellencies,
각하,

Ladies and gentlemen,
신사 숙녀 여러분,

As we look to the future, / we recognize the imperative / for
우리가 미래를 생각할 때 / 우리는 필요하다고 인정합니다 /

decisive and concerted action. In economic hard times, / we must
단호하고 일치된 행동이. 경제 불황기에 / 우리는 자원을 최

stretch resources ... / do better with less.
대한 이용해야 합니다 ... / 적은 자원을 더 잘 이용하는 것입니다.

We must improve our ability / to Deliver as One.
우리는 능력을 개선해야 합니다 / 한 자원으로 기대한 만큼의 결과를 낼 수 있는.

We must do more / to connect the dots / among the world's
우리는 더 많은 일을 해야합니다 / 관계를 이해하기 위해 / 국제적인 과제들 간에 공통된 /

challenges, / so that solutions to one global problem / become
그러면 한 국제적 문제에 대한 해결책이 / 모든 문제에 대한 해결

solutions for all / ... on women's and children's health, green
책이 됩니다 / ... 즉, 여성과 어린이의 건강, 녹색성장,

growth, more equitable social and economic development.
더 공평한 사회 경제 개발 등의 모든 문제에 대한 (해결책이).

A clear time-frame lies ahead: the target date for the Millennium
명확한 기한이 앞에 놓여있습니다. 2015년 밀레니엄 개발 목표 예정일,

Development Goals in 2015, next year's Rio+20 conference,
내년 리오+20 회담,

the high-level meeting on nuclear safety in September and the
9월 핵안전에 대한 고위급 회담과

Nuclear Security Summit in Seoul next year.
내년 서울 핵안보 정상회담

In all this, / our ultimate power is partnership.
이런 모든 일을 할 때 / 우리의 궁극적인 힘은 협력입니다.

Our legacy, / such as it may be, / will be written in alliance ... /
우리의 유산은 / 무엇이든 간에 / 동맹이라고 기록될 것입니다 ... /

the leaders of the world, / leading in common cause.
세계의 지도자들의 / 공동의 목적을 위해 앞장 서는.

Key Expression

'to+동사원형'의 형태를 보면, 문장 안에 어떤 역할을 하는지 이해해야한다. 'to+동사원형'은 명사, 형용사, 부사 중 한 가지 역할을 한다. 아래 예문에 있는 'to+동사원형'의 'to connect the dots'은 앞에 나온 동사를 수식한다. 혹시 'to+동사원형'이 'more'라는 명사 뒤에 수식한다고 보면, 의미가 제대로 통하지 않으므로 주의해야 한다.

We must do more / to connect the dots / among the world's challenges.
우리는 더 많은 일을 해야합니다 / 관계를 이해하기 위해 / 국제적인 과제들 간에 공통된.

look to (미래를) 생각하다 | imperative 불가피한 것, 필요한 것 | decisive 단호한 | concerted 일치된 | stretch 최대한 이용하다 | deliver 기대한 결과를 내다 | connect the dots 관계를 이해하다 | equitable 공평한 | summit 정상회담, 수뇌회의 | alliance 동맹 | cause 큰 목적, 주의

E.

As in the past, / I count on / your support and even deeper
과거처럼 / 저는 기대합니다 / 여러분들의 지지와 더 강렬한 협력을.

partnership. By acting decisively / to renew my mandate, / you have
확고하게 행동한 / 저의 임기를 연장하기 위해 / 여러분들은 주

given / the gift of time ... / time to carry on the important work /
었습니다 / 시간이라는 선물을 / 즉 중요한 임무를 완수할 시간을 (주었습니다) /

that, together, we have begun. In the months to come, / we will be
우리가 함께 시작했던 (중요한 임무를). 앞으로 / 우리는 여러분들에

reaching out to you / for your views and ideas.
게 연락하겠습니다 / 여러분들의 견해와 아이디어를 얻기 위해.

Drawing on those discussions, / I shall present our broader long-
(여러분들과 함께 한) 그런 토론을 이용하여 / 저는 더 폭넓은 장기 비전을 제시하겠습니다 /

term vision / at the next General Assembly in September.
내년 9월 총회에서.

My predecessor Dag Hammarskjold once said, / never for the sake
저의 전임자인 다트 하마르스크욜드 총장은 전에 말했습니다 / 절대로 '평안과 고요함'을 얻기

of 'peace and quiet' deny / your own experience or conviction.
위해 부정하지 마라 / 자신의 경험이나 신념을.

Like my distinguished forebear, / I take this lesson to heart.
저의 고귀한 전임자처럼 / 저는 이 교훈을 마음에 새기겠습니다.

It has been a great privilege / to serve as your Secretary-General.
큰 영광입니다 / 사무총장으로 일하는 것은.

That you should ask me / to serve once again, / makes it all the
여러분들이 저에게 요구한 것은 / 또다시 근무하도록 / 더욱더 영광스럽게 만듭니다.

greater.

With gratitude for your support and encouragement, / and honoring
여러분들의 지지와 격려에 감사하며 / 여러분들의 신임을 영

your trust, / I pledge my full commitment / to accept your support.
광으로 생각하며 / 저는 최대한의 헌신을 맹세합니다 / 여러분들의 지지를 받아들이면서.

I am proud and humbled / to accept.
저는 기쁘게 생각하고 겸허한 마음이 듭니다 / (여러분들의 지지를) 받아들이게 되어.

As Secretary-General, / I will work / as a harmonizer and bridge-
사무총장으로서 / 저는 일할 것입니다 / 중재자와 조정자로 /

builder ... / among Member States, within the United Nations
유엔의 회원국 간에 /

system, / and between the United Nations and a rich diversity of
그리고 유엔과 다양한 국제협력기구 간에.

international partners.

To quote the great philosopher Lao-tzu:
위대한 현인 노자를 인용하면

The Way of heaven / is to benefit others and not to injure.
천도는 / 타인을 이롭게 하고 해를 끼치지 아니하는 것입니다.

The Way of the sage / is to act but not compete.
현인의 도는 / 실천하는 것이지 경쟁하는 것이 아닙니다.

Let us apply this enduring wisdom / to our work today.
이런 불후의 지혜를 이용합시다 / 우리의 일에.

Out of the competition of ideas, / let us find unity in action.
의견들의 경쟁을 버리고, / 실천 속에서 화합을 찾읍시다.

Honoring your trust, / I pledge my full commitment, my full energy
여러분들의 신임을 영광스럽게 생각하며 / 최대한의 헌신과 왕성한 활동을 맹세하고 /

/ and resolve to uphold / the fundamental principles of our sacred
지지하기로 다짐합니다 / 신성한 헌장의 근본 원칙을.

Charter.

Together, / let us do / all we can to help / this noble Organization
다함께 / 합시다 / 우리가 도울 수 있는 모든 일을 / 이 숭고한 조직이 더 잘 봉사하도록 /

better serve / the peoples of the world. Together, / no challenge is
세계의 여러 국민들을. 단합하면 / 어떤 난관도 너무 크지 않습

too large. Together, / nothing is impossible.
니다. 단합하면 / 어떤 것도 불가능하지 않습니다.

Thank you.
감사합니다.

Remarks to the General Assembly after being elected for a second term
(21 June 2011)

Key Expression

'that'이 접속사로 쓰이면, 'that' 다음에 오는 문장에 부족한 것이 없어야 한다. 하지만 'that'이 관계대명사로 쓰이면, 'that' 다음에 오는 문장에 주어나 목적어 중 하나가 없어야 한다. 아래 예문의 경우, 'that' 다음에 오는 문장 안에 목적어가 없으므로 'that'은 관계대명사로 쓰인 것이다.

You have given / the gift of time ... / time to carry on the important work /
여러분들은 주었습니다 / 시간이라는 선물을 / 중요한 임무를 완수할 시간을 (주었습니다) /

that, together, we have begun.
우리가 함께 시작했던 (임무를)

count on 기대하다, 의존하다 | renew 기한을 연장하다 | mandate 임기, 명령 | reach out to ~에게 연락하다 | draw on ~을 이용하다 | predecessor 전임자 | forebear 전임자, 선조 | take ~ to heart ~을 마음에 새기다 | gratitude 감사 | encouragement 감사 | honor 영광으로 생각하다 | pledge 맹세하다 | commitment 헌신 | humble 겸허하게 만들다 | harmonizer 중재자 | bridge-builder 조정자 | diversity 다양(성) | quote ~을 인용하다 | sage 현인 | resolve 다짐하다 | uphold 지지하다 | fundamental 근본의, 기본의 | sacred 신성한

4. 유엔 사무총장으로 재선되고

A.

President of the General Assembly,

Presidents of the Security Council, the Economic and Social Council and the Trusteeship Council,

Foreign Minister of the Republic of Korea,

Vice Presidents of the General Assembly,

Representatives of the Five Regional Groups,

Permanent Representative of the United States,

Excellencies,

Distinguished guests,

Ladies and gentlemen,

With your decision this afternoon ... with your warm words ... you do me a very great honor, beyond expression.

Standing in this place, mindful of the immense legacy of my predecessors,

I am humbled by your trust and enlarged by our sense of common purpose.

This solemn occasion is special in another respect.

On being sworn in, a few moments ago, I placed my hand on the UN Charter ... not a copy, but the original signed in San Francisco.

Our Founding Fathers deemed this document so precious that it was flown back to Washington, strapped to its own parachute. No such consideration was given to the poor diplomat accompanying it; he had to take his chances.

We thank the U.S. National Archives for their generosity in lending it today, and for their care in preserving it.

B.

Excellencies,

Ladies and gentlemen,

The Charter of the United Nations is the animating spirit and soul of our great institution.

For sixty-five years, this great Organization has carried the flame of human aspiration ...

From the last of the great world wars, through the fall of the Berlin Wall and the end of apartheid.

We have fed the hungry, delivered comfort to the sick and suffering, brought peace to those afflicted by war.

This great Organization, dedicated to human progress ... is the United Nations.

Excellencies,

We began our work together, four and a half years ago, with a call for a new multilateralism ... a new spirit of collective action.

We saw, in our daily work, how all the world's people look more and more to the United Nations.

We knew then ... and more so now ... that we live in an era of integration and interconnection, a new era where no country can solve all challenges on its own and where every country should be part of the solution.

That is the reality of the modern world. We can struggle with it, or we can lead.

C.

The role of the United Nations is to lead. Each of us here today shares that heavy responsibility. It is why the UN matters in a different and deeper way than ever before.

To lead, we must deliver results. Mere statistics will not do.

We need results that people can see and touch - results that change lives - make a difference.

Mr. President,

Excellencies,

Ladies and gentlemen,

Working together, with goodwill and mutual trust, we have laid a firm foundation for the future.

When we began, climate change was an invisible issue.

Today, we have placed it squarely on the global agenda.

When we began to work together, nuclear disarmament was frozen in time.

Today, we see progress.

We have advanced on global health, sustainable development and education.

We are on track to eliminate deaths from malaria.

With a final push, we can eradicate polio, just as we did smallpox long ago.

We have shielded the poor and vulnerable against the greatest economic upheaval in generations.

Amid devastating natural disasters, we were there, saving lives ... in Haiti, Pakistan, Myanmar.

As never before, the UN is on the front lines protecting people and also helping build the peace ... in Sudan, the Democratic Republic of the Congo and Somalia; in Afghanistan, Iraq and the Middle East.

We have stood firm for democracy, justice and human rights.

We have carved out a new dimension for the Responsibility to Protect.

We created UN Women to empower women everywhere.

That includes the UN system itself.

And yet, we never forget how far we have to go. We must continue the important work that we have begun together.

Excellencies,

Ladies and gentlemen,

As we look to the future, we recognize the imperative for decisive and concerted action.

In economic hard times, we must stretch resources ... do better with less. We must improve our ability to Deliver as One.

We must do more to connect the dots among the world's challenges, so that solutions to one global problem become solutions for all ... on women's and children's health, green growth, more equitable social and economic development.

A clear time-frame lies ahead: the target date for the Millennium Development Goals in 2015, next year's Rio+20 conference, the high-level meeting on nuclear safety in September and the Nuclear Security Summit in Seoul next year.

In all this, our ultimate power is partnership.

Our legacy, such as it may be, will be written in alliance ... the leaders of the world, leading in common cause.

As in the past, I count on your support and even deeper partnership. By acting decisively to renew my mandate, you have given the gift of time ... time to carry on the important work that, together, we have begun.

In the months to come, we will be reaching out to you for your views and ideas. Drawing on those discussions, I shall present our broader long-term vision at the next General Assembly in September.

My predecessor Dag Hammarskjold once said, never for the sake of 'peace and quiet' deny your own experience or conviction. Like my distinguished forebear, I take this lesson to heart.

It has been a great privilege to serve as your Secretary-General. That you should ask me to serve once again, makes it all the greater.

With gratitude for your support and encouragement, and honoring your trust, I pledge my full commitment to accept your support. I am proud and humbled to accept.

As Secretary-General, I will work as a harmonizer and bridge-builder ... among Member States, within the United Nations system, and between the United Nations and a rich diversity of international partners.

To quote the great philosopher Lao-tzu:

The Way of heaven is to benefit others and not to injure.

The Way of the sage is to act but not compete.

Let us apply this enduring wisdom to our work today. Out of the competition of ideas, let us find unity in action. Honoring your trust, I pledge my full commitment, my full energy and resolve to uphold the fundamental principles of our sacred Charter. Together, let us do all we can to help this noble Organization better serve the peoples of the world. Together, no challenge is too large. Together, nothing is impossible.

Thank you.

5. 아세안 정상회담

* 아세안 ASEAN

아세안(ASEAN)은 동남아시아국가연합(Association of South-East Asian Nations)의 약자다. 이 기구의 목적은 동남아시아 회원국들 간의 공동 노력으로 경제적, 사회적, 문화적 발전을 추구하고, 유엔 헌장의 원칙에 맞게 평화와 안정을 수호하고, 경제, 사회, 기술 문화 각 분야에서의 상호 원조를 하는 것이다.

* G20

G20의 'G'는 'Group'의 약자로 국가들의 모임이란 뜻이며, 1990년 말기 금융위기에 대처하고 새로 부상하는 신생국들이 세계 경제 토론에 포함되어 있지 않다는 인식 때문에 형성되었다. 이 모임은 세계 경제의 주요 문제를 토론하고, 국가들 간에 공개적이며 건설적인 토론을 장려하고, 세계 경제 성장과 안정을 위해 지속적인 협력을 추구한다. 회원국들의 중앙은행장, 재무부 장관, 국제 통화 기금(IMF) 이사, 세계은행(World Bank) 장으로 구성되어 있다. 2008년 이후 세계적으로 확산되는 금융 및 경제 위기에 대처하려면, 회원국들 간에 국제협력은 더욱더 요구된다.

* 사회투자 Social Investment

사회투자란 사회적으로 책임을 지는 투자다. 투자행위를 할 때 재정적 수익만 고려하는 것이 아니라 사회적, 환경적 관심을 동시에 고려하는 것이다. 예를 들어 인권과 소비자를 존중하고, 환경을 보호하려는 기업의 주식에 투자하면, 사회투자라고 할 수 있다. 즉 개인이 투자를 할 때, 사회와 환경에 긍정적인 영향을 끼칠 수 있도록 투자하면, 그것이 사회투자다.

* 세계적 규모의 협동관리 Global Governance

'Global Governance'란 세계적 규모의 문제에 대해 국가 간에 서로 협력하며 대응하는 것이다. 예를 들어 금융위기에 대처하고, 인권 및 환경문제를 해결하고, 기아와 핵문제를 공동으로 관리하는 것이다.

유엔 사무총장 **반기문 – 명언 ⑤** 설득 Persuasion

Learn to win / through conversation.

승리하는 법을 배워라 / 대화를 통하여

대화를 통해 승리하는 법을 배워라.

5. 아세안 정상회담

A.

It seems only yesterday / that many of us were together in Cannes.
단지 어제였던 것 같습니다 / (무엇이?) 우리들 가운데 많은 사람들이 칸에서 모였던 일이.

The very serious economic issues / dominating the G20 summit /
심각한 경제문제는 / G20 정상회담을 지배하고 있는 /

still command our daily attention, / and they are likely to do so / for
여전히 우리의 일상적인 관심을 받을 만하고 / 그렇게 될 것 같다 /

a considerable time to come.
앞으로 상당한 기간 동안.

As we all know, / Asia has been the chief driver of global growth /
우리가 알고 있는 것처럼 / 아시아는 세계 성장의 핵심 요인이었다 /

in recent years.
최근에.

It will have to bear some of the burdens / of the current crisis /
아시아는 일부 부담을 견뎌야 할 것입니다 / 현재 위기에 대한 (일부 부담을) /

in order to stabilize the international financial situation.
국제 금융 상황을 안정시키기 위해.

As UN Secretary-General, / my job is to step back a bit / from
유엔 사무총장으로서 / 제가 할 일은 약간 뒤로 물러서서 /

the immediate crisis / — to take a somewhat longer view / of the
당면한 위기에서 / 어느 정도 장기적인 견해를 취하는 것이다 /

challenges to our common future.
우리의 미래에 닥쳐올 시련에 대해.

I am just concluding / a visit to three countries of Asia.
저는 곧 끝맺을 것입니다 / 아시아 3개국 방문을.

My purpose / was to shine a spotlight on some of the things /
저의 방문 목적은 / 일부 사항에 대해 관심을 끌게 하는 것이었습니다 /

that they are doing right / - particularly in health care, / and most
그들이 제대로 하고 있는 / 특히 보건과 / 그중에서도 여성과

especially in women and children's health.
아동의 건강에 대해.

Thailand and Indonesia / are advancing on universal health care, /
태국과 인도네시아는 / 일반 의료보험을 진행시키고 있습니다 /

with remarkable benefits to their societies.
자신들의 사회에 상당한 혜택을 주는.

In Bangladesh, / I saw / how investment in rural health clinics /
방글라데시에서 / 저는 봤습니다 / 어떻게 농촌지역 보건소에 대한 투자가 /

is saving lives.
생명을 구하고 있는지.

Far fewer women are dying / in childbirth.
훨씬 더 적은 여성들이 사망하고 있습니다 / 분만 도중에.

Infant mortality is falling sharply.
유아 사망률은 급격히 떨어지고 있습니다.

Part of the reason is / that these countries have invested / heavily in people.
이런 이유 중 일부는 / 위에서 말한 국가들은 투자하기 때문입니다 / 사람들에게 많이.

As I see it, / this is smart economic policy / as well as social policy.
제 생각으로는 / 이런 것은 재치있는 경제정책이며 / 또한 사회정책입니다.

Healthy people make healthy societies, / and healthy societies tend to be more prosperous societies.
건강한 사람들은 건전한 사회를 만들고 / 건전한 사회는 더 번영하는 사회가 되기 쉽습니다.

Key Expression

'it seems ~'로 시작하는 문장은 '~라고 생각되다, ~인 것 같다'라고 해석하고, 어떤 것이 그렇게 생각되는지는 'that' 다음의 내용을 보면 알 수 있다.

It seems only yesterday / that many of us were together in Cannes.
단지 어제였던 것 같습니다 / (무엇이?) 우리들 가운데 많은 사람들이 칸에서 모였던 일이.

summit 정상회담 | command ~할만하다 | considerable 상당한 | driver 추진력, 추진 요인, 동인 | bear the burden 부담을 견디다 | stabilize 안정시키다 | immediate 지금의, 당면한 | shine a spotlight 관심을 끌게 하다 | most especially 그중에서도 | universal health care 일반 의료보험 | childbirth 분만, 출산 | mortality 사망률 | sharply 급격하게 | as I see it 내 생각으로는, 내가 보기에 | as well as 게다가, 또한 | tend ~하기 쉽다, ~하는 성향이 있다 | prosperous 번영하는

B.

The nations of East and Southeast Asia / have been investing / in
동아시아와 동남아시아 국가들은 / 투자하고 있습니다 /

their long-term future, / in other words / — investing in the basic
장기적으로 미래에 / 바꿔 말하면 / 기초 토대에 투자하고 있습니다 /

foundations / of competitiveness, productivity and long-term
경쟁력, 생산력과 장기 성장이라는 (기초토대에).

growth.

Many in the region fear / the economic crisis elsewhere / will spill
이 지역의 많은 국가들은 두려워합니다 / 다른 지역의 경제 위기가 / 그들에게 번지는

over to them. And certainly, / it would be a grave mistake /
것을. 그리고 분명히 / 심각한 실수일 것입니다 /

to underestimate the contagiousness / of fear and uncertainty.
전염성을 과소평가하는 것은 / 두려움과 불안감의 (전염성을)

I think about it / a bit differently, / however.
저는 그 문제에 대해 생각합니다 / 약간 다르게 / 하지만.

My chief worry is / that the wealthier, industrial nations /
저의 주된 걱정은 / 더 부유하고 산업이 발달한 국가들이 /

will curtail / their own investments in people / — not only their
줄이게 된다는 것입니다 / 사람에 대한 투자를 / 국내의 사람들뿐만 아니라

own people at home, but also their investments in people beyond
국경 너머의 사람들에 대한 투자까지도.

their borders.

I also worry / that Asian nations, / out of fear, / will trim /
저는 또한 걱정합니다 / 아시아 국가들이 / 두려움 때문에 / 줄이는 것을 /

their investment in human capital, / as well.
인적자원에 대한 투자를 / 또한.

If that were to happen / - if we give in to fear / - the global economy
만일 그런 일이 일어난다면 / 만일 우리가 두려움에 굴복한다면 / 세계경제는 정말로 침체될 수 있

could indeed slow / even more, / and here in Asia as well.
습니다 / 더욱더 / 여기 아시아에서도 또한.

My point is this: / social investment is not a luxury to be done /
제가 말하려는 것은 이렇습니다 / 사회투자는 할 수 있는(선택 가능한) 사치는 아니라는 것입니다 /

once the world economy recovers.
세계 경제가 회복되면.

To the contrary, / social investment is itself an engine of growth /
그와는 반대로 / 사회투자는 성장의 엔진입니다 /

right now, / and we must all uphold our commitments to it.
현재의 / 그래서 우리는 사회투자에 대한 우리의 책임을 유지해야(받아들어야) 합니다.

Key Expression

'to the contrary'는 '그와는 반대로'라고 해석하며, 앞에서 언급한 말에 반대되는 내용을 말할 때 사용한다. 'on the contrary'는 '그렇기는커녕, 그와는 반대로'라는 의미로 해석되기 때문에 'to the contrary'와 비슷한 것 같지만, 'on the contrary'는 상대방이 말한 것에 강한 이의를 제기할 때 사용한다.

To the contrary, / social investment / is itself an engine of growth / right now.
그와는 반대로 / 사회투자는 / 성장의 엔진입니다 / 현재의.

competitiveness 경쟁력 | productivity 생산력, 생산성 | spill over (한 지역에서 다른 지역으로) 번지다 | underestimate 과소평가하다 | contagiousness 전염성 | curtail 줄이다 | trim 줄이다 | give in 굴복하다 | recover 회복하다 | uphold 지지하다 | commitment 책임

C.

I would make one further point, / which I also raised this morning.
저는 한 가지 더 강조하겠습니다 / 그것을 제가 오늘 아침도 주장했습니다.

While Asia has gained in power and influence, / it has yet to fully
아시아가 세력과 영향력을 얻었지만 / 아시아는 아직 자신의 책임을

take up its responsibilities / for the larger world we share.
받아들이지 않았습니다 / 우리가 함께하는 더 큰 세계를 위해 (책임을)

We need / Asia's full engagement in the crises of our day /
우리는 필요합니다 / 아시아가 오늘날의 위기에 충실히 관여(대처)하는 것이 /

- on global governance and financial stability, / on the great
즉 세계적 규모의 협동관리와 금융안정이라는 위기에 / 큰 변화라는 위기에 /

transitions / underway in North Africa and the Middle East, /
북아프리카와 중동에서 진행 중인 /

on the whole range of challenges / that affect us all.
나양한 문제라는 위기에 / 우리 모두에게 영향을 끼치는.

This is both a political and a moral responsibility.
이것은 정치적이며 도덕적 책임입니다.

That is why, / at the General Assembly in September, / I set forth
그래서 / 9월 유엔 총회에서 / 저는 다섯 가지 책임

five imperatives / for global action / over the next five years.
을 제시했습니다 / 세계가 행동으로 옮길 / 앞으로 5년 동안.

The way to a more prosperous future / can only be found /
더 번영하는 미래로 가는 길을 / 단지 찾을 수 있다 /

by taking on the big challenges / and building our stock of human
큰 과제를 받아들이고 / 인적 및 지구 자본의 축적을 늘리는 데서

and planetary capital.

Among other things, / that means sustainable development /
무엇보다도 / 그것은 (환경을 파괴하지 않고) 지속할 수 있는 개발을 의미하며 /

— accepting / that we cannot burn or consume our way to a better
받아들이는 것입니다 / 연료를 태우거나 소비하여 더 좋은 미래로 갈 수 없다는 것을.

future.

It means / working toward an agreement on climate change.
그것은 의미합니다 / 기후변화에 대해 합의하려고 노력하는 것을.

It means / sustainable energy policies / for all countries.
그것은 의미합니다 / (환경을 파괴하지 않고) 지속할 수 있는 에너지 정책을 / 모든 국가의.

It also means / creating new opportunities / for women and children
그것은 또한 의미합니다 / 새로운 기회를 만드는 것을 / 여성과 아동을 위해 /

/ — the next big emerging market.
부상하는 다음세대의 거대한 시장인 (여성과 아동).

These challenges will have to be addressed / squarely / at the
이런 과제를 다루어야 할 것입니다 / 정면으로 / 리오+20회의에서 /

Rio+20 Conference / in June next year.
내년 6월에 열리는.

Climate change, energy, food, water, the empowerment of women.
(이런 과제는) 기후변화, 에너지, 식량, 물, 여성의 능력 기르기입니다.

As we tackle these issues, / we must also be aware / of the historic
우리가 이런 문제를 다룰 때 / 우리는 또한 알고 있어야 합니다 / 역사적으로 중요한 의무

responsibility / we must discharge.
를 / 우리가 이행해야 하는 (의무를).

I sincerely invite / you all to be personally present / at Rio / in June
저는 진심으로 권유합니다 / 여러분 모두가 직접 참석하길 / 리오회의에 / 내년 6월에.

next year. Unity - our unity - / is essential. We live in a new world.
단결, 즉 우리의 단결은 / 중요합니다. 우리는 새로운 세계에 삽니다.

The old rules cannot apply for much longer.
과거의 규칙은 더 이상 적용되지 않습니다.

No nation, or group of nations, can go it alone.
어떤 국가나 어떤 국가의 연합도 혼자 힘으로 할 수 없습니다.

We all agree on this. Let us act now in that spirit.
우리 모두는 이점에 대해 동의합니다. 그런 정신으로 이제 실행에 옮깁시다.

Let us act / in international solidarity / as our own best national
실행에 옮깁시다 / 국제사회의 단결을 통하여 / 우리의 최상의 국익인.

interest.

Thank you.
감사합니다.

ASEAN Southeast Asia Summit
(19 November 2011)

Key Expression

'while'이 접속사로 쓰이면, 주로 '~하는 동안'과 '~인 반면에, 비록 ~이지만'이라는 의미로 사용된다. 두 개의 동작을 비교할 때는 '~하는 동안'이라고 해석하고, 두 개의 대조되는 사실을 비교하면, '~인 반면에, 비록 ~이지만'이라고 해석한다. 그리고 'have yet to+동사'는 '아직 ~하지 않았다'라는 의미로 사용된다.

While Asia has gained in power and influence, / it has yet to fully take up its
아시아가 세력과 영향력을 얻었지만 / 아시아는 아직 자신의 책임을 받아들이지

responsibilities / for the larger world we share.
않았습니다 / 우리가 함께하는 더 큰 세계를 위해 (자신의 책임을)

have yet to 아직 ~하지 않았다 | engagement 관여 | global governance 세계적 규모의 협동관리 | underway 진행 중인 | set forth 제시하다 | imperative 의무, 책임 | prosperous 번영하는 | build 늘리다 | stock 축적 | planetary 지구의 | sustainable (환경을 파괴하지 않고) 지속할 수 있는 | work toward ~하려고 노력하다 | address 문제를 다루다, 문제에 대처하다 | empowerment 능력 기르기 | tackle (문제를) 다루다 | discharge (의무를) 이행하다 | personally 직접 | go it alone 혼자 힘으로 하다 | solidarity 결속, 단결

5. 아세안 정상회담

A.

It seems only yesterday that many of us were together in Cannes.
The very serious economic issues dominating the G20 summit still command our daily attention, and they are likely to do so for a considerable time to come.
As we all know, Asia has been the chief driver of global growth in recent years.
It will have to bear some of the burdens of the current crisis in order to stabilize the international financial situation.
As UN Secretary-General, my job is to step back a bit from the immediate crisis — to take a somewhat longer view of the challenges to our common future.
I am just concluding a visit to three countries of Asia. My purpose was to shine a spotlight on some of the things that they are doing right - particularly in health care, and most especially in women and children's health.
Thailand and Indonesia are advancing on universal health care, with remarkable benefits to their societies.
In Bangladesh, I saw how investment in rural health clinics is saving lives. Far fewer women are dying in childbirth. Infant mortality is falling sharply.
Part of the reason is that these countries have invested heavily in people.
As I see it, this is smart economic policy as well as social policy. Healthy people make healthy societies, and healthy societies tend to be more prosperous societies.

B.

The nations of East and Southeast Asia have been investing in their long-term future, in other words — investing in the basic foundations of competitiveness, productivity and long-term growth.

Many in the region fear the economic crisis elsewhere will spill over to them. And certainly, it would be a grave mistake to underestimate the contagiousness of fear and uncertainty.

I think about it a bit differently, however.

My chief worry is that the wealthier, industrial nations will curtail their own investments in people — not only their own people at home, but also their investments in people beyond their borders.

I also worry that Asian nations, out of fear, will trim their investment in human capital, as well.

If that were to happen - if we give in to fear - the global economy could indeed slow even more, and here in Asia as well.

My point is this: social investment is not a luxury to be done once the world economy recovers. To the contrary, social investment is itself an engine of growth right now, and we must all uphold our commitments to it.

C.

I would make one further point, which I also raised this morning.

While Asia has gained in power and influence, it has yet to fully take up its responsibilities for the larger world we share.

We need Asia's full engagement in the crises of our day - on global governance and financial stability, on the great transitions underway in North Africa and the Middle East, on the whole range of challenges that affect us all.

This is both a political and a moral responsibility.

That is why, at the General Assembly in September, I set forth five imperatives for global action over the next five years.

The way to a more prosperous future can only be found by taking on the big challenges and building our stock of human and planetary capital.

Among other things, that means sustainable development — accepting that we cannot burn or consume our way to a better future.

It means working toward an agreement on climate change.

It means sustainable energy policies for all countries.

It also means creating new opportunities for women and children — the next big emerging market.

These challenges will have to be addressed squarely at the Rio+20 Conference in June next year.

Climate change, energy, food, water, the empowerment of women.

As we tackle these issues, we must also be aware of the historic responsibility we must discharge. I sincerely invite you all to be personally present at Rio in June next year.

Unity - our unity - is essential. We live in a new world.

The old rules cannot apply for much longer.

No nation, or group of nations, can go it alone.

We all agree on this.

Let us act now in that spirit.

Let us act in international solidarity as our own best national interest.

Thank you.

Quiz 2

A. 단어 – 다음 제시된 단어의 설명을 읽고, 어떤 단어를 설명하는지 〈보기〉에서 어울리는 단어를 고르세요.

1. currently in progress
2. something that must be done urgently
3. to perform the obligations or demands of an office
4. to think that someone is not as good, clever, or skilful, as they really are
5. to cut short or reduce
6. to defend or support something
7. a conference or meeting of high-level leaders
8. the number of deaths during a particular period of time among a particular group of people
9. suddenly and by a large amount
10. to make a contract valid or effective for a further period
11. someone who had your job before you started doing it
12. to make a firm decision about something
13. to make the most of something
14. a group of two or more countries which work together to achieve something
15. not noticed, or not talked about
16. to get rid of something as if by tearing up by the roots
17. to make someone suffer
18. a strong desire to have or achieve something
19. existing or intended to exist for an indefinite period
20. deeply earnest, serious, and sober

〈보기〉

discharge	stretch	summit	solemn	eradicate
curtail	uphold	resolve	permanent	underestimate
sharply	underway	invisible	imperative	mortality
predecessor	renew	aspiration	alliance	afflict

Answer

1. underway 2. imperative 3. discharge 4. underestimate 5. curtail 6. uphold 7. summit 8. mortality 9. sharply 10. renew
11. predecessor 12. resolve 13. stretch 14. alliance 15. invisible 16. eradicate 17. afflict 18. aspiration 19. permanent 20. solemn

B. 회화에 강한 동시통역 연습 - 다음을 영어로 쓰고 말해보세요.

1. 우리는 미국 국립 기록원에 감사를 드립니다 / 그것을 오늘 빌려주는 너그러움에 대해
2. 그런 것은 현대 세계의 현실입니다.
   우리는 현실과 싸울 수도 있습니다. / 또는 이끌어 나갈 수 있습니다.
3. 우리는 제대로 궤도에 올랐습니다 / 말라리아로 인한 사망을 없애는 일에
4. 과거와 달리 / 유엔은 선두에 서있습니다 / 사람들을 보호하고 / 또한 평화를 증진하는데 도움을 주는 일에
5. 우리가 미래를 생각할 때, / 우리는 필요하다고 인정합니다 / 단호하고 일치된 행동이
6. 과거처럼, / 저는 기대합니다 / 여러분들의 지지와 더 강렬한 협력을
7. 단합하면, / 어떤 난관도 너무 크지 않습니다.
   단합하면, / 어떤 것도 불가능하지 않습니다.
8. 저의 목적은 / 일부 사항에 대해 관심을 끌게 하는 것이었습니다 / 그들이 제대로 하고 있는
9. 우리가 알고 있는 것처럼, / 아시아는 세계 성장의 핵심 요인이었습니다 / 최근에
10. 건강한 사람들은 건전한 사회를 만들고 / 건전한 사회는 더 번영하는 사회가 되기 쉽습니다.
11. 이 지역의 많은 국가들은 / 두려워합니다 / 다른 지역의 경제 위기가 / 그들에게 영향을 주는 것을
12. 만일 그런 일이 일어난다면 / – 만일 우리가 두려움에 굴복한다면 / – 세계경제는 정말로 침체될 수 있습니다 / 더욱더
13. 이것은 정치적이며 도덕적 책임입니다.
14. 우리는 알고 있어야 합니다 / 역사적으로 중요한 의무를 / 우리가 이행해야 하는 (의무를)
15. 과거의 규칙은 더 이상 적용되지 않습니다.

Answer

1. We thank the U.S. National Archives / for their generosity in lending it today.
2. That is the reality of the modern world.
   We can struggle with it, / or we can lead.
3. We are on track / to eliminate deaths from malaria.
4. As never before, / the UN is on the front lines / protecting people / and also helping build the peace.
5. As we look to the future, / we recognize the imperative / for decisive and concerted action.
6. As in the past, / I count on / your support and even deeper partnership.
7. Together, / no challenge is too large.
   Together, / nothing is impossible.
8. My purpose / was to shine a spotlight on some of the things / that they are doing right.
9. As we all know, / Asia has been the chief driver of global growth / in recent years.
10. Healthy people make healthy societies, / and healthy societies tend to be more prosperous societies.
11. Many in the region / fear / the economic crisis elsewhere / will spill over to them.
12. If that were to happen / - if we give in to fear / - the global economy could indeed slow / even more.
13. This is both a political and a moral responsibility.
14. We must be aware / of the historic responsibility / we must discharge.
15. The old rules cannot apply for much longer.

6. 세계개발원조 총회 연설 Forum on Aid Effectiveness

* 남남협력 South-South Cooperation

지구의 적도를 중심으로 북반구에는 선진국이 집중되어 있고, 남반구에는 개발도상국이 집중되어 있다. 남(South)이라는 말은 개발도상국(Developing Country)을 의미하고 북(North)이라는 말은 선진국(Developed Country)을 의미하므로 'South-South Cooperation'은 '남남협력'으로 해석된다. 즉 개발도상국가간에 경제, 기술협력을 의미한다.

* 사회적 기업 Social enterprise

사회적 기업과 일반적으로 알려진 기업은 이윤을 추구하고 영업활동을 한다는 점은 비슷하다. 그러나 사회적 기업은 취약계층을 위하여 일자리를 창출하고 사업의 결과로 얻은 이익을 사회에 환원한다는 점에서 일반적인 기업과 다르다. 또한 사회적 기업은 인간을 위해 기업이 존재하지 기업을 위해 인간이 존재하지 않는 점에서 존재이유가 다르다.

* 최저개발국가 LDCs

유엔 경제 이사회는 3년마다 일인당 국민소득이 900달러 이하이며 국민의 교육수준, 문맹률, 영양 상태를 기준으로 최저개발국가(Least Developed Country)를 정한다. 아프리카의 대부분 국가는 최저국가에 속하며, 아시아에도 9개의 국가가 있다. 한편 최저개발국가가 발전하면 개발도상국(Developing country)이 된다. 개발도상국은 선진국(Developed Country)과 대비되는 개념으로 산업의 근대화와 경제개발이 선진국에 비해 뒤떨어져 있는 나라를 가리킨다.

유엔 사무총장 **반기문 – 명언 ⑥** 인간관계 Human relations

People are more valuable / than gold.
사람은 더 많은 가치가 있다 / 금보다

금맥보다 더 가치있는 것은 인맥이다.

6. 세계개발원조 총회 연설 Forum on Aid Effectiveness

A.

I am delighted / to welcome you / to this Private Sector Forum.
저는 기쁩니다 / 여러분들을 환영하게 되어 / 민간부문 포럼에 오신 것을.

One of the main lessons / I have learned / the last five years as
주요한 교훈 중에 하나는 / 제가 배운 / 사무총장으로서

Secretary-General / is that the United Nations cannot function /
지난 5년 동안에 / 유엔이 기능을 다할 수 없다는 것입니다 /

properly / without the support of the business community and civil
제대로 / 재계와 시민사회의 지원이 없다면.

society.

We need to have tripartite support / — the governments,
우리(유엔)는 3자의 지원이 필요합니다 / (3자란) 정부,

the business communities and the civil society.
재계와 시민사회 (입니다)

So I thank you / for being with us here today / in Busan.
그래서 저는 여러분들에게 감사 드립니다 / 이곳에 오늘 우리와 함께 참석해주셔서 / 부산에서.

Thank you for joining with us / in this important effort to ensure /
동참해주셔서 감사 드립니다 / 확실하게 하려는 중요한 시도에 /

that aid gets / where it is needed, / and is then spent / wisely /
(무엇을 확실하게 하나?) 원조를 하고 / 필요한 곳에 / (원조가) 사용하게 하는 것을 / 현명하며 /

and to the purpose of the money / and in an accountable way.
원조금의 목적에 맞고 / 책임 있는 방식으로

Development cooperation / stands at a crossroads.
개발 협력은 / 기로(갈림길)에 서있습니다.

This is an era of a financial austerity.
현재는 재정적으로 궁핍한 시대입니다.

There is growing uncertainty / about aid / — both quantity and
불안정이 증가하고 있습니다 / 원조에 대한 / 양적으로나 질적으로.

quality.

At the same time, / new powers have emerged, / changing /
동시에 / 새로운 세력이 등장하였고, / 변화시키고 있습니다 /

not only the global economic and political landscape, /
세계 경제와 정치적 상황뿐만 아니라 /

but the aid and investment picture / as well.
원조와 투자 상황도 / 또한.

Amid these dramatic currents and changes, / there is a widespread
이런 극적인 시류와 변화 가운데 / 폭넓은 의견 일치가 있습니다 /

consensus / that the private sector / has a critical role to play /
민간부문이 / 중대한 역할을 한다는 /

to fill all these gaps.
다음과 같은 틈을 메우는데.

There is clearly a gap, / discrepancies between demand and supply.
분명히 틈이 있습니다 / 수요와 공급 간의 불일치인 (틈이).

Business is a primary driver / of jobs and innovation.
사업은 중요한 원동력입니다 / 일자리를 창출하고 혁신을 일으키는.

The world will achieve sustainable development / only if sufficient
세계는 지속적으로 개발될 수 있습니다 / 단지 충분한 민간 투자가 가

private investment enables / broad-based growth.
능하게 한다면 / 광범위한 성장을.

This is fundamental. And it is why / I wanted to speak out today /
이것은 중요합니다. 그렇기 때문에 / 저는 오늘 밝히고 싶습니다 /

about the importance of our partnership.
협력의 중요성에 대해

Key Expression

일반적인 부사는 동사, 형용사, 부사 자체를 수식할 수 있지만, 문장부사는 일반적으로 알려진 부사와 달리 문장 전체를 수식한다.
아래 예문의 'clearly'는 문장부사로, 말하는 사람의 판단을 보여준다. 즉 수요와 공급 간에 틈이나 차이가 존재한다는 자신의 주장에 문장부사를 사용하면, 그 주장이 명확하다고 말하는 사람의 확신을 표현한다.

There is clearly a gap, / discrepancies between demand and supply.
분명히 틈이 있습니다 / 수요와 공급 간의 불일치인 (틈이).

delighted 기쁜 | private sector 민간부문 | forum 포럼, 공개토론회 | function 기능을 하다 | tripartite 3자간의 | ensure 확실하게 하다 | accountable 책임이 있는 | stand(be) at a crossroads 갈림길(기로)에 서다 | austerity 궁핍, 내핍 | uncertainty 불안(정) | emerge 등장하다, 나타나다 | landscape 상황 | picture 상황 | amid ~의 한가운데, ~하는 도중에 | current 기류, 추세, 경향 | consensus 의견일치 | critical 결정적인, 중대한 | discrepancy 불일치 | innovation 혁신 | sustainable 지속가능한, (자원이) 고갈됨 없이 사용할 수 있는 | broad-based 광범위한 | fundamental 중요한, 중대한 | speak out (의견을) 밝히다

B.

Ladies and gentlemen,
신사 숙녀 여러분,

The past decade has seen / rising private-sector interest /
지난 10년동안 목격했습니다 / 민간부문의 관심이 증가하는 것을 /

in the world's least developed countries.
세계의 최저개발국에.

Foreign direct investment / last year / was $574 billion, /
외국의 직접투자는 / 작년에 / 5,740억 달러였습니다 /

more than four times / the level of official development assistance.
4배나 더 많은 것으로 / 공식적인 개발 원조 수준보다.

The highest record was last year / when the donor countries gave /
최고 기록은 작년도였습니다 / 원조국이 기부했던 /

$130 billion / to developing countries.
1,300억 달러를 / 개발도상국에.

For the first time, / developing and transition economies attracted /
처음으로 / 개발되고 변화하는 국가들이 유치했습니다 /

more than half of those funds / -- a welcome improvement /
이 기금의 반 이상을 / 이것은 환영할 만큼 개선된 것입니다 /

over the years in which investment bypassed / too many of those in
투자가 앞질렀던 시기동안 / (원조를) 절실히 필요로 하는 너무

greatest need.
나 많은 국가를

Investment by developing economies also / reached record highs.
개발도상국의 투자도 / 최고의 기록에 이르렀습니다.

These flows went mostly / to other developing countries - /
이런 투자금의 흐름은 대개 이동했습니다 / 다른 개발도상국으로 /

a sign of deepening and widening South-South cooperation.
(이것은) 남남협력이 깊어지고 넓어지고 있다는 징조(입니다)

There is a widely shared perception / that this money only flows
널리 공유되고 있는 인식(견해)이 있습니다 / 이런 기금은 북에서 남으로 흘렀지만 /

from North to South / but these days this money is flowing /
오늘날 이런 기금은 흐르고 있다는 (견해가) /

between South and South, / and even South to North.
남남 간에, / 그리고 심지어 남에서 북으로.

This is an interconnected world.
이렇게 세상은 서로 연결되어 있습니다.

Even the goals of private investment / are shifting.
심지어 민간부문의 투자 목표도 / 변하고 있습니다.

Until recently, / a primary objective was to reduce costs.
최근까지 / 주된 목표는 비용을 절감하는 것이었습니다.

Today, investment is about building markets.
오늘날, 투자는 시장을 창조하는 것입니다.

So where do we go / from now?
그렇다면 어떻게 하면 좋을까요 / 이제부터

Key Expression

'–, ;, :'는 영어에 자주 사용되는 문장부호로, 앞에서 언급한 내용을 더 자세히 설명하는 기능을 한다. 아래 예문의 'other developing countries' 다음에 있는 '–'는 바로 앞에 나온 문장을 더 자세히 설명해준다. 또한 앞에 나온 내용에 대한 예를 들 때 사용하기도 한다.

These flows went mostly / to other developing countries – /
이런 투자금의 흐름은 대개 이동했습니다 / 다른 개발도상국으로 /

a sign of deepening and widening South-South cooperation.
(자세히 말하면) 남남협력이 깊어지고 넓어지고 있다는 징조입니다.

least developed country 최저개발국 | assistance 원조 | donor country 원조국 | transition 변화, 전환 | economy (경제주체로서) 국가 | attract 끌어들이다, (원조를) 유치하다 | bypass 앞지르다, 우회하다 | record high 최고의 기록 | flow 흐름 | perception 인식, 견해 | interconnected 서로 연결된 | shift 변하다 | objective 목표 | reduce 절감하다, 감소시키다

c.

Ladies and gentlemen,
신사 숙녀 여러분,

We go / to the places that need it most...
우리는 갑니다 / 투자가 가장 필요한 곳으로

with interventions that work...
성공할 수 있는 개입과

and strategies / that promise the greatest value for money.
전략을 가지고 / 투자금에 대해 가장 큰 가치를 가져올 수 있는.

Earlier this month / I visited / Bangladesh, Thailand and Indonesia.
이달 초 / 저는 방문했습니다 / 방글라데시, 태국과 인도네시아를.

I went / to highlight success stories / in advancing global health... /
저는 갔습니다 / 성공 사례를 강조하려고 / 전 세계 보건을 증진시키는 일에... /

particularly women's and children's health.
특히 여성과 아동의 건강을.

I saw rural clinics / in Bangladesh and Kalimantan, / an island of
저는 지방의 진료소를 보았습니다 / 방글라데시와 칼리만탄에 있는 / 인도네시아의 섬인 /

Indonesia, / reducing infant mortality and maternal deaths /
유아 사망율과 임산부 사망을 줄이고 있었습니다 /

in childbirth.
분만할 때.

In Thailand I saw / the benefits and effects of universal health care.
태국에서는 저는 보았습니다 / 일반 의료보험의 장점과 효과를.

I came away / with two lessons.
저는 떠났습니다 / 두 가지 교훈을 배우고.

Simple solutions can save lives / ... for example, / training midwives
간단한 해결책은 생명을 구할 수 있습니다 / 예를 들어 / 지방에서 조산사를 훈련하거

in rural areas, / or helping to provide such basics / as fresh water
나 / 필수적인 것을 공급하는데 도움을 주는 (간단한 해결책) / 신선한 물과 값싼 백신

and inexpensive vaccines.
과 같은.

And second: / countries do not need to wait / to become rich /
두 번째 교훈은 / 국가는 기다릴 필요가 없습니다 / 부유해지길 /

before they provide / all these sanitation and health services / to
국가가 공급하기 전에 / 모든 이런 위생 및 보건 서비스를 /

people. Thailand, / for example, / started moving / towards its
국민들에게. 태국은 / 예를 들면 / 나아가기 시작했습니다 / 전 국민 의료보험 보장을 위

program for universal health coverage / when per capita national
한 프로그램을 향해 / 개인당 국민소득이 /

income / was only at $400. Thailand is a middle-income country /
단지 400달러였을 때. 태국은 중류층에 속하는 국가입니다 /

but they started a long time ago. So, you don't have to wait / to be
하지만 그들은 오래전에 시작했습니다. 그러므로, 여러분들도 기다릴 필요가 없습니다 / 부유해

rich / to provide these health services / to people.
질 때까지 / 이런 보건서비스를 제공하려고 / 국민들에게.

It was immensely encouraging / to see some of the world's poorest
상당히 고무적인 일이었습니다 / 세계에서 가장 빈곤한 국가를 보는 것은 /

countries / making these investments in human capital /
인적자원에 이런 투자를 하고 /

and becoming models for others.
다른 국가들에게 모범사례가 되는 것을

It was also encouraging / because these successes showcase /
또한 고무적인 일이었습니다 / 이런 성공사례는 보여주기 때문에 /

the true potential of aid.
원조의 진정한 잠재력을.

Governments have to set the stage, / with the right regulatory
정부는 기반을 마련해야 합니다 / 적당한 규제체제와

frameworks and incentives.
장려책으로.

Key Expression

'to 부정사'는 명사, 형용사, 부사처럼 문장 안에서 마음대로 변신할 수 있다. 그래서 'to 부정사'를 정확히 이해하려면, 문장에서 어떤 역할을 하는지 이해할 수 있어야 한다. 'to 부정사'는 문장에서 명사, 형용사, 부사와 같은 역할을 할 수 있다. 즉 문장에서 주어, 목적어, 보어로 쓰여 명사와 같은 역할을 하고, 명사를 더 자세히 설명하면 형용사처럼 쓰이고, 동사, 형용사, 부사를 설명하여 부사처럼 사용한다. 아래 예문을 보면, 앞에 나온 행위(went)를 왜 했는지 그 이유나 목적을 설명하려고 'to+동사원형'을 사용한다.

I went / to highlight success stories / in advancing global health.
저는 갔습니다 / 성공 사례를 강조하려고 / 세계의 건강을 증진시키는 일에.

intervention 개입, 간섭 | highlight 강조하다 | rural 지방의, 시골의 | mortality 사망률, 사망자수 | maternal 임산부의 | childbirth 분만, 출산 | universal health care 일반 의료보험 | midwife 조산사, 산파 | basics 필수적인 것 | sanitation 위생 | universal 일반적인, 보편적인 | universal (집단의 구성원) 전원의, 모든 사람들의 | immensely 상당히, 굉장히 | potential 잠재력 | set the stage 기반(기초)을 마련하다 | regulatory 규제의 | framework 체제, 구성 | incentive 장려책(금), 자극

D.

But the private sector and civil society / can help deliver.
하지만 민간부문과 시민사회도 / 원하는 결과를 얻는데 도움이 될 수 있습니다.

Soft-drink manufacturers / are helping / to distribute clean water.
청량음료 제조사들은 / 도움을 주고 있습니다 / 깨끗한 물을 나누어 주는 일에.

Pharmaceutical companies are reducing / the cost of medicines and vaccines.
제약회사들은 줄이고 있습니다 / 약과 백신의 비용을.

Cellular-phone companies are helping / put women in remote areas in touch / with doctors and nurses / to get the care they need.
휴대폰 회사들은 도움을 주고 있습니다 / 외딴 지역에 있는 여성들이 연락할 때 / 의사와 간호사들과 / 그들이 필요한 치료를 받으려고.

These days / even in very rural countries, / the nurses, health clinic people, / they are all using / cellular phones / to inform the patients.
오늘날 / 심지어 시골지역에서도 / 간호사, 보건소 직원들은 / 그들 모두가 사용하고 있습니다 / 휴대전화를 / 환자들에게 알리려고.

The private sector / can truly be the backbone of growth.
민간부문은 / 정말로 성장의 주력이 될 수 있습니다.

Yet let us remember: / growth, investment and business activity / must also be sustainable and responsible, / and uphold the highest standards of business ethics.
하지만 기억합시다 / 성장, 투자와 사업 활동은 / 또한 지속할 수 있어야 하고 책임을 져야하고 / 최고 높은 수준의 사업윤리를 유지시켜야 합니다.

These are the principles / embodied / in the United Nations Global Compact. More than 6,000 companies / in around 140 countries / are engaged / in this initiative. They recognize / that business must look / beyond short-term financial gains / to deliver long-term value.
이런 것은 원칙입니다 / 구체적으로 나타난 / 유엔의 글로벌 공동협약에 6천 개 이상의 회사들이 / 약 140개국에서 / 열심히 참여하고 있습니다 / 이런 계획에. 그들은 인정합니다 / 사업이란 내다보아야 한다는 것을 / 단기성 재정적 이득 이상을 / 장기적 가치를 창출하려면.

More and more business leaders accept / that principles and profits / go hand-in-hand.
더욱더 많은 재계 지도자들은 인정합니다 / 원칙과 이윤이 / 관련되어 있다는 것을.

Corporate sustainability is going mainstream.
기업 성장이 지속인가는 대세(주류)가 되고 있습니다.

This has led to a fundamental shift / in the way businesses engage
이런 것은 근본적인 변화를 일으켰습니다 / 기업체들이 개발에 참여하는 방식에.

in development.

Today's poor are tomorrow's prospering markets.
오늘의 빈곤한 시장이 내일의 번영하는 시장이 됩니다.

Growth rates in developing countries / are often higher /
개발도상국의 성장률은 / 종종 훨씬 더 높습니다 /

than in mature economies.
선진 국가들의 성장률보다

From multinational corporations to small cooperatives, /
다국적 기업에서 소규모 (협동조합) 판매점에 이르기까지 /

experience shows / that pro-poor business models can meet /
경험은 보여줍니다 / 가난한 자들에게 호의적인 비즈니스 모델이 충족시킬 수 있다는 것을 /

the needs of business and society alike.
기업체와 사회 모두가 요구하는 것을.

Key Expression

동사 'help' 다음에 오는 동사는 'to+동사원형'이나 '동사원형'으로 사용할 수 있다.
영국 영어에서는 'to+동사원형'이 더 많이 쓰이고, 미국 영어에서는 '동사원형'이 더 많이 쓰인다.

The private sector and civil society / can help deliver.
민간부문과 시민사회는 / 원하는 결과를 얻는데 도움이 될 수 있습니다.

deliver (사람의 기대대로 결과를) 내다, 산출하다 | distribute 나누어주다, 분배하다 | pharmaceutical 제약의, 약학의 | backbone 주력, 중심, 중추 | uphold 유지하다 | embody 구체화하다 | compact 협약, 조약 | go hand-in-hand 관련되어 있다 | corporate 회사의 | sustainability 지속가능성 | go mainstream 대세(주류)가 되다 | fundamental 근본의, 기본의 | shift 변화 | economy 국가, (경제) 기구 | cooperative (협동조합의) 판매점

E.

Moreover, / we have learned / -- painfully at times -- / that conflict
게다가 / 우리는 배웠습니다 / 때로는 고통스럽게 / 갈등과 불안정은 /

and instability / simply scare away / much-needed investment, /
단지 쫓아 버린다는 것을 / 절실히 필요한 투자를 /

often when fragile countries need it most.
종종 허약한 국가가 투자를 절실히 필요로 할 때.

Businesses succeed / when societies themselves succeed.
기업체들은 성공합니다 / 공동체들이 성공하면.

When countries are affected / by violence and the absence of the
국가가 영향을 받을 때 / 폭력과 법이라는 규칙이 없어서 /

rule of law, / business can and must be / a messenger of peace.
기업은 될 수 있고 되어야 합니다 / 평화의 메신저가.

Business decisions / related to investment, employment, relations
기업체의 결정은 / 투자, 고용, 지역 공동체와의

with local communities, and protection for local environments /
관계 그리고 지역 환경보호에 관련된 /

can help / a country overcome conflict / — or / can make tensions
도움을 줄 수 있습니다 / 한 국가가 갈등을 극복하는데 / 그렇게 하지 않으면 / 긴장을 더욱더 악화시킬 수 있

even worse.
습니다.

I strongly encourage / companies to make all possible efforts /
저는 강력하게 권합니다 / 기업체들이 가능한 모든 노력을 하라고 /

to implement / responsible, conflict-sensitive business practices.
수행하려고 / 책임을 지고, 갈등에 민감하게 대처하는 사업관습(영업행위)을.

By supporting human rights, / breaking cycles of violence, /
인권을 지지하고 / 폭력의 악순환을 깨고 /

and stimulating economic activity, / businesses can help create /
경제활동을 자극하여 / 기업체들은 창조하는데 도움이 될 수 있습니다 /

the conditions in which their operations thrive.
그들의 활동이 번성하는 조건을.

Ladies and gentlemen,
신사 숙녀 여러분,

The past 15 years have seen / a rise in collaboration /
지난 15년 동안 보았습니다 / 협력이 증가하는 것을 /

between donor agencies and companies. Such cooperation allows /
원조기구와 사업체들 간에. 그런 협력을 하면 가능합니다 /

both partners to combine their individual strengths.
협력자 모두가 각자의 장점을 합치는 것을.

Businesses can mobilize / capital, products and skills.
기업체들은 동원할 수 있습니다 / 자본, 제품과 기술을.

Donor agencies can mobilize / knowledge and networks.
원조기구들은 동원할 수 있습니다 / 지식과 네트워크를.

Together, / we can leverage small investments / into major impacts.
협력하면 / 우리는 소규모 투자에 영향을 줄 수 있습니다 / 큰 영향력이 되도록.

We can deliver / essential services and critical goods.
우리는 전달할 수 있습니다 / 필수적인 서비스와 중요한 제품을.

We can bring the efficiency of business / to aid delivery.
우리는 기업체의 효율성을 불어넣을 수 있습니다 / 원조하는 일에.

New partnerships and approaches are uniting / the public sector,
새로운 협력과 해결방법은 단결시키고 있습니다 / 공공부문,

business and civil society.
기업체와 민간사회를.

The time has come / to expand these efforts, / to strengthen our
시기가 다가왔습니다 / 이런 노력을 더 많이 해야 하는 (시대가) / 세계적인 협력관계를 강화시키

global partnership.
기 위해.

Let us provide more opportunities for the LDCs(Least Developed
최저개발국에 더 많은 기회를 줍시다 /

Countries), / including access to markets.
시장 접근을 포함하여.

Key Expression

과거분사가 주어를 수식하여 주어가 길어지는 문장을 보면, 어디에 동사가 있는지 알면 쉽게 해석할 수 있다. 아래 예문의 경우, 주어는 'business decisions'이며, 'related to' 다음에 오는 내용은 주어를 자세히 설명하고, 동사는 help라는 것을 파악하면, 쉽게 이해할 수 있다.

Business decisions / related to investment, employment, relations with local communities,
기업체의 결정은 / 투자, 고용, 지역 공동체와의 관계

and protection for local environments / can help / a country overcome conflict.
그리고 지역 환경보호에 관련된 / 도움을 줄 수 있습니다 / 한 국가가 갈등을 극복하는데.

instability 불안정 | scare away (겁을 주어) 쫓아버리다 | fragile 허약한, 망가지기 쉬운 | related to ~와 관련된 | overcome 극복하다 | tension 긴장 | encourage 권하다, 격려하다 | implement 이행하다 | stimulating 자극적인 | collaboration 협력, 협동 | donor agency 원조 기구(단체) | strength 장점 | mobilize 동원하다 | leverage 영향을 주다 | impact 영향력 | efficiency 효율성 | approach 해결방법 | expand 확대하다, 늘리다 | LDCs(Least Developed Countries) 최저개발국

F.

Let us build social enterprises.
사회적 기업을 만듭시다.

I urge you / to join the other businesses / that are already part of
저는 여러분들에게 강력히 권합니다 / 다른 사업에 동참할 것을 / 이미 새로운 두 개의 유엔 계획의 일환인:

two new UN initiatives:

First, / Every Woman, Every Child, / which promotes women's and
첫 번째 계획은 / 모든 여성, 모든 아동이라는 계획이며 / 그 계획은 여성과 아동의 건강을 증진합니다.

children's health.

And second, / Sustainable Energy for All.
그리고 두 번째 계획은 / 모두가 이용할 수 있는 에너지입니다.

The United Nations has an ambitious plan / to provide access to all
유엔은 야심찬 계획이 있습니다 / 모든 사람들에게 (에너지에) 접근(이용)

the people / who lack electricity / — 1.4 billion people /
하게 할 수 있는 / 전기가 부족한 (모든 사람들에게) / (그들은) 14억 명이 됩니다 /

around the world / by 2030.
전 세계적으로 / 2030년까지.

We will double / the efficiency of energy.
우리는 두 배로 늘릴 것입니다 / 에너지의 효율성을.

We will double / the efficiency of renewable energy /
우리는 두 배로 늘릴 것입니다 / 재생 가능 에너지의 효율성을 /

in the global energy mix.
세계 에너지 믹스(에너지원)의.

Work with us / to combat climate change, /
우리와 함께 노력합시다 / 기후변화에 대비해 싸우는 일에 /

including next month's negotiations in Durban.
다음 달 더반 협상을 포함해.

Bring your best ideas / to the private sector forum /
가장 좋은 아이디어를 제출하십시오 / 민간부문 포럼에 /

at next June's critically important Rio+20 summit meeting /
매우 중요한 내년 6월의 리오+20 정상회담의 (민간부문 포럼에) /

on sustainable development.
지속 가능한 개발에 대한.

And of course, / please engage / in the Global Compact.
그리고 당연히 / 참여하십시오 / 글로벌 공동협약에.

Ladies and gentlemen,
신사 숙녀 여러분,

Years of experience have shown us / what works / and what does
수년 동안의 경험은 우리에게 가르쳐 주었습니다 / 무엇이 효과적이고 / 무엇이 효과가 없는지.

not work. We know / how to achieve / the Millennium Development
우리는 알고 있습니다 / 어떻게 달성할지 / 밀레니엄 개발목표를.

Goals.

Now is the time / for all of us / to bring these solutions and
지금은 절호의 기회입니다 / 우리 모두가 / 이런 해결방안과 혁신을 고려해볼 수 있는.

innovations to scale. Now is the time / for business to help /
지금은 절호의 기회입니다 / 기업체가 도움을 줄 수 있는 /

make aid more effective.
원조를 더 효율적으로 만드는데.

Now is the time / to work even more closely together / to realize our
지금은 절호의 기회입니다 / 더욱더 긴밀하게 협력할 수 있는 / 우리 공통의 목적을

shared goal / of a more peaceful and prosperous world.
실현하기 위해 / 더 평화롭고 번영하는 세상이라는 (공통의 목적을)

Thank you again / for being here today, / and I count on /
한 번 더 감사 드립니다 / 오늘 이곳에 참석해 주셔서 / 저는 확신합니다 /

your strong commitment and leadership, / working together with
여러분의 강한 헌신과 지도력을 / 유엔과 협력하고 있기에 /

the United Nations, / to make this world better for all.
모든 사람들을 위해 이 세상을 더 좋게 만들기 위해.

Thank you very much.
대단히 감사합니다.

Remarks to Private Sector Forum at
Fourth High-level forum on Aid Effectiveness
(30 November 2011)

Key Expression

보통 주어로 사람이 쓰이면, 우리말과 비슷하기에 이해하는데 불편하지 않지만, 주어가 사람이 아닌 경우, 주어는 사람처럼 비유적으로 쓰인다. 예문을 보면, '수년 간의 경험(Years of experience)'은 사람처럼 무엇인가를 보여준다. 즉 '경험을 통하여 배우다'라는 의미다. 영어식 사고에 빨리 익숙해지려면, 영어를 쓰인 대로 해석하고 이해하는 연습이 더 효과적이다.

Years of experience have shown us / what works / and what does not work.
수년 동안의 경험은 우리에게 가르쳐 주었습니다 / 무엇이 효과적이고 / 무엇이 효과가 없는지.

social enterprise 사회적 기업 | urge 강력히 권하다 | initiative 계획 | promote 증진하다 | sustainable 이용할 수 있는 | access 접근 | renewable energy 재생가능 에너지 | energy mix 에너지 믹스(에너지 원천의 범위) | Durban 더반(남아프리카공화국의 항구도시) | bring ~ to scale ~을 고려(판단)하다 | count on ~을 확신하다, 믿다

6. 세계개발원조 총회 연설 Forum on Aid Effectiveness

A.

I am delighted to welcome you to this Private Sector Forum.

One of the main lessons I have learned the last five years as Secretary-General is that the United Nations cannot function properly without the support of the business community and civil society. We need to have tripartite support — the governments, the business communities and the civil society.

So I thank you for being with us here today in Busan. Thank you for joining with us in this important effort to ensure that aid gets where it is needed, and is then spent wisely and to the purpose of the money and in an accountable way.

Development cooperation stands at a crossroads.

This is an era of a financial austerity. There is growing uncertainty about aid — both quantity and quality.

At the same time, new powers have emerged, changing not only the global economic and political landscape, but the aid and investment picture as well.

Amid these dramatic currents and changes, there is a widespread consensus that the private sector has a critical role to play to fill all these gaps. There is clearly a gap, discrepancies between demand and supply.

Business is a primary driver of jobs and innovation.

The world will achieve sustainable development only if sufficient private investment enables broad-based growth.

This is fundamental. And it is why I wanted to speak out today about the importance of our partnership.

B.

Ladies and gentlemen,

The past decade has seen rising private-sector interest in the world's least developed countries.

Foreign direct investment last year was $574 billion, more than four times the level of official development assistance. The highest record was last year when the donor countries gave $130 billion to developing countries.

For the first time, developing and transition economies attracted more than half of those funds -- a welcome improvement over the years in which investment bypassed too many of those in greatest need.

Investment by developing economies also reached record highs. These flows went mostly to other developing countries — a sign of deepening and widening South-South cooperation. There is a widely shared perception that this money only flows from North to South but these days this money is flowing between South and South, and even South to North. This is an interconnected world.

Even the goals of private investment are shifting. Until recently, a primary objective was to reduce costs. Today, investment is about building markets.

So where do we go from now?

C.

Ladies and gentlemen,

We go to the places that need it most... with interventions that work... and strategies that promise the greatest value for money.

Earlier this month I visited Bangladesh, Thailand and Indonesia.

I went to highlight success stories in advancing global health ... particularly women's and children's health.

I saw rural clinics in Bangladesh and Kalimantan, an island of Indonesia, reducing infant mortality and maternal deaths in childbirth.

In Thailand I saw the benefits and effects of universal health care.

I came away with two lessons.

Simple solutions can save lives ... for example, training midwives in rural areas, or helping to provide such basics as fresh water and inexpensive vaccines.

And second: countries do not need to wait to become rich before they provide all these sanitation and health services to people. Thailand, for example, started moving towards its program for universal health coverage when per capita national income was only at $400. Thailand is a middle-income country but they started a long time ago. So, you don't have to wait to be rich to provide these health services to people.

It was immensely encouraging to see some of the world's poorest countries making these investments in human capital and becoming models for others.

It was also encouraging because these successes showcase the true potential of aid.

Governments have to set the stage, with the right regulatory frameworks and incentives.

D.

But the private sector and civil society can help deliver.

Soft-drink manufacturers are helping to distribute clean water.

Pharmaceutical companies are reducing the cost of medicines and vaccines.

Cellular-phone companies are helping put women in remote areas in touch with doctors and nurses to get the care they need. These days even in very rural countries, the nurses, health clinic people, they are all using cellular phones to inform the patients.

The private sector can truly be the backbone of growth.

Yet let us remember: growth, investment and business activity must also be sustainable and responsible, and uphold the highest standards of business ethics.

These are the principles embodied in the United Nations Global Compact.

More than 6,000 companies in around 140 countries are engaged in this initiative.

They recognize that business must look beyond short-term financial gains to deliver long-term value. More and more business leaders accept that principles and profits go hand-in-hand.

Corporate sustainability is going mainstream. This has led to a fundamental shift in the way businesses engage in development.

Today's poor are tomorrow's prospering markets.

Growth rates in developing countries are often higher than in mature economies.

From multinational corporations to small cooperatives, experience shows that pro-poor business models can meet the needs of business and society alike.

Moreover, we have learned -- painfully at times -- that conflict and instability simply scare away much-needed investment, often when fragile countries need it most.

Businesses succeed when societies themselves succeed.

When countries are affected by violence and the absence of the rule of law, business can and must be a messenger of peace.

Business decisions related to investment, employment, relations with local communities, and protection for local environments can help a country overcome conflict — or can make tensions even worse.

I strongly encourage companies to make all possible efforts to implement responsible, conflict-sensitive business practices.

By supporting human rights, breaking cycles of violence, and stimulating economic activity, businesses can help create the conditions in which their operations thrive.

Ladies and gentlemen,

The past 15 years have seen a rise in collaboration between donor agencies and companies. Such cooperation allows both partners to combine their individual strengths. Businesses can mobilize capital, products and skills.

Donor agencies can mobilize knowledge and networks.

Together, we can leverage small investments into major impacts.

We can deliver essential services and critical goods.

We can bring the efficiency of business to aid delivery.

New partnerships and approaches are uniting the public sector, business and civil society. The time has come to expand these efforts, to strengthen our global partnership. Let us provide more opportunities for the LDCs, including access to markets.

F.

Let us build social enterprises.

I urge you to join the other businesses that are already part of two new UN initiatives:

First, Every Woman, Every Child, which promotes women's and children's health. And second, Sustainable Energy for All. The United Nations has an ambitious plan to provide access to all the people who lack electricity — 1.4 billion people around the world by 2030. We will double the efficiency of energy. We will double the efficiency of renewable energy in the global energy mix.

Work with us to combat climate change, including next month's negotiations in Durban.

Bring your best ideas to the private sector forum at next June's critically important Rio+20 summit meeting on sustainable development.

And of course, please engage in the Global Compact.

Ladies and gentlemen,

Years of experience have shown us what works and what does not work. We know how to achieve the Millennium Development Goals.

Now is the time for all of us to bring these solutions and innovations to scale.

Now is the time for business to help make aid more effective.

Now is the time to work even more closely together to realize our shared goal of a more peaceful and prosperous world.

Thank you again for being here today, and I count on your strong commitment and leadership, working together with the United Nations, to make this world better for all. Thank you very much.

Quiz 3

A. 단어 - 다음 제시된 단어의 설명을 읽고, 어떤 단어를 설명하는지 〈보기〉에서 어울리는 단어를 고르세요.

1. to recommend earnestly and persistently
2. an important new plan to achieve a particular aim
3. a public meeting for open discussion
4. bad economic conditions in which people do not have much money to spend
5. a general trend or drift
6. the introduction of new ideas or methods
7. help or support
8. change or passage from one state to another
9. something that you are trying hard to achieve
10. to make something smaller or less in size, amount, or price
11. to make a problem or subject easy to notice so that people pay attention to it
12. relating to the countryside, not the city
13. true or suitable in every situation
14. latent but unrealized ability or capacity
15. to deliver or pass out
16. a jointly owned commercial enterprise that produces and distributes goods and services and is run for the benefit of its owners
17. easily broken or damaged
18. a situation or condition of hostility, suspense, or uneasiness
19. to carry out; put into action
20. to increase the size, volume, quantity, or scope of something

〈보기〉

distribute	urge	universal	assistance	implement
reduce	austerity	forum	potential	innovation
transition	cooperative	objective	expand	current
fragile	initiative	highlight	tension	rural

Answer

1. urge 2. initiative 3. forum 4. austerity 5. current 6. innovation 7. assistance 8. transition 9. objective 10. reduce 11. highlight 12. rural 13. universal 14. potential 15. distribute 16. cooperative 17. fragile 18. tension 19. implement 20. expand

B. 회화에 강한 동시통역 연습 - 다음을 영어로 쓰고 말해보세요.

1. 개발 협력은 / 기로(갈림길)에 서있습니다.
2. 사업은 중요한 원동력입니다 / 일자리를 창출하고 혁신을 일으키는
3. 최고 기록은 작년도였습니다 / 원조국이 기부했던 / 1,300억 달러를 / 개발도상국에
4. 최근까지, / 주된 목표는 / 비용을 절감하는 것이었습니다. 오늘날, 투자는 / 시장을 형성하는 것입니다.
5. 정부는 기반을 마련해야 합니다, / 적당한 규제체제와 장려책으로
6. 청량음료 제조사들은 / 도움을 주고 있습니다 / 깨끗한 물을 나누어 주는 일에
7. 민간부문은 / 정말로 성장의 주력이 될 수 있습니다.
8. 개발도상국의 성장률은 / 종종 훨씬 더 높습니다 / 선진 국가들의 성장률보다.
9. 더욱더 많은 재계 지도자들은 인정합니다 / 원칙과 이윤이 / 관련되어 있다는 것을
10. 우리는 배웠습니다 / 갈등과 불안정은 / 단지 쫓아 버리기만 했다는 것을 / 절실히 필요한 투자를
11. 기업체들은 동원할 수 있습니다 / 자본, 제품과 기술을
12. 새로운 협력과 접근은 단결시키고 있습니다 / 공공부문, 기업체와 민간사회를
13. 우리는 두 배로 늘릴 것입니다 / 에너지의 효율성을
14. 우리는 알고 있습니다 / 어떻게 달성할지 / 밀레니엄 개발목표를
15. 지금은 절호의 기회입니다 / 기업체가 도움을 줄 수 있는 / 원조를 더 효율적으로 만드는데

Answer

1. Development cooperation / stands at a crossroads.
2. Business is a primary driver / of jobs and innovation.
3. The highest record was last year / when the donor countries gave / $130 billion / to developing countries.
4. Until recently, / a primary objective / was to reduce costs. Today, investment / is about building markets.
5. Governments have to set the stage, / with the right regulatory frameworks and incentives.
6. Soft-drink manufacturers / are helping / to distribute clean water.
7. The private sector / can truly be the backbone of growth.
8. Growth rates in developing countries / are often higher / than in mature economies.
9. More and more business leaders accept / that principles and profits / go hand-in-hand.
10. We have learned / that conflict and instability / simply scare away / much-needed investment.
11. Businesses can mobilize / capital, products and skills.
12. New partnerships and approaches are uniting / the public sector, business and civil society.
13. We will double / the efficiency of energy.
14. We know / how to achieve / the Millennium Development Goals.
15. Now is the time / for business to help / make aid more effective.

7. 부산유엔기념공원에서

* 집단 안전 보장 Collective Security

집단 안전 보장은 세계 평화와 안전을 보장하기 위해 어떤 나라를 공격하는 나라를 다른 모든 나라의 적대국으로 간주하고, 공격 받은 나라를 원조하는 제도이다. 1950년 북한이 남한을 공격하자, 유엔의 16개 동맹국은 군사적 지원을 하고 나머지 5개국은 원조를 하였다. 이는 냉전 기간 동안에 집단 안전 보장을 실행으로 옮겼던 유일한 예이다. 또 다른 예는 1990년 이라크가 쿠웨이트를 침략했을 때였다. 이라크의 침략을 저지하고 쿠웨이트의 주권을 회복하려고 미국을 중심으로 군사적 행동을 하였다.

유엔 사무총장 **반기문 - 명언 7** 리더십 Leadership

Learn the leadership / to change the world history.
리더십을 배워라 / 세계역사를 바꿀 수 있는

세계역사를 바꿀 수 있는 리더십을 배워라.

7. 부산유엔기념공원에서

A.

Today we honor / the 2,300 fallen heroes / from 11 countries /
오늘 우리는 경의를 표합니다 / 2천3백 명의 전사한 영웅(전몰장병)들에게 / 11개국에서 참전했던 /

who found their final rest / in this quiet and sacred place.
그분들은 마지막 안식을 찾았습니다 / 조용하고 신성한 이곳에서.

As Secretary-General of the United Nations, / as a Korean /
유엔 사무총장으로서 / 한국인으로 /

and above all / as a citizen of our world / I pay my deepest respects
그리고 무엇보다 / 세계 시민으로서 / 저는 가장 깊은 경의를 표합니다 /

/ to the 2,300 fallen heroes.
2천3백 명의 전사한 영웅(전몰장병)들에게

More than half a century ago, / they stood against communist
약 반세기 전에 / 그분들은 공산주의자들의 침략에 저항했습니다.

aggression. They fought and died / so that we could be here today, /
그분들은 전투하다가 전사했습니다 / 그래서 우리는 오늘 이곳에 있을 수 있습니다 /

living in larger freedom.
더 큰 자유를 누리며 살며.

We shall never forget them.
우리는 결코 그분들을 잊지 않을 것입니다.

This is the only United Nations cemetery / in the world.
이곳은 유일한 유엔 공동묘지입니다 / 세계에서.

And I am the first United Nations Secretary-General /
그리고 저는 첫 번째 유엔 사무총장입니다 /

to visit these hallowed grounds.
신성한 이곳을 방문한.

It is a deep and profoundly moving privilege / to be here with you.
깊고 매우 감동적인 특권입니다 / 여러분과 함께 이곳에 있는 것은.

As a Korean, / you are my countrymen ... my brothers and sisters.
한국인으로서 / 여러분은 저의 동포며, 형제며, 자매입니다.

To the veterans among you, / especially, / I offer the thanks and best
여러분들 가운데 재향 군인들에게 / 특히 / 저는 감사와 안부를 전합니다 /

wishes / of a grateful world and a United Nations /
고마워하는 세계와 유엔의 /

that is indebted to your service and your sacrifice.
여러분의 공헌과 희생에 빚을 진(세계와 유엔의)

I also thank / the citizens of Busan, / who come each day to lay
저는 또한 감사를 표합니다 / 부산시민들에게 / 매일 와서 추모하는 화환을 놓는 (부산 시민들

wreaths of remembrance.
에게)

You will always be in my thoughts.
여러분들을 언제나 잊을 수 없을 것입니다.

Ladies and gentlemen,
신사 숙녀 여러분,

This place has special meaning / for me, personally.
이곳은 특별한 의미가 있습니다 / 저에게, 개인적으로.

As a young boy, / I watched / the United Nations-blue flag fly.
어린 소년일 때 / 저는 보았습니다 / 유엔의 푸른 깃발이 휘날리는 것을.

I knew many of the soldiers / who defended my country.
저는 많은 병사들에 대해 알고 있습니다 / 저의 조국을 지켜주셨던.

They were brave / and they were kind.
그분들은 용감했고 / 그분들은 친절했습니다.

You remember, then, / that Korea was on the verge of collapse.
여러분도 기억합니다, 그 당시 / 한국은 붕괴되기 직전이었다는 것을

It was the courage of soldiers from 16 peace-loving nations /
평화를 사랑하는 16개국 병사들의 용기와 /

and the support of five others / who saved Korea from tyranny /
5개국의 지원은 / 한국을 (공산주의자들의) 포학행위로부터 구했고 /

and helped / to bring us to where we are today.
도움을 주었습니다 / 오늘날의 우리가 되게.

Key Expression

사전이나 문법책을 보면, 'so that'이라는 표현에는 '~을 하기 위하여(in order that)'와 '그래서, 그 때문에'라는 두 가지 의미가 있다고 강조한다. 하지만 'so that'을 모두 '그래서, 그 때문에'라고 해석해도 의미가 통하고, 어떤 경우든 'that'은 생략할 수 있다.

1. They fought and died / so that / we could be here today.
   그분들은 전투하다가 전사했습니다 / 그래서 / 우리는 오늘 이곳에 있을 수 있습니다.
2. She spoke slowly / so that / everyone could understand / her.
   그녀는 천천히 말했다 / 그래서 / 모든 사람들이 이해할 수 있었다 / 그녀를.

fallen 전사한 | sacred 신성한 | stand against 저항하다 | aggression 침략, 공격 | cemetery 공동묘지 | hallowed 신성한 | profoundly 매우, 간절히 | privilege 특권 | veteran 재향 군인 | grateful 고마워하는 | indebted 빚을 진 | wreath 화환 | remembrance 추모, 기억 | on the verge of ~하기 직전이, ~하려고 하여 | collapse 붕괴, 와해 | tyranny 포학행위, 폭정

B.

Now, as Secretary-General of the United Nations, /
이제, 유엔 사무총장으로서 /

I am pleased to see / this sacred place has become a beautiful
저는 보게 되어 기쁩니다 / 신성한 이곳이 아름다운 기념물이 된 것을 /

monument / to the brave UN soldiers / who gave their lives for a
용감한 유엔병사들을 위한 / 숭고한 이상을 위해 목숨을 바쳤던 /

noble ideal ... / the vision of collective security enshrined in the UN
유엔 헌장에 기술되어 있는 집단 안전 보장이라는 비전인 (이상을)

Charter.

This United Nations Memorial Cemetery is proof /
이 유엔기념공원은 증거입니다 /

that countries and peoples of all cultures, faiths and geographies /
어떠한 문화, 신념, 지형을 갖춘 나라나 민족일지라도 /

can unite to fight / for universal principles ... / freedom, justice,
단결하여 싸울 수 있습니다 / 보편적인 원칙을 위해 / 자유, 정의,

democracy.
민주주의라는 (보편적인 원칙)

To the families of those who rest here, / to their descendants and my
이곳에 쉬고 계신 분들의 가족들에게 / 그들의 자손과 나의 동포에게 /

fellow countrymen, / I say:
저는 말합니다.

Thank you / on behalf of the grateful people of the Republic of
감사 드립니다 / 고마워하는 한국 국민을 대표하여.

Korea.

Thank you / on behalf of the United Nations.
감사 드립니다 / 유엔을 대표하여.

Let me conclude / with a wise and ancient saying:
이야기를 끝내겠습니다 / 현명하고 오래된 속담으로:

"What you give, / you shall receive."
"당신이 준 것을 / 당신은 얻을 것이다"(준대로 받는다)라는

During the war, / this port of Busan was the gateway / for UN
한국전쟁동안 / 부산항은 통로였습니다 / 유엔군이 한국으로

troops to Korea. Today, Busan is where Korea sends forth /
들어가는. 오늘날, 부산은 한국이 보내는 곳입니다 /

its own peacekeepers into the world.
한국의 평화유지군을 세계로.

More recently, / I am grateful / that the Korean Government has
얼마 전의 일로, 저는 고맙게 생각합니다 / 한국 정부가 결정한 것을 /

chosen / to send a peacekeeping contribution / to the new nation of
평화유지 기증품을 보내기로 / 남수단의 새로운 나라에.

South Sudan. And so we come full circle, / past to present.
결국 우리는 제자리로 돌았습니다 / 과거에서 현재로.

What an inspiration.
얼마나 고무적인 일입니까.

Dear friends,
친애하는 여러분,

Today, we remember / those who fell in freedom's name, / and we
오늘, 우리는 기억합시다 / 자유의 이름으로 전사하신 분들을 / 그리고 우리는

remember / the families and communities / that still suffer from
기억합시다 / 가족과 공동체를 / 전쟁의 암울한 흔적(유산) 때문에 아직

the war's grim legacy. Let us commit ourselves / to reuniting this
도 고통을 받고 있는. 헌신합시다 / 한반도를 다시 통일시키는 일에 /

Peninsula / so that all Koreans can live / in peace and prosperity /
그러면 모든 한민족은 살 수 있습니다 / 평화롭게 번영하며 /

for generations to come.
앞으로 여러 세대동안

I will leave / all the more determined to carry forward / the cause of
저는 떠날 것입니다 / 전진시키기로 더 굳게 결심하고 / 평화라는 대의를 /

peace / for which these heroes gave their lives.
여기 계신 영웅(장병)들이 목숨을 바친.

I thank you very much.
대단히 감사합니다.

UN Memorial Cemetery in Korea
(30 November 2011)

Key Expression

감정을 표현하는 형용사(glad, happy, pleased, delighted, sad…) 뒤에 'to 부정사'가 나오면, 그런 감정을 느끼게 된 이유에 대해 자세히 설명한다. 아래 예문을 보면, 주어가 기뻐하는 이유에 대해 'to see'가 자세히 설명한다.

I am pleased / to see / this sacred place has become a beautiful monument.
저는 기쁩니다 / 보게 되어서 / 신성한 이곳이 아름다운 기념물이 된 것을.

monument 기념물 | collective security 집단 안전 보장 | enshrine (공문서에) 정식으로 기술하다 | charter 헌장 | descendant 자손, 후예 | on behalf of ~을 대표하여 | conclude (이야기를) 끝내다 | gateway 통로 | contribution 기증품 | inspiration 고무적인 것(일) | grim 암울한 | legacy 흔적, 유산 | prosperity 번영 | carry forward 전진시키다 | cause 대의, 큰 목적

7. 부산유엔기념공원에서

A.

Today we honor the 2,300 fallen heroes from 11 countries who found their final rest in this quiet and sacred place.

As Secretary-General of the United Nations, as a Korean and above all as a citizen of our world I pay my deepest respects to the 2,300 fallen heroes.

More than half a century ago, they stood against communist aggression. They fought and died so that we could be here today, living in larger freedom. We shall never forget them.

This is the only United Nations cemetery in the world. And I am the first United Nations Secretary-General to visit these hallowed grounds.

It is a deep and profoundly moving privilege to be here with you. As a Korean, you are my countrymen ... my brothers and sisters. To the veterans among you, especially, I offer the thanks and best wishes of a grateful world and a United Nations that is indebted to your service and your sacrifice. I also thank the citizens of Busan, who come each day to lay wreaths of remembrance. You will always be in my thoughts.

Ladies and gentlemen,

This place has special meaning for me, personally.

As a young boy, I watched the United Nations-blue flag fly. I knew many of the soldiers who defended my country. They were brave and they were kind. You remember, then, that Korea was on the verge of collapse. It was the courage of soldiers from 16 peace-loving nations and the support of five others who saved Korea from tyranny and helped to bring us to where we are today.

B.

Now, as Secretary-General of the United Nations, I am pleased to see this sacred place has become a beautiful monument to the brave UN soldiers who gave their lives for a noble ideal ... the vision of collective security enshrined in the UN Charter.

This United Nations Memorial Cemetery is proof that countries and peoples of all cultures, faiths and geographies can unite to fight for universal principles ... freedom, justice, democracy.

To the families of those who rest here, to their descendants and my fellow countrymen, I say:

Thank you on behalf of the grateful people of the Republic of Korea.

Thank you on behalf of the United Nations.

Let me conclude with a wise and ancient saying: "What you give, you shall receive."

During the war, this port of Busan was the gateway for UN troops to Korea.

Today, Busan is where Korea sends forth its own peacekeepers into the world.

More recently, I am grateful that the Korean Government has chosen to send a peacekeeping contribution to the new nation of South Sudan.

And so we come full circle, past to present. What an inspiration.

Dear friends,

Today, we remember those who fell in freedom's name, and we remember the families and communities that still suffer from the war's grim legacy.

Let us commit ourselves to reuniting this Peninsula so that all Koreans can live in peace and prosperity for generations to come.

I will leave all the more determined to carry forward the cause of peace for which these heroes gave their lives.

I thank you very much.

8. 팔레스타인과 결속을 위해

* 가자지구 Gaza

가자지구는 역사적으로 이스라엘과 팔레스타인 간에 무력충돌이 자주 발생한 곳이다. 세계지도를 보면, 가자지구는 지중해 연안에 인접한 곳에 남북으로 가늘고 긴 조각과 유사한 모양을 하고 있다.

이곳을 1967년 이스라엘이 강제로 점령했고, 1944년에 이스라엘과 팔레스타인 해방기구간에 합의가 이루어져 자치를 인정받았다. 이곳에 거주하는 사람들의 절반 이상이 아랍난민이고 팔레스타인 해방기구의 기지이기도 하다.

어느 국가에도 속하지 않는 영토이지만, 웨스트뱅크와 함께 팔레스타인 독립국가의 잠정적인 영토로 상정되기도 했다.

하지만 2000년에 아랍인과 이스라엘인의 충돌이 일어나자 이스라엘 군대가 진압하였다. 이 사건을 계기로 가자지구와 웨스트 뱅크에서 무력충돌이 또다시 일어나기 시작했다.

* 국제인도법 International Humanitarian Law

국제인도법이란 유엔 헌장에 포함된 국제 법의 일환이며, 인도적인 목적으로 무력충돌의 영향을 제한하기 위한 규칙이다.

이 법에 따라 교전에 참여하지 않는 사람을 보호하고 교전 방법을 제한한다. 하지만 어느 국가가 무력을 사용할 수 있는지 없는지를 규정하지 않는다.

유엔 사무총장 **반기문 – 명언 ⑧** 최선 Best

Be the best. Second place equals / defeat.
최고가 되어라. 2등은 같다 / 패배와

최고가 되어라. 2등은 패배와 같다.

8. 팔레스타인과 결속을 위해

A.

Excellencies,
장관,

Ladies and gentlemen,
신사 숙녀 여러분,

I am very pleased / to join you today / on behalf of Secretary-
저는 매우 기쁩니다 / 오늘 여러분과 함께 있는 것을 / 반기문 유엔 사무총장을 대신하여 /

General BAN Ki-moon, / who is currently away from Headquarters
그분은 현재 유엔 본부에 안계십니다 /

/ on official travel / and has given me the honor / of reading this
공무상 여행 때문에 / 그래서 저에게 영광을 주셨습니다 / 이 성명서를 읽는 /

statement / on his behalf.
그분을 대신하여.

Sixty-four years ago on this day, / the General Assembly adopted /
60년 전 오늘 / 유엔 총회는 채택하였습니다 /

resolution 181, / proposing the partition of the mandated territory /
결의안 181을 / 위임통치령을 분할하는 것을 제안하는 (결의안을) /

into two States.
두 개의 국가로.

The establishment of a Palestinian State, / living in peace next to a
팔레스타인의 국가를 설립하는 일은 / 안전한 이스라엘 옆에서 평화롭게 사는 /

secure Israel, / is long overdue.
오랫동안 지연되었습니다.

The need to resolve this conflict / has taken on greater urgency /
이런 분쟁을 해결할 필요성은 / 더욱더 절박해졌습니다 /

with the historic transformations taking place / across the region.
역사적으로 중요한 변화가 일어나고 있기에 / 그 지역 전체에

The Israeli and Palestinian leadership / must show courage and
이스라엘과 팔레스타인 수뇌부는 / 용기와 결심을 보여줘야 합니다 /

determination / to seek an agreement for a two-State solution / that
두 개 국가로 분할하는 해결책에 동의하려는 (용기와 결심을) /

can open up a brighter future / for Palestinian and Israeli children.
더 밝은 미래를 열 수 있는 (해결책에) / 팔레스타인과 이스라엘의 어린이들을 위해.

Such a solution must end / the occupation / that began in 1967, / and
그런 해결책은 끝내야 하고 / 점령을 / 1967년에 시작된 /

meet legitimate security concerns.
정당한 안보 우려에 부응해야 합니다.

Jerusalem must emerge from negotiation / as the capital of two
예루살렘은 협상을 통해 등장해야 합니다 / 양국의 수도로 /

States, / with arrangements / for the holy sites acceptable to all.
모두가 성지로 받아들이는 / 타협과 함께.

And a just and agreed solution / must be found / for millions of
그리고 공정하고 합의를 통한 해결책을 / 찾아야 합니다 / 수백만 명의

Palestinian refugees / scattered around the region.
팔레스타인 난민들을 위해 / 그 지역에 흩어져 있는.

While there are many challenges / to this goal, / let us recognize /
많은 난관이 있지만 / 이런 목표를 달성하려면 / 인정합시다 /

an important, indeed historic, achievement of the Palestinian
팔레스타인 당국의 중요하고, 정말로 역사적으로 중요한 업적을 /

Authority / during the past year.
지난해 동안.

Key Expression

현재분사가 포함되어 있는 구는 바로 앞에 나오는 명사를 수식할 수 있다. 이때 현재분사는 능동의 의미가 있다. 아래 예문처럼 '현재분사(proposing)'로 시작하는 구가 앞에 나오는 '명사(resolution)'를 자세히 설명한다.

The General Assembly adopted / resolution 181, / proposing the partition of
유엔 총회는 채택하였습니다 / 결의안 181을 / 위임통치령을 분할하는 것을

the mandated territory / into two States.
제안하는 (결의안을) / 두 개의 국가로.

excellency (장관, 대사, 총독, 지사에 대한 경칭) | currently 현재 | headquarters 본부, 본사 | statement 성명서 | General Assembly (유엔) 총회 | adopt ~을 채택하다 | resolution 결의안 | partition 분할 | mandated territory 위임통치령 | overdue 기한이 지난, 지체된 | conflict 분쟁 | take on (성질을) 띠다 | urgency 시급(함) | historic 역사적으로 중요한 | transformation 변화 | region 지역 | leadership 수뇌부, 지도자 | determination 결심 | occupation 점령 | meet (기대·요구에) 부응하다, 충족시키다 | legitimate 정당한 | emerge 등장하다, 나타나다 | arrangement 타협, 협정 | refugee 난민 | scatter 흩뜨려 놓다 | authority 당국

B.

The Palestinian Authority / is now institutionally ready /
팔레스타인 당국은 / 이제 제도상으로 준비되어 있습니다 /

to assume the responsibilities of statehood, / if a Palestinian state
국가의 책무를 떠맡을 / 팔레스타인 국가가 형성되면.

were created.

This was affirmed / by a wide range of members of the international
이것을 지지했습니다 / 국제 사회의 다양한 회원들이 /

community / at the meeting of the Ad-Hoc Liaison Committee / in
특별 연락 위원회의 회의에서 /

September. President Mahmoud Abbas and Prime Minister Salam
9월에 열렸던. (팔레스타인) 대통령 마흐모드 아바스와 국무총리 살람 파야드는 칭찬을 받아야 합니다 /

Fayyad are to be commended / for this remarkable success.
이렇게 훌륭하게 성공시킨 일에 대해.

These efforts should continue and be supported.
이런 노력은 지속되어야 하고 지지받아야 합니다.

In this regard, / the current suspension by Israel of customs and
이런 점에 있어서는 / 현재 이스라엘이 관세 및 세금 송금을 중단시킨 일은 /

tax transfers / owed to the Palestinian Authority / risks
팔레스타인 당국에게 지불할 /

undermining these gains.
이런 진보를 해칠 위험이 있습니다.

These revenues must be transferred / without delay.
이런 세입은 송금되어야 합니다 / 지체 없이.

Above all else, / a political horizon is vital.
무엇보다도 / 정치적 목표는 중요합니다.

It is a matter of deep concern / that Israeli-Palestinian negotiations
대단히 걱정할 문제입니다 / 이스라엘과 팔레스타인 협상이 이루어지지 않은 것은 /

are not taking place, / while trust between the parties continues to
양자 간에 신뢰가 계속하여 쇠퇴하는 동안에.

fade.

A glimpse of hope comes / from their engagement with the Middle
어렴풋이 보이는 희망이 나옵니다 / 중동 4자(러시아, 유럽 연합, 미국, 유엔)와 그들의 협정에서.

East Quartet. Both sides should seek to develop serious proposals /
양측은 중대한 제안을 하려 해야 하고 /

on borders and security, / and to discuss them directly / with each
국경과 안보문제에 대해 / 그들을 직접 의논하려 해야 합니다 / 서로 /

other, / with active Quartet support, / in the context of a shared
중동 4자의 적극적인 지지를 받으면서 / 함께 헌신하려는 상황에 /

commitment / to reach an agreement by the end of 2012.
2012년 말까지 합의에 이르려고.

The parties have a particular responsibility / to cease provocations /
당사자들은 특별한 책임이 있습니다 / 도발을 멈추고 /

and create a conducive environment / for meaningful negotiations.
도움이 되는(유익한) 환경을 조성해야 하는 / 의미있는 협상을 위하여.

Israel's recently intensified settlement activity / in East Jerusalem
이스라엘이 최근에 정착지 활동을 강화시킨 것은 / 동 예루살렘과

and the West Bank / is a major obstacle.
웨스트 뱅크에서 / 주된 장애물입니다.

Settlement activity is contrary / to international law and the
정착지 활동은 어긋납니다 / 국제법과 로드맵에 /

Roadmap, / and must cease. Unilateral actions on the ground /
그러므로 멈춰야 합니다. 지상에서 일방적인 활동을 /

will not be accepted / by the international community.
받아들이지 않을 것입니다 / 국제 사회가.

For its part, the Palestinian Authority / should also find ways /
팔레스타인 당국으로서는 / 또한 방법을 찾아야 합니다 /

to help de-escalate the situation / and improve the prevailing
(긴장된) 상황을 단계적으로 축소하는데 도움이 되며 / 분열을 초래하는 압도적인 분위기를 개선하고 /

divisive climate, / and to be ready to engage directly /
직접 참여하려고 준비하는데 (도움이 되는 방법을 찾아야 합니다) /

in the search for a negotiated solution.
협상에 의한 해결책을 찾기 위해.

Key Expression

명사구가 문장처럼 해석되는 경우가 있다. 아래 예문의 명사구(The current suspension by Israel of customs and tax transfers)를 한 문장으로 해석하면 자연스럽게 이해할 수 있다. 명사(suspension)를 동사로 해석하고, 'of customs and tax transfers'를 동사의 목적어로 하고, 'by Israel'을 주어로 하면 된다.

The current suspension by Israel of customs and tax transfers /
현재 이스라엘이 관세 및 세금 송금을 중단시킨 일은 /

owed to the Palestinian Authority / risks undermining these gains.
팔레스타인 당국에게 지불할 / 이런 진보를 약화시킬 위험이 있다.

institutionally 제도상으로 | assume 떠맡다 | affirm 지지하다 | a wide range of 다양한 | Ad-Hoc Committee 특별 위원회 | liaison 연락 | commend 칭찬하다 | suspension 중단, 정지 | customs 관세 | transfer 송금 | undermine 약화시키다, 해치다 | revenue 세입, 수입 | horizon 목표 | fade 쇠퇴하다 | a glimpse of 어렴풋이 보이는 | engagement 협정 | quartet 4중주, 4인조 | context 상황, 문맥 | cease 멈추다 | provocation 도발 | conducive 도움이 되는 | settlement 정착지 | contrary 어긋난, 상반되는 | unilateral 일방적인 de-escalate 단계적으로 축소하다 | prevailing 압도적인 | divisive 분열을 초래하는

C.

It is also crucial / for the Palestinians / to overcome their divisions, /
또한 중요합니다 / 팔레스타인의 주민들이 / 자신들의 분열을 극복하는 것은 /

based on the commitments of the Palestine Liberation Organization,
팔레스타인 해방기구의 공약을 근거로 /

/ the positions of the Quartet and the Arab Peace Initiative.
(그리고) 중동 4자와 아랍 평화 계획의 입장을 근거로.

President Abbas continues efforts / towards a transitional
아바스 대통령은 노력을 계속합니다 / 과도 정부를 형성하려고 /

government / that will prepare / for presidential and legislative
그 과도 정부는 준비할 것입니다 / 대통령과 입법부 선거를 /

elections / in May.
5월에 있을.

Palestinian unity / that supports a negotiated two-State solution / is
팔레스타인의 단결은 / 협상으로 2개국을 형성하는 해결안을 지지하는 (단결은) /

essential / for the creation of a Palestinian State / in Gaza and the
필수적입니다 / 팔레스타인 국가를 설립하는데 / 가자와 웨스트 뱅크 지역에서.

West Bank.

The United Nations continues to be strongly committed /
유엔은 계속하여 강력히 헌신할 것입니다 /

to the population in Gaza, / and to implementing / all aspects of
가자지구에 사는 주민을 위해 / 그리고 이행하려고 / 안전보장 이사회 결의안

Security Council resolution 1860. Israel has taken steps / to ease
1860의 모든 측면을. 이스라엘은 조치를 취했습니다 / 폐쇄를 완화하려는.

the closure. There is however still a need / to remove the numerous
하지만 아직도 필요가 있습니다 / 여전히 남아있는 많은 조치를 없앨 (필요

remaining measures / that severely restrict / the movement of
가) / 심각하게 제한하는 (조치를) / 사람과 상품의 이동을 /

people and goods / and limit the ability of the United Nations / to
그리고 유엔의 능력을 제한하는 (조치를) /

support Gaza's economic recovery and reconstruction.
가자지구의 경제적 회복과 재건을 지지하는 (유엔)

Today we must also remind / those in Gaza / who fire rockets
오늘 우리는 또한 상기시켜야 합니다 / 가자지구 주민들에게 / 이스라엘을 향해 로켓을 발사하고 /

at Israel, / or continue to smuggle weapons, / that these actions
또는 무기를 밀수하는 (주민들에게) / 이런 행동은 받아들일 수 없고 완전

are both unacceptable and completely contrary / to Palestinian
히 적합하지 않은 것이라고 / 팔레스타인의 이득에.

interests.

Rocket fire from Gaza into Israel / must end, / and Israel must exercise maximum restraint.
가자지구에서 이스라엘로 로켓을 발사하는 것은 / 멈춰져야 하고 / 이스라엘은 최대한의 자제력을 발휘해야 합니다.

Both parties should fully observe calm and respect / international humanitarian law.
양측은 아주 차분하게 준수하며 존중해야 합니다 / 국제인도법을.

Key Expression

주어인 명사가 관계대명사로 수식을 받으면, 주어는 매우 길어진다. 이때 어디까지 주어의 영향권 안에 있고, 어떤 것이 동사인지 알 수 있으면, 긴 문장이라도 쉽게 해석할 수 있다. 그리고 아래 예문의 '명사구(Palestinian unity)'는 단수이므로 동사 'is'가 쓰였다.

Palestinian unity / that supports a negotiated two-State solution / is essential / for the creation of a Palestinian State / in Gaza and the West Bank.
팔레스타인의 단결은 / 협상으로 2개국을 형성하는 해결안을 지지하는 (단결은) / 필수적입니다 / 팔레스타인 국가를 설립하는데 / 가자와 웨스트 뱅크지역에서.

division 분열 | based on ~을 근거로 | transitional government 과도 정부 | legislative 입법부 | (the) population 주민 | implement (약속을) 이행하다 | aspect 측면 | Security Council 안전보장 이사회 | steps 조치, 수단 | closure 폐쇄 | numerous 많은 | measures 조치, 수단, 방책 | severely 심각하게 | restrict 제한하다 | reconstruction 재건 | smuggle 밀수하다 | contrary 적합하지 않은, 상반되는 | restraint 자제력 | observe (법률·규칙을) 준수하다

D.

The recent prisoner exchange / that saw the release / of hundreds
최근의 포로교환은 / 석방하는 것을 목격한 / 수백 명의 팔레스타인 포

of Palestinian prisoners and an Israeli soldier / was a significant
로와 한 명의 이스라엘 병사를 / 인도적인 면에서 의의 깊은 진전이

humanitarian breakthrough / that should be followed by further
었으며 / (그 진전에) 더 많은 조치가 잇따라야 합니다 /

steps / to consolidate calm and end the closure of Gaza.
차분하게 통합하고 가자지구의 폐쇄를 끝낼 수 있는 (조치가)

Amid these many challenges / to the realization of their legitimate
이렇게 많은 난제가 있는 가운데 / 국가를 원하는 정당한 열망을 실현시키는 일에 /

aspirations for statehood, / the Palestinian leadership submitted / an
팔레스타인 지도부는 제출했습니다 /

application for membership in the United Nations.
유엔의 회원이 되려는 신청서를.

This is a matter / for the Member States to decide.
이것은 문제입니다 / 회원국들이 결정해야 하는.

Whatever view of this matter is taken, / we should not lose sight of
이런 문제에 대해 어떤 견해를 취하든 / 우리는 최종 목표를 잃어버리면 안됩니다 /

the ultimate goal / of reaching a negotiated peace agreement /
협상으로 평화협정을 맺으려는 (최종목표를) /

on all final status issues, / including borders, security, Jerusalem
모든 최종적인 문제에 대해 / 국경, 안보, 예루살렘과 난민을 포함한.

and refugees.

Let us, on this International Day, reaffirm / our commitment /
세계의 날에 우리는 재확인합시다 / 우리의 헌신을 /

to translating solidarity into positive action.
결속을 긍정적인 행동으로 옮기려는.

The international community must help steer the situation / towards
국제 사회는 현재 상황을 이끌어 가는데 도와줘야 합니다 /

a historic peace agreement.
역사적으로 중요한 평화협정으로.

Failing to overcome mistrust / will only condemn further
불신을 극복하지 못하면 / 단지 팔레스타인과 이스라엘의

generations of Palestinians and Israelis / to conflict and suffering.
미래 세대들을 만들 것입니다 / 분쟁과 고통 속에 살게.

A just and lasting peace in the Middle East / based on Security 242,
중동에서 정의롭고 지속적인 평화는 / 안전보장 이사회의 결의안 242,

Council resolutions 242, 338, 1397, 1515 and 1850, /
338, 1397, 1515, 1850과 /

previous agreements, the Madrid framework, the Road Map /
과거의 협정, 마드리드 프레임워크, 로드맵과 /

and the Arab Peace Initiative / is critical to avoid this fate.
아랍 평화계획을 토대로 한 (평화는) / 이런 불행을 피하는데 중요합니다.

The Secretary-General will continue pursuing his efforts /
사무총장은 지속적으로 노력할 것입니다 /

with all the means available to him.
자신이 이용할 수 있는 모든 방법으로.

Thank you.
감사합니다.

On the International Day of Solidarity with the Palestinian People
(29 November 2011)

Key Expression

'whatever'가 부사절에 쓰이면 양보의 뜻이 있다. 아래 예문에 있는 'Whatever view'는 'No matter what view'와 비슷한 의미로 '어떤 견해일지라도'라고 해석한다.

Whatever view of this matter is taken, / we should not lose sight of the ultimate goal /
이런 문제에 대해 어떤 견해를 취하든 / 우리는 최종 목표를 잃어버리면 안됩니다 /

of reaching a negotiated peace agreement.
협상으로 평화협정을 맺으려는 (최종목표를).

breakthrough 진전, 약진 | consolidate 통합하다, 결합하다 | amid ~가운데 | challenge (극복해야 할) 난관, 과제 | submit 제출하다 | lose sight of 잃어버리다 | ultimate 최종적인, 궁극적인 | reaffirm 재확인하다 | translate 옮기다 | solidarity 결속 | steer (어떤 방향으로) 나아가게 하다, 이끌다 | condemn (좋지 않은 상황에) 처하게 만들다 | pursue 수행하다, 속행하다

8. 팔레스타인과 결속을 위해

A.

Excellencies,

Ladies and gentlemen,

I am very pleased to join you today on behalf of Secretary-General BAN Ki-moon, who is currently away from Headquarters on official travel and has given me the honor of reading this statement on his behalf.

Sixty-four years ago on this day, the General Assembly adopted resolution 181, proposing the partition of the mandated territory into two States. The establishment of a Palestinian State, living in peace next to a secure Israel, is long overdue.

The need to resolve this conflict has taken on greater urgency with the historic transformations taking place across the region.

The Israeli and Palestinian leadership must show courage and determination to seek an agreement for a two-State solution that can open up a brighter future for Palestinian and Israeli children.

Such a solution must end the occupation that began in 1967, and meet legitimate security concerns. Jerusalem must emerge from negotiation as the capital of two States, with arrangements for the holy sites acceptable to all. And a just and agreed solution must be found for millions of Palestinian refugees scattered around the region.

While there are many challenges to this goal, let us recognize an important, indeed historic, achievement of the Palestinian Authority during the past year.

B.

The Palestinian Authority is now institutionally ready to assume the responsibilities of statehood, if a Palestinian state were created.

This was affirmed by a wide range of members of the international community at the meeting of the Ad-Hoc Liaison Committee in September. President Mahmoud Abbas and Prime Minister Salam Fayyad are to be commended for this remarkable success. These efforts should continue and be supported.

In this regard, the current suspension by Israel of customs and tax transfers owed to the Palestinian Authority risks undermining these gains. These revenues must be transferred without delay.

Above all else, a political horizon is vital. It is a matter of deep concern that Israeli-Palestinian negotiations are not taking place, while trust between the parties continues to fade.

A glimpse of hope comes from their engagement with the Middle East Quartet. Both sides should seek to develop serious proposals on borders and security, and to discuss them directly with each other, with active Quartet support, in the context of a shared commitment to reach an agreement by the end of 2012.

The parties have a particular responsibility to cease provocations and create a conducive environment for meaningful negotiations. Israel's recently intensified settlement activity in East Jerusalem and the West Bank is a major obstacle. Settlement activity is contrary to international law and the Roadmap, and must cease. Unilateral actions on the ground will not be accepted by the international community.

For its part, the Palestinian Authority should also find ways to help de-escalate the situation and improve the prevailing divisive climate, and to be ready to engage directly in the search for a negotiated solution.

C.

It is also crucial for the Palestinians to overcome their divisions, based on the commitments of the Palestine Liberation Organization, the positions of the Quartet and the Arab Peace Initiative. President Abbas continues efforts towards a transitional government that will prepare for presidential and legislative elections in May.

Palestinian unity that supports a negotiated two-State solution is essential for the creation of a Palestinian State in Gaza and the West Bank.

The United Nations continues to be strongly committed to the population in Gaza, and to implementing all aspects of Security Council resolution 1860.

Israel has taken steps to ease the closure. There is however still a need to remove the numerous remaining measures that severely restrict the movement of people and goods and limit the ability of the United Nations to support Gaza's economic recovery and reconstruction.

Today we must also remind those in Gaza who fire rockets at Israel, or continue to smuggle weapons, that these actions are both unacceptable and completely contrary to Palestinian interests.

Rocket fire from Gaza into Israel must end, and Israel must exercise maximum restraint. Both parties should fully observe calm and respect international humanitarian law.

The recent prisoner exchange that saw the release of hundreds of Palestinian prisoners and an Israeli soldier was a significant humanitarian breakthrough that should be followed by further steps to consolidate calm and end the closure of Gaza.

Amid these many challenges to the realization of their legitimate aspirations for statehood, the Palestinian leadership submitted an application for membership in the United Nations. This is a matter for the Member States to decide.

Whatever view of this matter is taken, we should not lose sight of the ultimate goal of reaching a negotiated peace agreement on all final status issues, including borders, security, Jerusalem and refugees.

Let us, on this International Day, reaffirm our commitment to translating solidarity into positive action.

The international community must help steer the situation towards a historic peace agreement. Failing to overcome mistrust will only condemn further generations of Palestinians and Israelis to conflict and suffering.

A just and lasting peace in the Middle East based on Security Council resolutions 242, 338, 1397, 1515 and 1850, previous agreements, the Madrid framework, the Road Map and the Arab Peace Initiative is critical to avoid this fate.

The Secretary-General will continue pursuing his efforts with all the means available to him.

Thank you.

Quiz 4

A. 단어 – 다음 제시된 단어의 설명을 읽고, 어떤 단어를 설명하는지 〈보기〉에서 어울리는 단어를 고르세요.

1. an act of overcoming an obstacle
2. a demanding or stimulating situation; something that tests strength, skill, or ability
3. to give a plan to someone in authority for them to approve
4. to guide someone to a place
5. disagreement among the members of a group that makes them form smaller opposing groups
6. one with the power to make laws
7. one of a series of things that you do in order to deal with a problem
8. the act of closing
9. to take upon oneself
10. to praise or approve of someone
11. cessation of payment of business debts
12. to become weaker
13. the act of attacking a country
14. a ring or circlet of flowers placed on a memorial
15. holy
16. killed in a war
17. something that makes someone feel encouraged to be successful as possible
18. a place that you can go through
19. a statement of the principles, duties, and purposes of an organization
20. a formal expression of opinion by a meeting

〈보기〉

closure	commend	legislative	resolution	challenge
suspension	fade	hallowed	division	breakthrough
fallen	inspiration	wreath	steer	gateway
steps	aggression	charter	submit	assume

Answer

1. breakthrough 2. challenge 3. submit 4. steer 5. division 6. legislative 7. steps 8. closure 9. assume 10. commend
11. suspension 12. fade 13. aggression 14. wreath 15. hallowed 16. fallen 17. inspiration 18. gateway 19. charter 20. resolution

B. 회화에 강한 동시통역 연습 - 다음을 영어로 쓰고 말해보세요.

1. 이곳은 특별한 의미가 있습니다 / 저에게 / 개인적으로
2. 저는 많은 병사들에 대해 알고 있습니다 / 저의 조국을 지켜주셨던
3. (한국)전쟁동안, / 부산항은 통로였습니다 / 유엔군이 한국으로 들어가는
4. 오늘, / 우리는 기억합시다 / 자유의 이름으로 전사하신 분들을
5. 헌신합시다 / 한반도를 다시 통일시키는 일에
6. 팔레스타인의 국가를 설립하는 일은 / 오랫동안 지연되었습니다.
7. 이런 분쟁을 해결할 필요성은 / 더욱더 절박해졌습니다.
8. 대단히 걱정할 문제입니다 / 이스라엘과 팔레스타인 협상이 / 이루어지고 있지 않은 것은
9. 당사자들은 특별한 책임이 있습니다 / 도발을 멈추어야 하는
10. 중요합니다 / 팔레스타인의 주민들이 / 자신들의 분열을 극복하는 것은
11. 이런 행동은 / 받아들일 수 없고 완전히 상반됩니다 / 팔레스타인의 이득에
12. 가자지구에서 이스라엘로 로켓을 발사하는 것은 / 멈춰져야 하고, / 이스라엘은 최대한의 자제력을 발휘해야 합니다.
13. 최근의 포로 교환은 / 인도적인 면에서 의의 깊은 진전이었습니다 / 그 이상의 조치가 잇따라야 하는
14. 이것은 문제입니다 / 회원국들이 / 결정해야 하는
15. 국제 사회는 / 현재 상황을 이끌어 가는데 도와줘야 합니다 / 역사적으로 중요한 평화협정으로

Answer

1. This place has special meaning / for me, / personally.
2. I knew many of the soldiers / who defended my country.
3. During the war, / this port of Busan was the gateway / for UN troops to Korea.
4. Today, / we remember / those who fell in freedom's name.
5. Let us commit ourselves / to reuniting this Peninsula.
6. The establishment of a Palestinian State / is long overdue.
7. The need to resolve this conflict / has taken on greater urgency.
8. It is a matter of deep concern / that Israeli-Palestinian negotiations / are not taking place.
9. The parties have a particular responsibility / to cease provocations.
10. It is crucial / for the Palestinians / to overcome their divisions.
11. These actions / are both unacceptable and completely contrary / to Palestinian interests.
12. Rocket fire from Gaza into Israel / must end, / and Israel must exercise maximum restraint.
13. The recent prisoner exchange / was a significant humanitarian breakthrough / that should be followed by further steps.
14. This is a matter / for the Member States / to decide.
15. The international community / must help steer the situation / towards a historic peace agreement.

9. 유엔의 평화유지 활동

* 평화유지 활동 Peacekeeping

유엔의 평화유지군은 분쟁으로 인해 고통 받는 지역에서 평화유지를 위해 작전활동을 벌인다. 평화유지 작전에는 경찰, 군인, 민간인이 파견된다. 현재 평화유지군은 아프리카, 유럽, 중동 및 아시아 지역에서 활동 중이다.

유엔의 평화유지 활동은 분쟁지역에서 평화를 효과적으로 회복시킨다고 입증되었다.

평화유지군들이 분쟁 지역에서 활동을 할 때, 다음과 같이 3대 원칙을 준수할 의무가 있다.

분쟁 당사자들의 동의가 있어야 하고, 중립성을 지키고, 자신을 방어하는 경우를 제외하고 무력을 사용하지 않는다.

유엔 사무총장 **반기문 – 명언 ⑨** 멀티 플레이어 Multi-players

The world wants / multi-players.
세계는 원한다 / 멀티 플레이어를

세계는 멀티 플레이어를 원한다.

9. 유엔의 평화유지 활동 Peacekeeping

A.

I travel often / as Secretary-General.
저는 여행을 자주합니다 / 사무총장 자격으로

And wherever I go, / I try to meet / with our UN peacekeepers.
그리고 어디를 가든지 / 저는 만나려고 노력합니다 / 유엔 평화유지군들과

But this visit is special.
하지만 이번 방문은 특별합니다.

No nation contributes more / to our efforts / than you.
어떤 국가도 더 많은 것을 기여하고 있지 않습니다 / 유엔의 (평화유지)노력에 / 여러분보다

In fact, / one out of ten United Nations peacekeepers / comes from Bangladesh.
사실 / 10명 중 1명의 유엔 평화유지군은 / 방글라데시 출신입니다.

That is / why I am here. I want to say, / simply and directly: thank you. Thank you / to all those who serve.
그런 이유 때문에 / 제가 이곳으로 왔습니다. 저는 말하고 싶습니다 / 간단하고 직접적으로. 감사합니다. 감사를 드립니다 / 근무하고 있는 모든 분들에게

Thank you / to those who organize, train and support.
감사를 드립니다 / 조직하고, 훈련하고 지원하는 분들에게

Thank you / to the husbands and wives, / the sons and daughters, / all the families / whose loved ones are sent so far / from home.
감사를 드립니다 / 남편과 아내들에게 / 아들과 딸들에게 / 모든 가족들에게 / 자신들의 사랑하는 이들을 멀리 보낸 / 집과 떨어진 곳으로.

And most of all, / thank you / to the families of fallen peacekeepers.
그리고 무엇보다도 / 감사를 드립니다 / 전사한 평화유지군 가족들에게

We are forever in your debt.
우리는 영원히 여러분들에게 빚을 졌습니다.

Ladies and gentlemen, /
신사 숙녀 여러분, /

Over the past 20 years, / your country's soldiers / have kept the peace / in many faraway places: the Democratic Republic of the Congo, Haiti, Lebanon, Western Sahara.
지난 20년 동안에 / 여러분 나라의 군인들이 / 평화를 유지했습니다 / 멀리 떨어진 여러 곳에서: 콩고 민주공화국, 아이티, 레바논, 서 사하라에서

Today, / more than 10,600 Bangladeshi military and police
오늘날, / 만육백 명 이상의 방글라데시군 및 경찰 직원이 /

personnel / take part in / ten United Nations' peacekeeping
참여하고 있습니다 / 열 개의 유엔 평화유지 작전에

operations.

Most of them have trained / here at this center.
그들 중 대부분은 훈련을 받았습니다 / 이곳에 있는 이 센터에서

I have seen your troops / in some of the harshest climates / and the
저는 여러분들의 병력을 목격했습니다 / 가장 혹독한 기후에서 / 그리고 가장

most difficult terrain.
험악한 지형에서

They are deployed / thousands of miles from home.
그들은 배치되어 있습니다 / 고향에서 수천 마일 떨어진 곳에

They may not know / the language.
그들은 모를 수도 있습니다 / 현지 언어를

But they sacrifice everyday / for the greater global good.
하지만 그들은 매일 희생합니다 / 더 큰 세계의 가치를 위하여

Nothing is more noble.
어떤 것도 더 숭고한 것은 없습니다.

Key Expression

'most of all'은 어떤 다른 것보다 더 중요한 것을 언급하고자 할 때 사용하며, 'fallen(전사한)'은 과거분사가 형용사로 사용된 경우다.

Most of all, / thank you / to the families of fallen peacekeepers.
무엇보다도 / 감사를 드립니다 / 전사한 평화유지군 가족들에게

contribute 기여하다 | serve 근무하다, 봉사하다 | most of all 무엇보다도 | fallen 전사한 | in one's debt ~에게 빚을 진 | faraway 멀리 떨어진 | personnel 직원 | take part in 참여하다, 참가하다 | operation 작전 | harsh 혹독한, 가혹한 | terrain 지형, 지세 | deploy (부대를) 배치하다 | noble 숭고한

B.

Last year, / a terrible earthquake struck / Haiti.
지난해, / 끔찍한 지진이 강타했습니다 / 아이티를

Hundreds of thousands of people died. One million lost their
수십만 명의 주민들이 사망했습니다. 백만 명의 사람들이 집을 잃었습니다.

homes.

More than 1,000 camps were set up / for the displaced.
천여 개 이상의 난민 대피소가 설치되었습니다 / 집을 잃고 대피한 사람들을 위해

We knew / that women and children were especially vulnerable.
우리들은 알고 있습니다 / 여성들과 어린이들이 특히 취약하다는 것을

And we also knew / that, in circumstances such as these, /
그리고 또한 알고 있었습니다 / 이와 같은 상황에서 /

women peacekeepers have a spccial rolc.
여성 평화유지군들이 특별한 역할을 한다는 것을.

Women in the camps / tended to trust / them more.
대피소에 있는 여성들은 / 신뢰하는 성향이 있었습니다 / 여성 평화유지군을 더.

They would confide in them, / especially in cases of sexual and
그들은(대피소 있는 여성들은) 그들(여성 평화유지군들)에게 비밀을 털어 놓곤 합니다 / 특히 성폭력과 성별

gender-based violence.
에 근거한 폭행이 발생한 경우에.

To boost security in the camps, / we issued an urgent call /
대피소의 안전을 증진하기 위해 / 우리는 긴급한 요청을 했습니다 /

to our troop contributors.
평화유지군 파견국들에게.

Bangladesh responded immediately.
방글라데시는 즉시 반응했습니다.

You deployed / an all-female formed-police unit / to Haiti.
방글라데시는 배치시켰습니다 / 여성으로만 구성된 경찰대를 / 아이티에.

They have helped / fight crime / and prevent rapes and assaults.
그들은 도움을 주었습니다 / 범죄와 싸우고 / 강간과 폭행을 예방하는데

They distributed / water, food and medicines.
그들은 나누어 주었습니다 / 식수, 음식과 약품을.

They protected / humanitarian convoys.
그들은 보호했습니다 / 인도적인 수송차량을

They delivered hope.
그들은 평화를 전달했습니다.

That is one story. There are many more.
이것은 한 가지 예입니다. 이런 예는 더욱더 많습니다.

You are a pioneer.
여러분들은 개척자입니다.

Thank you / for helping / to defend human lives and human dignity
여러분들께 감사를 드립니다 / 도와주셔서 / 인간의 생명과 인간의 존엄성을 보호하는 일을 /

/ around the world.
전 세계에서

At the Bangladesh Institute of Peace Support Operation Training
(14 November 2011)

Key Expression

'the+형용사'를 사용하면, 보통명사가 복수로 쓰인 것과 같은 의미를 가진다. 따라서 'the displaced'는 '집을 잃고 대피한 사람들'이라는 뜻이다.

More than 1,000 camps were set up / for the displaced.
천여 개 이상의 캠프가 설치되었다 / 집을 잃고 대피한 사람들을 위해

the displaced 집을 잃고 대피한 사람들 | vulnerable 취약한, 공격을 받기 쉬운 | circumstance 상황 | confide (비밀을) 털어 놓다 | gender 성 | gender-based 성을 근거한 | violence 폭행, 강간 | boost 증진하다 | troop contributor 평화유지군 파견국 | respond 반응하다 | rape 강간 | assault 폭행 | distribute 나누어주다 | convoy 수송(호송) 차량 | dignity 존엄성

9. 유엔의 평화유지 활동 Peacekeeping

A.

I travel often as Secretary-General. And wherever I go, I try to meet with our UN peacekeepers. But this visit is special. No nation contributes more to our efforts than you. In fact, one out of ten United Nations peacekeepers comes from Bangladesh. That is why I am here. I want to say, simply and directly: thank you.

Thank you to all those who serve.

Thank you to those who organize, train and support.

Thank you to the husbands and wives, the sons and daughters, all the families whose loved ones are sent so far from home.

And most of all, thank you to the families of fallen peacekeepers.

We are forever in your debt.

Ladies and gentlemen,

Over the past 20 years, your country's soldiers have kept the peace in many faraway places: the Democratic Republic of the Congo, Haiti, Lebanon, Western Sahara. Today, more than 10,600 Bangladeshi military and police personnel take part in ten United Nations' peacekeeping operations. Most of them have trained here at this center. I have seen your troops in some of the harshest climates and the most difficult terrain. They are deployed thousands of miles from home. They may not know the language. But they sacrifice everyday for the greater global good. Nothing is more noble.

B.

Last year, a terrible earthquake struck Haiti. Hundreds of thousands of people died. One million lost their homes. More than 1,000 camps were set up for the displaced. We knew that women and children were especially vulnerable. And we also knew that, in circumstances such as these, women peacekeepers have a special role. Women in the camps tended to trust them more. They would confide in them, especially in cases of sexual and gender-based violence. To boost security in the camps, we issued an urgent call to our troop contributors. Bangladesh responded immediately. You deployed an all-female formed-police unit to Haiti. They have helped fight crime and prevent rapes and assaults.

They distributed water, food and medicines.

They protected humanitarian convoys.

They delivered hope.

That is one story. There are many more.

You are a pioneer.

Thank you for helping to defend human lives and human dignity around the world.

10. 유엔과 미국의 관계

Relationship between the United States and the United Nations

유엔 본부는 뉴욕에 있으며, 역사적으로 미국은 유엔의 성립부터 현재까지 막강한 역할을 했다. 유엔을 창설하기 위해 미국 대통령 루주벨트는 영국의 윈스턴 처칠과 구소련의 스탈린을 설득하였다. 1945년에 유엔을 공식적으로 탄생시켰으며 중국, 프랑스, 소련, 영국과 미국이 중심적인 역할을 했다. 유엔은 미국이 적극적으로 지원한 첫 번째 국제 기구였고, 미국은 유엔 안전보장 이사회 상임이사국이 되었다.

미국이 유엔 안전보장 이사회 상임이사국이라는 사실과 미국의 중심부인 뉴욕에 유엔본부가 있다는 것은 유엔에서 미국의 위치를 상징적으로 보여준다. 특히 안전보장 이사회에서 중요한 사안을 결정할 때, 만일 상임이사국이 거부권을 행사하면, 어떤 사안도 처리될 수 없기 때문에 상임이사국의 권력은 절대적이다. 또한 유엔 재정의 상당한 부분을 미국이 부담하고 있기 때문에, 유엔은 미국의 요구를 무시할 수 없을 것이다.

1991년 이후, 미국은 군사, 경제, 정치적으로 초강대국으로 부상했다. 2001년 9월 11일에 테러사건이 발생하여, 미국의 세계무역센터의 쌍둥이 빌딩이 무너지고, 5천여 명이 희생되었다. 이 사건을 계기로 미국은 테러와의 전쟁을 선포했다.

유엔 사무총장 **반기문 – 명언 ⑩** 직업 Occupation

Decide your profession / as early as possible.
직업을 결정하라 / 가능한 일찍

직업을 가능한 일찍 결정하라.

10. 유엔과 미국의 관계

A.

Thank you, President Obama, / for your inspiring oratory, /
오바마 대통령에게 감사 드립니다 / 고무적으로 연설을 하시고 /

and more, for its vital importance.
더욱이 연설이 매우 중요하기에

As ever, / we thank / the United States and its generous people / for
변함없이 / 우리는 감사 드립니다 / 미국과 미국의 관대한 국민들에게 /

hosting United Nations / during last 66 years.
유엔의 주인 노릇을 해줘서(유엔 본부를 미국에 있게 해줘서) / 지난 66년 동안에.

This is the 66th session. Let me offer a special word of thanks / to
이번은 66번째 모임입니다. 특별히 감사의 말씀을 드립니다 /

New Yorkers. In the last month, / they have faced / an earthquake,
뉴욕시민들에게. 지난날에 / 뉴욕시민들은 당했습니다 / 지진과

then a hurricane, / now a perfect storm of the world's leaders, /
그 다음에는 허리케인을 / 이제 세계 정상들이 갑자기 몰려오는 일을 (당하여) /

creating a lot of traffic jams. And we are very much grateful /
많은 교통 체증을 일으키고 있습니다. 그리하여 우리는 대단히 감사 드립니다 /

for their patience.
시민들이 인내해주셔서

Let me say straight off, / this is my fifth lunch /
서슴없이 말씀드리겠습니다. / 이번은 다섯 번째 오찬입니다 /

with the distinguished leaders of the world, / and I'm very much
유명한 세계 지도자들과 / 그리하여 저는 매우 감사 드립니다 /

grateful / for your strong support.
여러분들의 강력한 지원에 대해

In that regard, / I am very glad / that it is not my last lunch, /
그런 점에서 / 저는 매우 기쁩니다 / 이번이 저의 마지막 오찬이 아니고 /

and we will have five more lunches / in the coming five years.
우리는 다섯 번 더 많은 오찬을 할 수 있기에 / 앞으로 5년 동안(사무총장 재선 때문에).

Thank you very much. Taking this opportunity, / I would like to
대단히 감사합니다. 이번 기회를 통하여 / 저는 정말로 진심으로 표현하

really sincerely express / my appreciation and thanks / to all of the
고 싶습니다 / 감사와 사의를 모든 국가 원수 및

heads of state and government / for your strong support.
총리들에게 / 강력히 지지해주셨기에.

You can count on me. And it's a great and extraordinary honor /
저를 믿어도 좋습니다. 또한 대단한 영광입니다 /

to serve this great organization.
이처럼 위대한 조직을 위해 일하는 것은

Key Expression

감사하다는 표현(thank you, be grateful)의 말을 한 후, 전치사 'for'를 이용하여 그 이유를 설명할 수 있다.

Thank you, President Obama, / for your inspiring oratory.
오바마 대통령에게 감사 드립니다 / 고무적으로 연설을 해주셔서

We are very much grateful / for their patience.
우리는 대단히 감사 드립니다 / 그들이 인내해주셔서

oratory 웅변, 연설 | of vital importance 지극히 중요함 | as ever 변함없이 | session 모임, 회기 | storm 급습, 몰려옴 | grateful 감사하는 | patience 인내 | straight off 망설이지 않고, 서슴없이 | distinguished 유명한, 저명한 | in that regard 그런 점에서 | appreciation 감사, 사의 | head of state 국가 원수 | head of government 총리 | You can count on me. 나를 믿어도 돼, 내게 기대해도 좋아

B.

Mr. President, 50 years ago this week, / your predecessor, President
(오바마) 대통령, 50년 전 이번 주에 / 당신의 전임자였던,

John F. Kennedy, / addressed the General Assembly.
존 에프 케네디 대통령이 / 유엔 총회에서 연설하셨습니다.

He came, / he said to join / with other world leaders — / and I
그분은 오셔서 / 동참하자고 말했습니다 / 다른 세계 지도자들에게 / 그리고 제가 (그분의 말을) 인용하면 /

quote, "to look / across this world of threats / to a world of peace."
보는 것을 (동참하자고 말했습니다) / 위협의 세계 건너편에 있는 / 평화의 세계를.

Looking out upon the world / we see no shortages of threats.
세상 밖을 내다보면 / 우리는 상당한 위협을 볼 수 있습니다.

And closer to home, / wherever we might live, / we see /
그리고 고국으로 더 가까이 가면 / 우리가 어디에서 살든 / 우리는 봅니다 /

the familiar struggles of political life / — left versus right,
정치 생활에 발생하는 익숙한 싸움(투쟁)을 / 좌익 대 우익,

rich versus poor, and up versus down.
부자와 가난한 자, 그리고 상류층 대 하류층간의 (싸움을).

Seldom, however, has the debate been more emotional or strident; /
그러나 논쟁은 더 감정적이거나 귀에 거슬린 적도 없습니다 /

yet, seldom has the need for unity been greater.
하지만 단결의 필요성이 더 중요한 적도 없습니다.

We know the challenges.
우리는 (해결해야 할) 난제를 알고 있습니다.

I won't reprise my speech / except to say / that we do, indeed, have
저는 연설을 반복하지 않겠습니다 / 말하는 것 이외에는 / 우리는 정말로 드문 기회를 얻었다는 것

a rare opportunity / to make a lasting difference in people's lives.
을 / 사람들의 삶에 지속적인 변화를 일으킬 수 있는.

If there is a theme in all / that has been said today by the leaders,
만일 모든 것에 주제가 있다면 / 지도자들이 오늘 말씀하신 (모든 것에) /

/ it would be the imperative / of unity, solidarity, / in realizing that
그것은 절대적으로 중요하다는 것입니다 / 단결과 결속이 / 그런 기회를 실현할 때.

opportunity. We must act together.
우리는 단결해야 합니다.

There is no opt-out clause / for global problem-solvinG.
선택적으로 기피할 조항은 없습니다 / 세계적인 문제를 해결할 때.

Toast at lunch for Heads of State and Government
(September 21, 2011)

Key Expression

아래 예문을 감각적으로 이해하려면, 사람이 뭔가를 쳐다보는 시선을 따라가 보자. 예를 들어 누군가가 강 건너편에 있는 배를 볼 때, 그 사람의 시선은 강을 넘어 배로 향한다. 이처럼 세상에 존재하는 위협만 보지 말고 시야를 넓혀 위협의 건너편에 있는 평화의 세계를 쳐다보라는 의미다.

Look / across this world of threats / to a world of peace.
보아라 / 위협의 세계 건너편에 있는 / 평화의 세계를.

predecessor 전임자, 선배 | General Assembly 유엔총회 | quote 인용하다 | struggle 싸움, 투쟁 | strident 귀에 거슬리는 | unity 단결 | reprise 반복하다, 반복하여 연주하다 | theme 주제 | imperative 절대적으로 중요함, 긴급한 과제 | solidarity 결속 | opt-out clause (계약에서) 기피할 수 있는 조항

10. 유엔과 미국의 관계 Relationship between the United States and the United Nations

A.

Thank you, President Obama, for your inspiring oratory, and more, for its vital importance.

As ever, we thank the United States and its generous people for hosting United Nations during last 66 years. This is the 66th session. Let me offer a special word of thanks to New Yorkers. In the last month, they have faced an earthquake, then a hurricane, now a perfect storm of the world's leaders, creating a lot of traffic jams. And we are very much grateful for their patience.

Let me say straight off, this is my fifth lunch with the distinguished leaders of the world, and I'm very much grateful for your strong support.

In that regard, I am very glad that it is not my last lunch, and we will have five more lunches in the coming five years. Thank you very much. Taking this opportunity, I would like to really sincerely express my appreciation and thanks to all of the heads of state and government for your strong support. You can count on me. And it's a great and extraordinary honor to serve this great organization.

B.

Mr. President, 50 years ago this week, your predecessor, President John F. Kennedy, addressed the General Assembly. He came, he said to join with other world leaders — and I quote, "to look across this world of threats to a world of peace." Looking out upon the world we see no shortages of threats. And closer to home, wherever we might live, we see the familiar struggles of political life — left versus right, rich versus poor, and up versus down. Seldom, however, has the debate been more emotional or strident; yet, seldom has the need for unity been greater.

We know the challenges. I won't reprise my speech except to say that we do, indeed, have a rare opportunity to make a lasting difference in people's lives. If there is a theme in all that has been said today by the leaders, it would be the imperative of unity, solidarity, in realizing that opportunity. We must act together. There is no opt-out clause for global problem-solving.

Quiz 5

A. 단어 - 다음 제시된 단어의 설명을 읽고, 어떤 단어를 설명하는지 〈보기〉에서 어울리는 단어를 고르세요.

1. to help bring about a result; act as a factor
2. the people employed in an organization or for a service
3. a piece of ground having specific characteristics or military potential
4. to position troops in readiness for combat along a front or line
5. to tell someone you trust about personal things that you do not want other people to know
6. males or females, considered as a group
7. to increase or raise
8. rape or attempted rape
9. hand out or pass out
10. the quality or state of being worthy of esteem or respect
11. a meeting of a legislative or judicial body for the purpose of transacting business
12. the capacity for calmly enduring pain
13. eminent; famous; celebrated
14. an expression of gratitude
15. feeling that you want to thank someone
16. the main representative of a country, such as a queen, king, or president, who may not have duties in the country's government
17. to repeat or copy the words of another, usually with acknowledgment of the source
18. having or making a loud or harsh sound
19. an idea or topic expanded in a discourse or discussion
20. general agreement between all the people in a group because they all have a shared aim

〈보기〉

appreciation	strident	gender	patience	theme
grateful	quote	solidarity	contribute	deploy
distribute	terrain	dignity	personnel	distinguished
assault	confide	boost	session	head of state

Answer

1. contribute 2. personnel 3. terrain 4. deploy 5. confide 6. gender 7. boost 8. assault 9. distribute 10. dignity 11. session 12. patience 13. distinguished 14. appreciation 15. grateful 16. head of state 17. quote 18. strident 19. theme 20. solidarity

B. 회화에 강한 동시통역 연습 - 다음을 영어로 쓰고 말해보세요.

1. 어떤 국가도 더 많은 것을 기여하고 있지 않습니다 / 우리의 노력에 / 여러분보다
2. 하지만 그들은 매일 희생합니다 / 더 큰 세계의 가치를 위하여
3. 어떤 것도 더 숭고한 것은 없습니다.
4. 지난해, / 끔찍한 지진이 강타했습니다 / 아이티를
5. 우리들은 알고 있었습니다 / 여성들과 어린이들이 특히 취약하다는 것을
6. 그들은 도움을 주었습니다 / 범죄와 싸우고 / 강간과 폭행을 예방하는데
7. 그들은 나누어 주었습니다 / 식수, 음식과 약품을
8. 여러분들께 감사를 드립니다 / 도와주셔서 / 인간의 생명과 인간의 존엄성을 보호하는 일을 / 전 세계에서
9. 그들은 당했습니다 / 지진과 그 다음에는 허리케인을 / 이제 세계 정상들이 갑자기 몰려오는 일을
10. 우리는 대단히 감사 드립니다 / 그들이 인내해주셔서
11. 저를 믿어도 좋습니다.
12. 대단한 영광입니다 / 일하는 것은 / 이처럼 위대한 조직을 위해
13. 그분은 동참하자고 말했습니다 / 다른 세계 지도자들에게 / "보는 것에 / 위협의 세계 건너편에 있는 / 평화의 세계를."
14. 우리는 드문 기회를 얻었습니다 / 지속적인 변화를 일으킬 수 있는 / 사람들의 삶에
15. 만일 모든 것에 주제가 있다면 / 지도자들이 오늘 말씀하신 (모든 것에) / 그것은 절대적으로 중요하다는 것입니다 / 단결과 결속이

Answer

1. No nation contributes more / to our efforts / than you.
2. But they sacrifice everyday / for the greater global good.
3. Nothing is more noble.
4. Last year, / a terrible earthquake struck / Haiti.
5. We knew / that women and children were especially vulnerable.
6. They have helped / fight crime / and prevent rapes and assaults.
7. They distributed / water, food and medicines.
8. Thank you / for helping / to defend human lives and human dignity / around the world.
9. They have faced / an earthquake, then a hurricane, / now a perfect storm of the world's leaders.
10. We are very much grateful / for their patience.
11. You can count on me.
12. It's a great honor / to serve / this great organization.
13. He said to join / with other world leaders / "to look / across this world of threats / to a world of peace."
14. We do have a rare opportunity / to make a lasting difference / in people's lives.
15. If there is a theme in all / that has been said today by the leaders, / it would be the imperative / of unity and solidarity.

11. 핵무기 없는 세상 A World Free of Nuclear Weapons

* 핵확산금지조약 NPT; Nuclear nonproliferation treaty

핵확산금지조약에 따르면, 첫째 핵무기 보유국인 미국, 러시아, 영국, 프랑스, 중국이 핵무기, 핵 기폭장치와 기술을 비핵보유국에 이전하는 것을 금지한다. 둘째 비핵보유국은 핵무기나 핵 기폭장치를 제조하거나 획득하지 않는다. 셋째 평화적으로 사용하는 핵물질을 핵무기나 핵 기폭장치로 전환하는 것을 방지하기 위해 국제원자력기구(International Atomic Energy Agency; IAEA)의 사찰을 받아들인다.

1968년에 미국, 영국, 소련과 59개국이 핵확산금지조약에 조인했으며, 한국은 1975년에, 북한은 1985년에 중국과 프랑스는 1992년에 조인했다.

하지만 북한은 2003년에 탈퇴를 선언했다. 이스라엘, 인도, 파키스탄만 핵확산금지조약에 조인하지 않았다.

유엔 사무총장 **반기문 – 명언 ⑪** 실력 Skill

Luck comes / when one is skilled.
행운이 따라온다 / 실력이 있을 때

실력이 있어야 행운도 따라온다.

11. 핵무기 없는 세상 A World Free of Nuclear Weapons

A.

Thank you very much / for your very warm welcome.
대단히 감사합니다 / 여러분들이 극진히 환영해주셔서.

I want to say / what a great honor it is / for me to be here / with you
말하고 싶습니다 / 정말로 대단한 영광이라고 / 제가 여기에 있는 것은 / 여러분들과

this evening. I know / of your hard work and dedication.
오늘 저녁에. 저는 알고 있습니다 / 여러분들의 각고의 노력과 헌신에 대해

I know / how much you have sacrificed / in standing for /
저는 알고 있습니다 / 얼마나 많은 것을 여러분들이 희생했는지 / 지지하기 위해 /

your principles and beliefs. I know / how much courage it takes /
여러분들의 원칙과 신념을. 저는 알고 있습니다 / 얼마나 많은 용기가 필요한지 /

to speak out, to protest, and to carry the banner / of this most noble
신념을 밝히고, 항의하고, 시사하는 것이 / 가장 고귀한 인간의 열망인

human aspiration - world peace. And so, most of all, / I am here
– 세계 평화를. 그래서 무엇보다도 / 저는 오늘밤 여기에 있

tonight / to thank you / for your strong commitment, your courage,
습니다 / 여러분들에게 감사드리려고 / 여러분들의 강력한 헌신, 용기와

and your leadership.
지도력에 대해.

Let me begin by saying / how humbling / it is to speak to you / in
말하면서 시작하겠습니다 / 매우 겸허해진다고 / 여러분들에게 연설하는 것이 / 이렇게

this famous place, Riverside Church.
유명한 곳인 리버사이드 교회에서.

I know / that it was here / that Martin Luther King Junior spoke
저는 알고 있습니다 / 바로 이곳에서 / 마틴 루터 킹 주니어가 반대의견을 말한 것을 /

against / the war in Vietnam.
베트남 전쟁에 대해.

I know / that Nelson Mandela spoke here / on his first visit to the
저는 알고 있습니다 / 넬슨 만델라가 이곳에서 연설한 것을 / 미국을 최초로 방문했을 때 /

United States / after being freed from prison.
감옥에서 풀려나고.

Standing with you, / looking out, / I can see / what they saw: /
여러분들과 함께 서서 / 밖을 보면 / 저는 볼 수 있습니다 / 그분들이 보았던 것을 /

a sea of committed women and men, / who come from all corners
즉 헌신적인 많은 분들을 / 세계 방방곳곳에서 오신 (많은 분들을) /

of the earth / to move the world.
세상을 변화시키려고.

It reminds us / that of what matters most in life / - is not so much
우리에게 생각나게 합니다 / 삶에서 가장 중요한 것은 / – 널리 알릴 수 있는 권한을

the message from the bully pulpit, / but rather the movement from
가진 자로부터의 메시지가 아니라 / 신도석에서 나온 행동이라는 것을.

the pews.

From people like you.
여러분들과 같은 사람에게서 나온 (행동입니다)

And so I say: / keep it up.
그래서 저는 말씀드립니다 / (훌륭한 행동을) 계속하시라고.

Key Expression

감탄문을 만들려면 'what+a+형용사+단수명사'로 표현한다. 아래 문장을 보면, 감탄문이 'be' 동사의 보어로 사용된다. 평서문으로 바꾸면, 'I want to say that it is a great honor for me to be here.'라고 할 수 있다.

I want to say / what a great honor it is / for me to be here.
저는 말하고 싶습니다 / 정말로 대단한 영광이라고 / 제가 여기에 있는 것은

dedication 헌신 | stand for 지지하다 | carry the banner 지지하다 | aspiration 열망 | commitment 헌신 | humbling 겸허하게 만드는 | speak against 반대의견을 말하다 | bully pulpit (대중에게 쟁점에 대해) 널리 알릴 수 있는 권한(권한을 가진 사람) | pew 신도석 | keep up 계속하다

B.

Our shared vision / is within reach — / that is a world free of
우리가 함께하는 비전은 / 가까운 곳에 있습니다 / 그것은 바로 핵무기가 없는 세상입니다.

nuclear weapons.

On the eve / of the Nuclear Non-Proliferation Treaty review
전야에 / 핵비확산(핵확산금지)조약 검토회의 (전야에) /

conference - / beginning on Monday / - we know / the world is
월요일에 시작되는 / 우리는 알고 있습니다 / 세상이 지켜보고 있

watching.
다는 것을

Let it heed our call.
세계가 우리의 외침에 관심을 가지게 합시다.

Disarm Now!
이제 (핵무장) 해제를 합시다!

Ladies and gentlemen, / From my first day in office / as Secretary-
신사 숙녀 여러분, / 취임한 첫째 날부터 / 유엔의 사무총장으로 /

General of the United Nations, / I have made / nuclear disarmament
저는 만들었습니다 / 핵무장 해제를 최우선 과제로.

a top priority.

Perhaps, in part, / this deep personal commitment comes / from
아마 부분적으로 / 이런 개인적인 깊은 헌신은 나왔습니다 /

my own experience / as a small boy in Korea, / growing up
저의 개인적인 경험에서 / 한국의 어린 소년이 겪었던 / 전쟁 직후에 자란 (어린 소년이)

immediately after the war.

My school was rubble. There were no walls.
저의 학교는 폐허였습니다. 벽이 없었습니다.

I studied / on the dirt. We studied / in the open air.
저는 공부했습니다 / 땅바닥에서. 우리들은 공부했습니다 / 야외에서.

The United Nations rebuilt / my country.
유엔은 재건했습니다 / 저의 조국을.

I was lucky enough / to receive a good education.
저는 충분히 운이 좋았습니다 / 훌륭한 교육을 받을 정도로.

But more than that, / I learned / about peace, solidarity / and, above
하지만 그것보다 더 중요한 것은 / 저는 배웠습니다 / 평화, 결속에 대해 / 그리고, 무엇보다

all, / the power of community action.
도 / 공동체 활동의 위력에 대해

These values are not abstract principles / to me.
이런 가치는 추상적인 원칙이 아닙니다 / 저에게는.

I owe my life / to them.
저의 인생은 은혜를 입었습니다 / 그런 가치에.

I try to embody them / in all my work.
저는 그런 가치를 실현하려 합니다 / 제가 하는 모든 일에서

Key Expression

'enough'는 앞에 나온 'lucky(형용사)'를 수식한다. 아래 문장을 보면, 'I was lucky(나는 운이 좋았는데) / enough(상당히 운이 좋아서) / to receive a good education(훌륭한 교육을 받았다)'라고 이해할 수 있다. 즉 'enough'는 얼마나 운이 좋았는지를 더 자세히 말해준다.
문장을 직독직해로 이해할 때, 우리말의 해석을 매끄럽게 다듬는 것이 중요한 것이 아니라, 읽는 것과 동시에 이해하느냐가 더 중요하다. 하지만 직독직해로 해석한 것이 자연스럽게 이해되지 않거나, 직독직해로 이해하는 게 익숙하지 않다면, 영어가 쓰인 순서대로 이해하는 연습을 더 많이 해야 된다.

I was lucky / enough / to receive a good education.
저는 운이 좋았습니다 / (어느 정도일까?) 충분히 / (무엇을 하기에?) 훌륭한 교육을 받을 정도로.

Non-proliferation 비확산 | treaty 조약 | heed ~에 주의하다, 관심을 가지다 | disarm 무장을 해제하다 | in office 취임한 | disarmament 무장해제, 군비축소 | top priority 최우선 과제 | rubble 폐허 | in the open air 야외에서 | community 공동체 | abstract 추상적인 | owe (~에게) 은혜를 입다 | embody (가치를) 실현하다

c.

Just a few weeks ago, / I traveled to Ground Zero / - the former
바로 일주일 전에, / 저는 그라운드 제로에 가보았습니다 / 과거의 핵실험 장소였던 /

test site / at Semipalatinsk, in Kazakhstan, / that was a notorious
카자흐스탄의 세미팔라틴스크에 있는 / 그곳은 유명한 핵실험 장소였습니다 /

nuclear site / during the time of the Soviet Union.
소련이 지배하던 시절에.

They detonated / more than 450 nuclear explosions.
그들은 폭발시켰습니다 / 450개 이상의 핵폭발물을.

It was strangely beautiful. The great green steppe reached / as far as
그곳은 이상할 정도로 아름다웠습니다. 크고 푸른 초원은 뻗어 있었습니다 / 눈으로 볼 수

the eye could see. But of course, / the eye does not immediately see
있는 먼 곳까지. 하지만 당연히 / 눈에는 곧 보이지 않습니다 /

/ the scope of the devastation.
폐허가 된 지역이

Vast areas / where people still cannot live, cannot go.
광활한 지역이 / (폐허로 변했습니다) 사람들이 아직도 살 수 없고, 갈 수 없는.

Poisoned lakes and rivers. High rates of cancer and birth defects.
호수나 강을 못 쓰게 만들었습니다. 암과 기형 발생률이 높습니다.

After independence, in 1991, / President Nazarbayev of Kazakhstan
1991년에 독립을 한 후 / 카자흐스탄의 대통령 나자르베이예프는 /

/ closed the site / and banished the whole nuclear weapons / from its
그 지역을 폐쇄하고 / 모든 핵무기를 추방했습니다 / 그 지역에서.

territory.

Today, Semipalatinsk is a powerful symbol of hope - / it is a new
오늘날, 세미팔라틴스크는 강력한 희망의 상징이며 / 그곳은 무장해제를 위

Ground Zero for disarmament, / the birth-place of the Central
한 그라운드 제로(시발점)이며 / 중앙아시에서 핵무기가 없는 지역이 탄생한 곳입니다.

Asian nuclear-weapon-free zone.

In August, / I will travel to another Ground Zero / - Mayor Akiba's
8월에 / 저는 또 다른 그라운드 제로를 방문할 것입니다 / 아키바 시장이 자랑스럽

proud city of Hiroshima.
게 생각하는 히로시마를.

There, I will repeat our call / for a nuclear free-world.
그곳에서 저는 다시 요구할 것입니다 / 핵무기 없는 세계를.

The people of Hiroshima / and the people of Nagasaki - / and
히로시마 사람들과 / 나가사키 사람들은 /

especially the hibakusha / - know too well / the horror of nuclear
특히 히바쿠샤 사람들은 / 너무나 잘 알고 있습니다 / 핵전쟁의 공포를.

war. It must never be repeated.
핵전쟁은 다시 일어나서는 안 됩니다.

Yet 65 years later, / the world still lives / under a nuclear shadow.
하지만 65년 후에도 / 세상 사람들은 여전히 살 것입니다 / 핵무기에 대한 불안감 속에서.

How long must we wait / to rid ourselves / of these nuclear weapons?
얼마나 오랫동안 우리는 기다려야 합니까 / 제거하려고 / 이런 핵무기를?

How long will we keep passing / the problem / to our succeeding generations?
얼마나 오랫동안 우리는 계속 전가해야 합니까 / 이런 문제를 / 우리의 다음 세대에게?

We here tonight know / that it is time / to end this senseless cycle.
오늘밤 이곳에 참석한 우리는 알고 있습니다 / 시간이 되었다는 것을 / 무분별한 반복을 끝낼.

We know / that nuclear disarmament / is not a distant, unattainable goal. It is a dream / which we can achieve.
우리는 알고 있습니다 / 핵무기 무장해제는 / 멀지 않고, 달성할 수 없는 목표가 아닌 것을. 그것은 꿈입니다 / 우리가 성취할 수 있는.

It is an urgent necessity, / here and now.
그것은 긴급하게 필요한 일입니다 / 지금 당장.

We are determined / to achieve it.
우리는 각오가 되어있습니다 / 그것을 성취할 수 있는

Key Expression

'that'을 보면 먼저 접속사인지 관계대명사인지 구분한다. 접속사로 쓰이면 'that' 다음 문장이 완전한 문장이고, 'that' 다음에 주어나 목적어가 없으면 관계대명사로 쓰인 경우다. 예문을 보면, 'that' 다음에 주어가 없고, 바로 'was'가 나오기 때문에 관계대명사로 쓰인 문장이고, 앞의 'Ground Zero'를 더 자세히 설명한다.

I traveled to Ground Zero / - the former test site / at Semipalatinsk, in Kazakhstan, / that was a notorious nuclear site / during the time of the Soviet Union.
저는 그라운드 제로에 가보았습니다 / 과거의 핵실험 장소였던 / 카자흐스탄의 세미팔라틴스크에 있는 / 그곳은 유명한 핵실험 장소였습니다 / 소련이 지배하던 시절에.

Ground Zero 그라운드 제로(핵폭탄이 터지는 지점) | detonate 폭파시키다 | steppe 대초원 | scope 지역 | devastation 폐허 | poison 못쓰게 만들다 | birth defect 기형 | banish 추방하다 | territory 지역 | zone 지역 | shadow 불안감 | rid 제거하다, 없애다 | succeeding 다음의, 계속되는 | senseless 무분별한 | cycle 반복 | distant (거리가) 먼 | unattainable 달성할 수 없는 | achieve (목표를) 달성하다 | urgent necessity 긴급하게 필요한 일 | here and now 지금 당장

D.

In fact, / we have come very close / in the past.
사실 / 우리는 (목표에) 매우 가까이 간적도 있습니다 / 과거에

Twenty-four years ago, / in Reykjavik, Iceland, / President Ronald
24년 전에 / 아이슬란드 레이캬비크에서 / 로날드 레이건 대통령과

Reagan and General-Secretary Mikhail Gorbachev / came within a
미하일 고르바초프 서기장은 / 거의 합의할 뻔 했습니

hair's breadth of agreeing / to eliminate all nuclear weapons.
다 / 모든 핵무기를 제거하기로.

It was a dramatic reminder / of how far we can go / - as long as we
그것은 극적으로 상기시켜 주는 것이었습니다 / 어느 정도까지 우리가 나갈 수 있는지 / 우리에게 비전과 의

have the vision and the will / — the political will.
지가 있는 한 / 즉 정치적 의지가 (있는 한)

Today's generation of nuclear negotiators / must take a lesson / from
현 세대의 핵무기 협상가들은 / 교훈으로 삼아야 합니다 / 레이캬비크를

Reykjavik: Be bold. Think big - / for it yields big results.
대담해야 합니다. 넓게 생각해야 합니다 / 왜냐하면 그러면 더 큰 결과를 가져오기 때문입니다.

And that is why, / again, we need / people like you.
그래서 그런 이유 때문에 / 또다시 우리는 필요합니다 / 여러분과 같은 사람들이.

People who understand / that the world is over-armed / and that
(여러분은) 이해하는 사람이기 때문입니다 / 세계는 지나치게 무장되어 있고 / 평화에 필요한 재정

peace is under-funded. People like you, / who understand / that the
은 부족하다는 것을. 여러분과 같은 사람들은 / 이해하는 사람들입니다 / 변화를 위한

time for change is now.
시기가 바로 지금이라는 것을.

Ladies and gentlemen, /
신사 숙녀 여러분, /

The Nuclear Non-Proliferation Treaty / entered into force / 40 years
핵비확산조약은 / 시행되었습니다 / 40년 전에.

ago.

Ever since, / it has been the foundation / of the non-proliferation
그 이후 줄곧 / 그 조약은 토대가 되었습니다 / 비확산 체제와

regime and our efforts for nuclear disarmament.
핵무기 무장해제를 위한 노력의 (토대가).

It is one of the seminal agreements / of the 20th century.
그것은 중대한 협정에 속합니다 / 20세기의.

Let's not forget.
잊지 맙시다.

In 1963, some experts predicted / that there could be as many as
1963년에 일부 전문가들은 예언했던 것을 / 25개국이나 되는 핵무기 보유국이 있을 수 있다고 /

25 nuclear-weapons states / by this time, / by the end of the last
지금까지 / 즉 20세기 말까지.

century.

It did not happen, / in large part because the NPT guided / the world
그런 일은 발생하지 않았습니다 / 주로 핵비확산조약이 이끌고 나갔기에 / 세계를 옳은

toward the right direction.
방향으로.

Today, we have reason / for renewed optimism.
오늘날, 우리들에게도 이유가 있습니다 / 새로운 낙관론을 가질만한.

Global public opinion / is swinging our way.
세계의 여론은 / 우리 쪽으로 움직이고 있습니다.

Governments are looking / at the issue / with fresh eyes.
정부들은 보고 있습니다 / 핵무기 문제를 / 새로운 견해로.

Key Expression

동사 'go'는 다양한 의미로 쓰인다. 기본적으로 '한 장소에서 다른 곳으로 이동하다, 가다'라는 의미로 쓰인다. 아래 예문을 보면, 장소를 이동하는 것처럼, 뭔가 일을 할 때, '어떤 상태에서 다른 상태로 변하다'라는 의미로 사용된다. 일을 할 때 먼 곳까지 간다는 의미는 그 일이 발전하거나 진척하다는 의미다.

It was a dramatic reminder / of how far we can go.
그것은 극적으로 상기시켜 주는 것이었습니다 / 어느 정도까지 우리가 나갈 수 있는지.

General-Secretary (공산당) 서기장 | come within a hair's breath of ~할 뻔하다 | eliminate 제거하다 | reminder 상기시켜 주는 것(일) | take a lesson 교훈으로 삼다 | yield (이익을) 가져오다 | Nuclear Non-Proliferation Treaty (NPT) 핵비확산조약 | enter into force (조약·법이) 시행되다 | regime 체제 | seminal 중대한 | predict 예언(예측)하다 | optimism 낙관론

E.

Consider / just the most recent very positive developments of the situation:
잘 생각하길 바랍니다 / 최근의 매우 긍정적인 상황 전개를:

Leading by example, / the United States announced a review /
솔선수범하는 / 미국은 재검토하겠다고 발표했습니다 /

of its nuclear posture / - forswearing the use of nuclear weapons /
핵무기에 대한 정책을 / 즉 핵무기 사용을 포기하겠다고 /

against non-nuclear states, / so long as they are in compliance with /
핵을 보유하지 않은 국가에 대해 / 그들이 준수하기만 하면 /

the Non-Proliferation Treaty.
핵확산금지조약을

In Prague, / President Barack Obama and President Dmitry
프라하에서 / 버락 오바마 대통령과 디미트리 메드베데프 대통령은 /

Medvedev / signed a successor regime / to a START treaty, /
후임 체제에 조인했습니다 / 전략무기감축 협정의 /

accompanied by serious cuts in arsenals.
상당한 무기 감축을 동반한.

In Washington, / the leaders of 47 nations united in their efforts to /
워싱턴에서 / 47개국의 지도자들은 힘을 모았습니다 /

keep nuclear weapons and materials out of the hands of terrorists.
핵무기와 원료가 테러리스트의 손에 들어가지 않게 하기 위해.

I myself was there, / as the representative of the United Nations.
저도 직접 그곳에 있었습니다 / 유엔의 대표자로서.

And on Monday, / we hope to open a new chapter / in the life of the Nuclear Non-Proliferation Treaty.
그리고 월요일에 / 새로운 장을 열 수 있길 바랍니다 / 핵확산금지조약의 역사에.

In 2005, / when leaders gathered / for the last review of the NPT, /
2005년 / 지도자들이 모였을 때 / 핵확산금지조약을 마지막으로 검토하려고 /

the outcome did not match expectations.
결과는 기대에 미치지 못했습니다.

In plainer English, / it failed - utterly.
더 쉽게 말하면 / 실패했습니다 – 완전히

We cannot afford to fail / again.
우리는 실패할 여유가 없습니다 / 다시

Failure is not an option.
실패는 선택 가능한 것이 아닙니다.

After all, / there are more than 25,000 nuclear weapons / in the
어쨌든 / 2만5천 개 이상의 핵무기가 있습니다 /

world's arsenals.
세계의 무기고에.

Nuclear terrorism remains / a real and present danger.
핵무기 테러리즘은 남아 있습니다 / 현실적으로 존재하는 위험으로.

There has been no progress / in establishing a nuclear-weapon-free
진척이 없었습니다 / 핵무기가 없는 지역을 만드는 일에 /

zone / in the Middle East.
중동에서

The nuclear programs of Iran and the Democratic People's Republic
이란과 조선민주주의 인민공화국(북한)의 핵 프로그램은 /

of Korea / are of serious concern / to global efforts to curb nuclear
심각한 문제입니다 / 핵확산을 억제하려는 국제적인 노력에.

proliferation.
이

To deal with these and other issues, / I have set out / my own five-
런 문제와 다른 문제를 처리하려고 / 저는 마련했습니다 / 다섯 가지 조항이 있는

point action plan, / and I thank you / for your encouraging response.
행동 계획을 / 그리고 여러분들에게 감사 드립니다 / 고무적인 반응을 해주셔서.

development of the situation 상황전개, 사태의 진전 | lead by example 솔선수범하다 | review 재검토 | posture 정책 | forswear 포기하다 | so long as ~하기만 하면 | in compliance with ~을 준수하는 | START(Strategic Arms Reduction Talks) 전략무기감축 회의 | treaty 조약 | be accompanied by ~을 동반하다 | serious 상당한 | arsenal 군수품의 비축 | unite in one's efforts to ~하기 위해 힘을 모으다 | representative 대표 | option 선택 가능한 것 | arsenal 무기고

F.

I especially welcome your support / for the idea of concluding a
저는 특히 여러분의 지지를 기꺼이 받아들입니다 / 핵무기 조약을 체결하는 견해에 대한.

Nuclear Weapon Convention.

Article VI of the NPT / requires the Parties / to pursue negotiations
핵확산금지조약의 조항 6은 / 당사국들에게 요구합니다 / 조약을 협상하는 것을 (요구합니다) /

on a treaty / on general and complete disarmament / under
전반적이고 완전한 군축에 대한 (조약을) /

international control.
국제 관리를 받으면서(군축 협상을 추진하는 나라는 국제 관리를 받아야 한다)

These negotiations are long overdue.
이러한 협상은 오래전에 행해졌어야 했습니다.

Next week, / I will call on all countries / - and most particularly the
다음주에 / 저는 모든 국가에 요구할 것입니다 / 특히 핵무기를 보유한 국가에 /

nuclear-weapon states / - to fulfill this obligation.
이런 의무를 이행하도록.

Ladies and gentlemen,
신사 숙녀 여러분,

We should not have unrealistic expectations / for the conference.
우리는 비현실적인 기대를 해서는 안됩니다 / 회담에 대해.

But neither can we afford / to lower our sights.
하지만 우리는 여유가 없습니다 / 우리의 목표를 낮출.

What I see on the horizon / is a world free of nuclear weapons.
아득히 먼 곳에 보이는 것은 / 핵무기가 없는 세상입니다.

What I see before me / are the people / who will help make it
제 앞에 보이는 것은 / 사람들입니다 / 그런 세상을 만드는데 도움을 주는 /

happen, / like your selves.
여러분들과 같은.

Please keep up your good work.
지금처럼 계속 잘 하십시오.

Sound the alarm, keep up the pressure.
위급함을 알리고, 계속 압박을 가하세요.

Ask your leaders / what they are doing / - personally / - to eliminate
여러분들의 지도자에게 물어보세요 / 어떤 일을 하고 있는지 / 개인적으로 / 핵위협을 제거하려

the nuclear menace.
고.

Above all, / continue to be the voice of conscience.
무엇보다 중요한 것은 / 계속 양심의 목소리를 내세요.

We will rid the world / of nuclear weapons.
우리는 이 세상에서 없앨 것입니다 / 핵무기를.

And when we do, / it will be because of people like you.
그리고 우리가 그런 일을 한다면 / 여러분들과 같은 사람들이 있기 때문입니다.

The world owes you its gratitude.
이 세상은 여러분들에게 감사해야 합니다.

Thank you very much / for your commitment and leadership.
정말로 감사 드립니다 / 여러분들의 헌신과 지도력에.

Thank you.
감사합니다.

For a Nuclear Free, Peaceful, Just and Sustainable World
(1 May 2010)

Key Expression

동사의 의미를 제대로 파악하면, 문장을 자연스럽게 이해하는데 큰 도움이 된다. 'require'는 '누군가에게 ~하는 것을 요구하다, 명령하다'라는 의미다. 즉 핵확산금지조약의 조항은 당사국들에게 협상하는 것을 요구하기 때문에, 조항에 따라 당사국들은 협상을 해야 한다고 해석할 수 있다.

Article VI of the NPT / requires the Parties / to pursue negotiations on a treaty ~ /
핵확산금지조약의 6 조항은 / 당사국들에게 요구합니다 / 조약을 협상하는 것을 /

under international control.
국제 관리를 받으며

conclude (조약을) 체결하다 | convention 조약 | article (조약·법의) 조항 | party 당사자, 당사국 | pursue (일을) 수행하다 | overdue 전에 행해졌어야 하는 | fulfill (약속·의무를) 이행하다 | lower one's sights 목표를 낮추다 | on the horizon 아득히 먼 곳에 | sound the alarm 위급함을 알리다 | eliminate 제거하다 | menace 위협

11. 핵무기 없는 세상 A World Free of Nuclear Weapons

A.

Thank you very much for your very warm welcome.

I want to say what a great honor it is for me to be here with you this evening.

I know of your hard work and dedication.

I know how much you have sacrificed in standing for your principles and beliefs.

I know how much courage it takes to speak out, to protest, and to carry the banner of this most noble human aspiration - world peace.

And so, most of all, I am here tonight to thank you for your strong commitment, your courage, and your leadership.

Let me begin by saying how humbling it is to speak to you in this famous place, Riverside Church.

I know that it was here that Martin Luther King Junior spoke against the war in Vietnam.

I know that Nelson Mandela spoke here on his first visit to the United States after being freed from prison.

Standing with you, looking out, I can see what they saw: a sea of committed women and men, who come from all corners of the earth to move the world. It reminds us that of what matters most in life - is not so much the message from the bully pulpit, but rather the movement from the pews. From people like you. And so I say: keep it up.

B.

Our shared vision is within reach — that is a world free of nuclear weapons.

On the eve of the Nuclear Non-Proliferation Treaty review conference - beginning on Monday - we know the world is watching.

Let it heed our call. Disarm Now!

Ladies and gentlemen,

From my first day in office as Secretary-General of the United Nations, I have made nuclear disarmament a top priority.

Perhaps, in part, this deep personal commitment comes from my own experience as a small boy in Korea, growing up immediately after the war.

My school was rubble.

There were no walls. I studied on the dirt. We studied in the open air.

The United Nations rebuilt my country.

I was lucky enough to receive a good education.

But more than that, I learned about peace, solidarity and, above all, the power of community action.

These values are not abstract principles to me. I owe my life to them.

I try to embody them in all my work.

C.

Just a few weeks ago, I traveled to Ground Zero - the former test site at Semipalatinsk, in Kazakhstan, that was a notorious nuclear site during the time of the Soviet Union. They detonated more than 450 nuclear explosions. It was strangely beautiful. The great green steppe reached as far as the eye could see. But of course, the eye does not immediately see the scope of the devastation. Vast areas where people still cannot live, cannot go. Poisoned lakes and rivers. High rates of cancer and birth defects. After independence, in 1991, President Nazarbayev of Kazakhstan closed the site and banished the whole nuclear weapons from its territory. Today, Semipalatinsk is a powerful symbol of hope - it is a new Ground Zero for disarmament, the birth-place of the Central Asian nuclear-weapon-free zone.

In August, I will travel to another Ground Zero - Mayor Akiba's proud city of Hiroshima. There, I will repeat our call for a nuclear free-world. The people of Hiroshima and the people of Nagasaki - and especially the hibakusha - know too well the horror of nuclear war. It must never be repeated.

Yet 65 years later, the world still lives under a nuclear shadow.

How long must we wait to rid ourselves of these nuclear weapons?

How long will we keep passing the problem to our succeeding generations?

We here tonight know that it is time to end this senseless cycle. We know that nuclear disarmament is not a distant, unattainable goal. It is a dream which we can achieve. It is an urgent necessity, here and now. We are determined to achieve it.

D.

In fact, we have come very close in the past. Twenty-four years ago, in Reykjavik, Iceland, President Ronald Reagan and General-Secretary Mikhail Gorbachev came within a hair's breadth of agreeing to eliminate all nuclear weapons.

It was a dramatic reminder of how far we can go - as long as we have the vision and the will — the political will.

Today's generation of nuclear negotiators must take a lesson from Reykjavik: Be bold. Think big - for it yields big results.

And that is why, again, we need people like you.

People who understand that the world is over-armed and that peace is under-funded.

People like you, who understand that the time for change is now.

Ladies and gentlemen,

The Nuclear Non-Proliferation Treaty entered into force 40 years ago.

Ever since, it has been the foundation of the non-proliferation regime and our efforts for nuclear disarmament.

It is one of the seminal agreements of the 20th century.

Let's not forget. In 1963, some experts predicted that there could be as many as 25 nuclear-weapons states by this time, by the end of the last century.

It did not happen, in large part because the NPT guided the world toward the right direction. Today, we have reason for renewed optimism.

Global public opinion is swinging our way.

Governments are looking at the issue with fresh eyes.

E.

Consider just the most recent very positive developments of the situation:
Leading by example, the United States announced a review of its nuclear posture - forswearing the use of nuclear weapons against non-nuclear states, so long as they are in compliance with the Non-Proliferation Treaty.
In Prague, President Barack Obama and President Dmitry Medvedev signed a successor regime to a START treaty, accompanied by serious cuts in arsenals.
In Washington, the leaders of 47 nations united in their efforts to keep nuclear weapons and materials out of the hands of terrorists.
I myself was there, as the representative of the United Nations.
And on Monday, we hope to open a new chapter in the life of the Nuclear Non-Proliferation Treaty.
In 2005, when leaders gathered for the last review of the NPT, the outcome did not match expectations. In plainer English, it failed - utterly.
We cannot afford to fail again. Failure is not an option.
After all, there are more than 25,000 nuclear weapons in the world's arsenals.
Nuclear terrorism remains a real and present danger.
There has been no progress in establishing a nuclear-weapon-free zone in the Middle East.
The nuclear programs of Iran and the Democratic People's Republic of Korea are of serious concern to global efforts to curb nuclear proliferation.
To deal with these and other issues, I have set out my own five-point action plan, and I thank you for your encouraging response.

F.

I especially welcome your support for the idea of concluding a Nuclear Weapon Convention.

Article VI of the NPT requires the Parties to pursue negotiations on a treaty on general and complete disarmament under international control.

These negotiations are long overdue.

Next week, I will call on all countries - and most particularly the nuclear-weapon states - to fulfill this obligation.

Ladies and gentlemen,

We should not have unrealistic expectations for the conference.

But neither can we afford to lower our sights.

What I see on the horizon is a world free of nuclear weapons.

What I see before me are the people who will help make it happen, like your selves. Please keep up your good work.

Sound the alarm, keep up the pressure.

Ask your leaders what they are doing - personally - to eliminate the nuclear menace. Above all, continue to be the voice of conscience.

We will rid the world of nuclear weapons.

And when we do, it will be because of people like you.

The world owes you its gratitude.

Thank you very much for your commitment and leadership.

Thank you.

Quiz 6

A. 단어 - 다음 제시된 단어의 설명을 읽고, 어떤 단어를 설명하는지 〈보기〉에서 어울리는 단어를 고르세요.

1. a possible danger; a threat
2. to continue doing an activity or trying to achieve something over a long period of time
3. something chosen or available as a choice
4. the act of obeying a rule, agreement, or demand
5. a reexamination or reconsideration
6. a prevailing social system or pattern
7. be productive; to produce a return for effort
8. to get rid of; remove
9. very important and needing to be dealt with immediately; pressing
10. impossible to achieve
11. to drive away; expel
12. the state of being decayed or destroyed
13. to explode or cause to explode
14. considered apart from concrete existence; not concrete
15. hard work or effort that someone puts into a particular activity
16. strong desire to achieve something, such as success
17. one of several long bench-like seats with backs, used by the congregation
18. rapid growth or increase in numbers
19. a formal agreement or contract between two or more states, such as an alliance or trade arrangement
20. the reduction of offensive or defensive fighting capability by a nation

〈보기〉

disarmament	menace	abstract	detonate	proliferation
dedication	aspiration	banish	yield	unattainable
treaty	option	pursue	eliminate	pew
regime	compliance	devastation	review	urgent

Answer

1. menace 2. pursue 3. option 4. compliance 5. review 6. regime 7. yield 8. eliminate 9. urgent 10. unattainable 11. banish 12. devastation 13. detonate 14. abstract 15. dedication 16. aspiration 17. pew 18. proliferation 19. treaty 20. disarmament

B. 회화에 강한 동시통역 연습 - 다음을 영어로 쓰고 말해보세요.

1. 저는 알고 있습니다 / 여러분들의 각고의 노력과 헌신에 대해

2. 저는 알고 있습니다 / 얼마나 많은 용기가 필요한지 / 신념을 밝히고 / 항의하는 것은

3. 저는 알고 있습니다 / 바로 이곳에서 / 마틴 루터 킹 주니어가 반대의견을 말한 것을 / 베트남 전쟁에 대해

4. 우리가 함께하는 비전은 / 가까운 곳에 있습니다 / 그것은 바로 핵무기가 없는 세상입니다.

5. 취임한 첫째 날부터 / 유엔의 사무총장으로 / 저는 만들었습니다 / 핵무장 해제를 최우선 과제로

6. 이런 가치는 추상적인 원칙이 아닙니다 / 저에게는. 저의 인생은 은혜를 입었습니다 / 그런 가치에

7. 저는 그런 가치를 실현하려 합니다 / 제가하는 모든 일에서

8. 그들은 폭발시켰습니다 / 450개 이상의 핵폭발물을

9. 그곳에서, 저는 다시 요구할 것입니다 / 핵무기 없는 세계를

10. 하지만 65년 후에도, / 세상 사람들은 여전히 살 것입니다 / 핵무기에 대한 불안감 속에서

11. 우리는 알고 있습니다 / 핵무기 무장해제는 / 멀지 않고, 달성할 수 없는 목표가 아닌 것을

12. 진척이 없었습니다 / 핵무기가 없는 지역을 만드는 일에 / 중동에서

13. 이러한 협상은 오래전에 행해졌어야 했습니다.

14. 여러분들의 지도자에게 물어보세요 / 어떤 일을 하고 있는지 / - 개인적으로 / - 핵위협을 제거하려고

15. 무엇보다 중요한 것은, / 계속 양심의 목소리를 내세요.
    우리는 이 세상에서 없앨 것입니다 / 핵무기를

Answer

1. I know / of your hard work and dedication.
2. I know / how much courage it takes / to speak out / and to protest.
3. I know / that it was here / that Martin Luther King Junior spoke against / the war in Vietnam.
4. Our shared vision / is within reach - / that is a world free of nuclear weapons.
5. From my first day in office / as Secretary-General of the United Nations, / I have made / nuclear disarmament a top priority.
6. These values are not abstract principles / to me. I owe my life / to them.
7. I try to embody them / in all my work.
8. They detonated / more than 450 nuclear explosions.
9. There, I will repeat our call / for a nuclear free-world.
10. Yet 65 years later, / the world still lives / under a nuclear shadow.
11. We know / that nuclear disarmament / is not a distant, unattainable goal.
12. There has been no progress / in establishing a nuclear-weapon-free zone / in the Middle East.
13. These negotiations are long overdue.
14. Ask your leaders / what they are doing / - personally / - to eliminate the nuclear menace.
15. Above all, / continue to be the voice of conscience.
    We will rid the world / of nuclear weapons.

12. 지속적인 시장 창출을 위해

* 세계경제포럼 World Economic Forum

세계경제포럼은 스위스에 있는 비영리 재단으로 제네바에 본부가 있으며 다보스에서 매년 연례회의가 개최된다. 이 회의에 세계의 사업가, 정치인 지식인, 저널리스트가 참석하고 건강, 환경 등을 포함하여 세계가 당면한 문제를 토의한다. 유럽경영포럼(European Management Forum)이 세계경제포럼의 모태이며, 1971년 독일 태생의 제네바 대학 교수인 클라우스 쉬바브가 비영리 재단으로 설립했고, 1987년 세계경제포럼으로 명칭을 바꿨다. 연례회의 토론은 유트브를 통하여 시청할 수 있고, 2009년에는 일반인을 연례회의 토론에 초청하기도 했다.

* 글로벌 콤팩트 Global Compact

코피아난 사무총장이 유엔 글로벌 콤팩트를 세계경제포럼에서 처음으로 제안하였고 인권, 노동, 환경, 부패방지 분야에서 민간 기업의 협력을 요구했다. 이런 분야에서 민간 기업이 적극적으로 협력하면, 시장, 무역, 금융, 기술 분야는 세계의 모든 국가와 사회에 혜택을 주는 방향으로 발전할 것이라는 인식에서 비롯되었으며, 세계의 많은 기업들도 정부, 시민단체, 유엔의 협력과 제휴의 필요성을 인정했다. 간단히 말하면, 글로벌 콤팩트는 경제가 국제화되면서 등장하는 여러 문제에 대해 민간 기업이 적극적으로 대처할 것을 호소한 맹약으로 세계적으로 6천여 개의 기업체가 참여하였다.

* CEO 워터 맨데이트 CEO Water Mandate

글로벌 콤팩트의 일환인 'CEO 워터 맨데이트'라는 프로그램은 세계적으로 수자원이 부족해지면, 전염병이 만연하고, 식품 가격이 상승하며, 국가 간 분쟁을 초래할 수 있다는 인식에서 비롯되었다. 이 프로그램의 목적은 기업이 수자원을 효율적으로 관리하는 것이다. 예를 들어 기업이 제품을 제조할 때 사용한 물을 재활용하는 것이다.

* 물방울 물주기 Drip Irrigation; Trickle Irrigation

드립 관계는 물방울 물주기라고 불리며, 물이 부족한 지역에서 물을 경제적으로 사용하는 방법이다. 예를 들어 식물의 뿌리 근처에 작은 구멍을 뚫은 호스를 설치하면, 장시간동안 소량의 물이 공급되므로 토양의 표면에 직접 물을 공급하는 것보다 수자원을 효과적으로 사용할 수 있다.

* 클린테크놀러지 Clean Technology

화석연료 사용, 지구온난화, 기후변화에 대한 인식이 증가하면서 클린테크놀러지에 관심을 갖기 시작했다. 클린테크놀러지란 폐기물 배출량, 환경오염, 에너지 소비를 최소화하면서 생산성과 효율성을 높이는 것이다. 이런 기술의 예로 환경에 미치는 영향과 환경오염을 최소화하며 전기를 생산하는 풍력 발전과 태양열 발전이 포함된다.

유엔 사무총장 **반기문 - 명언 ⑫** 도전 Challenge

Wake / your potential DNA.
깨워라 / 잠재된(숨어있는) DNA를

잠재된 DNA를 깨워라.

12. 지속적인 시장 창출을 위해

A.

Excellencies,
각하,

Distinguished Panelists,
저명한 토론자(패널리스트),

Ladies and gentlemen,
신사 숙녀 여러분,

It is a pleasure / to be with you / again in Davos.
기쁩니다 / 여러분과 함께 있게 되어서 / 다보스에 다시.

This is my second visit / as Secretary-General, / and I must say /
이번이 두 번째 방문입니다 / 사무총장으로서 / 그리고 저는 말할 수밖에 없습

that the mood is very different / from the optimistic spirit of the
니다 / 분위기가 매우 다르다고 / 과거의 낙관적인 성향과.

past. I've been calling / this / the year of multiple crises.
저는 부르고 있습니다 / 금년도를 / 위기가 많았던 해로.

Economies are in trouble.
경제는 곤경에 처해 있습니다.

Trust in business and in markets / has eroded.
경기나 시장에 대한 신뢰는 / 쇠퇴했습니다.

People everywhere worry / about their jobs / and struggle to
사람들은 어디에서든 걱정하고 있습니다 / 자신들의 일자리에 대해 / 그리고 생존하려고 애쓰고 있습니다.

survive. Yet amid these difficulties, / we face another crisis.
하지만 이런 어려움에 빠져 있지만 / 우리는 또 다른 위기에 맞서고 있습니다.

It has been building / for years / and is global in scope.
그 위기는 더욱더 커졌고 / 수년 동안 / 전 세계적으로 퍼지고 있습니다.

Climate change threatens / all our goals / for development and
기후변화는 위협을 가하고 있습니다 / 우리의 목표에 / 개발 및 사회발전을 위한

social progress. Indeed, it is a true existential threat / to the
정말로, 그것은 진정으로 존재하는 위협입니다 / 지구에

planet. On the other hand, / it also presents us / with a gilt-edged
다른 한편 / 그것은 또한 우리에게 제공합니다 / 최고의 기회를

opportunity.

By tackling climate change head-on / we can solve / many of our
기후변화에 정면으로 대처하면 / 우리는 해결할 수 있습니다 / 현재의 많은 고민

current troubles, / including the threat of global recession.
거리를 / 세계적인 경기침체라는 위협을 포함하여.

Ladies and gentlemen,
신사 숙녀 여러분,

We stand at a crossroads. It is important / that we realize / we have a choice. We can choose / short-sighted unilateralism and business / as usual. Or we can grasp / global cooperation and partnership / on a scale never before seen.
우리는 갈림길에 서있습니다. 중요합니다 / 우리가 깨닫는 것이 / 우리에게 선택권이 있다는 것을. 우리는 선택할 수 있습니다 / 근시안적인 일방주의와 사업을 / 늘 그러듯이. 또는 우리는 붙잡을(받아들일) 수 있습니다 / 세계적인 협력과 제휴를 / 전에 보지 못했던 규모의

Exactly ten years ago, / my predecessor, Kofi Annan, / stood in this hall. He called on business leaders / to initiate / a "Global Compact" of shared values and principles. He sought to give a human face / to the global market.
정확하게 10년 전, / 저의 전임자 코피아난이 / 이 강당에 서있었습니다. 그는 재계 지도자들에게 요구했습니다 / 시작할 것을 / 다함께 공유할 수 있는 가치와 원칙을 담은 "글로벌 콤팩트"를. 그는 인간적인 모습을 보여 주려 했습니다 / 세계시장에.

Then, as now, / the world faced a crisis in confidence.
그 당시는 지금처럼 / 세계는 자신감의 위기를 맞이했습니다.

Yes, globalization had lifted many / from poverty.
맞습니다, 세계화가 많은 사람들을 구제했습니다 / 가난으로부터

Yet the spread of free markets and capital / did not raise all boats.
그렇지만 자유시장과 자본의 확산은 / 모든 사람들에게 혜택을 준 것은 아닙니다.

In fact, it hurt / many of the world's poorest people.
사실, 세계화는 상처를 주었습니다 / 세계의 가장 빈곤한 사람들 중 많은 사람들에게

Key Expression

전치사 'by'는 '방법이나 수단'을 의미하는 경우가 있는데, 'by+동사+ing'는 누군가 어떤 일을 하거나 문제를 해결할 때 사용하는 방법을 의미하므로, '~해서, ~하여'라고 해석한다. 아래 예문에 있는 'by tackling climate change'는 '기후변화에 대처하여'라고 해석한다.

By tackling climate change head-on / we can solve / many of our current troubles.
기후변화에 정면으로 대처하면 / 우리는 해결할 수 있습니다 / 많은 현재의 고민거리를

excellencies 각하(장관·대사·지사·총독에 대한 경칭) | optimistic 낙관적인 | spirit 성향, 시대정신 | erode 쇠퇴하다 | struggle 애를 쓰다 | amid ~의 한가운데 | scope 범위, 영역 | progress 발전 | existential 실존하는 | present 주다, 제공하다 | gilt-edged 우량의, 최고의 | recession 경기침체 | stand at a crossroads 갈림길(기로)에 서있다 | short-sighted 근시안적인 | unilateralism 일방주의 | grasp (기회를) 붙잡다 | initiate 시작하다 | Global Compact 글로벌 콤팩트(맹약) | confidence 자신감 | globalization 세계화 | raise all boats (경제적으로) 모든 사람들에게 혜택을 주다

B.

The Global Compact was our enlightened response.
글로벌 콤팩트는 우리의 현명한 반응이었습니다.

It challenged business / to embrace universal principles / and to
그것은 기업들에게 요구했습니다 / 보편적인 원칙을 받아들이고 /

partner with the United Nations / on the big issues.
유엔과 제휴할 것을 / 큰 문제에 대해

Chief among them were the Millennium Development Goals.
그런 문제 중 주요한 것은 밀레니엄 개발 목표였습니다.

Ten years on, / the Global Compact stands / as the world's largest
10년 동안 / 글로벌 콤팩트는 서있었습니다 / 세계의 가장 큰 민간기업의 성장 지속

corporate sustainability initiative.
성에 대한 발의로.

Wc can boast / more than 6,000 business participants / in more than
우리는 자랑으로 삼을 수 있습니다 / 6천여 개 이상의 기업 참가자를 / 130개국 이상의.

130 countries.

The Global Compact has become a by-word / for corporate
글로벌 콤팩트는 대명사가 되었습니다 / 기업의 (사회적) 책임에 대한

responsibility. Its members have moved far beyond / mere
회원들은 훨씬 초월했습니다 / 단순한 자선행위 이상으

philanthropy. They have pioneered / new standards of "best
로. 그들은 개척했습니다 / "최상의 관례"라는 새로운 기준을 /

practice" / in the areas of human rights and labor law.
인권과 노동법분야에서

In many countries / they work to protect the environment / and fight
많은 국가에서 / 그들은 환경을 보호하기 위해 노력하고 / 부패와 싸우기

against corruption.
위해 노력하고 있습니다.

They have undertaken hundreds of projects / in health, education
그들은 수백 개의 프로젝트에 착수했습니다 / 보건, 교육과

and infrastructure / in countries around the world.
인프라(기반시설) 부문에서 / 세계 여러 나라에서

Now, a new set of crises requires / a renewed sense of mission.
이제, 새로운 위기는 요구합니다 / 새로운 사명감을

So today / I urge you / to join a new phase of the Global Compact.
그래서 오늘 / 저는 여러분들에게 권합니다 / 글로벌 콤팩트의 새로운 단계에 참석하라고

We might call it / the Global Compact 2.0.
우리는 이것을 부를 것입니다 / 글로벌 콤팩트 2.0이라고

Ladies and gentlemen,
신사 숙녀 여러분,

We live in a new era.
우리는 새로운 시대에 살고 있습니다.

Its challenges can all be solved / by cooperation / and only by cooperation.
우리시대의 과제는 모두 해결될 수 있고 / 협력에 의해 / 그리고 오직 협력에 의해서만이 (해결될 수 있습니다)

Our times demand / a new definition of leadership, global leadership.
우리시대는 요구합니다 / 리더십에 대한 새로운 정의를, 글로벌 리더십이라는.

They demand / a new constellation of international cooperation / of governments, civil society and the private sector, / working together for a collective global good.
우리시대는 요구합니다 / 국제협력의 새로운 모임을 / 정부, 시민 사회와 민간부문으로 구성된 (국제 협력의) / 세계의 공동 이익을 위해 협력하고 있는

Some might say / such a vision is naive.
일부 사람들은 말할 것입니다 / 그런 비전은 천진난만한 것이라고

That it is wishful thinking.
그런 비전은 희망사항에 불과한 것이라고.

Yet we have / inspiring examples / proving the contrary.
하지만 우리에게는 있습니다 / 고무적인 예가 / 반대를 증명하는

Often, business has played a critical role.
종종, 기업은 중요한 역할을 했습니다.

enlightened 현명한 | challenge ~에게 요구하다 | embrace 받아들이다, 채택하다 | corporate 기업 | sustainability 지속가능 | initiative 발의, 발기 | by-word (특정한 자질의) 전형, 대명사 | philanthropy 자선행위 | pioneer 개척하다 | corruption 부패 | infrastructure 인프라, 기반시설 | urge 강력하게 권하다 | constellation 무리, 모임 | naive 천진난만한 | wishful thinking 희망사항 | contrary 반대의 것, 정반대 | critical 중요한

C.

Think of the Green Revolution / in the 1960s / that lifted hundreds
녹색혁명을 생각해보십시오 / 1960년대의 / 수백만 명을 가난에서 구제한 /

of millions out of poverty / in Asia.
아시아에서

Think of the global vaccination campaign / that eradicated smallpox
세계적인 예방접종 캠페인을 생각해보십시오 / 천연두를 근절시켰던 /

/ by 1979.
1979년까지.

Business and government cooperation has reversed / the depletion
기업과 정부의 협력은 역전시켰습니다 / 오존층 파괴를

of the ozone layer. And we have seen solid progress / in the fight /
그리고 우리는 실질적인 발전을 보았습니다 / 싸움에서 /

against AIDS, TB, polio and malaria.
에이즈, 결핵, 소아마비와 말라리아에 대한 (싸움에서)

Today, we have an opportunity / — and an obligation — / to build
오늘날, 우리에게는 기회가 있습니다 / 그리고 의무도 (있습니다) / 이런 고무적인

on these inspiring examples. But we must break / the tyranny of
예를 기반으로 발전해야 하는. 하지만 우리는 벗어나야 합니다 / 근시안적으로 사고하는 압제

short-term thinking / in favor of long-term solutions.
에서 / 장기적인 해결책을 찾기 위해

This will demand / a renewed commitment / to core principles.
이것은 요구할 것입니다 / 새롭게 헌신하는 것을 / 중심원칙에.

A new Global Compact.
새로운 글로벌 콤팩트라는

In this time of economic crisis / I know / there will be a tendency /
이와 같은 경제 위기가 있는 시기에는 / 저는 알고 있습니다 / 성향이 있다는 것을 /

to retreat into nationalism, protectionism and the other "isms" /
민족주의, 보호주의와 다른 "주의"로 후퇴하려는 (성향이) /

that promote narrow self-interests / over common global objectives.
이런 주의는 편협한 사리사욕을 증진합니다 / 세계 공통의 목적보다는

Doing so would be a mistake / — not just for global development
그렇게 하는 것은 실수일 것입니다 / 글로벌 개발 목표를 위한 것도 아닙니다 /

objectives, / such as giving the poor a fair chance / to make a living.
예를 들어 가난한 사람들에게 공평한 기회를 주는 / 생계를 유지하도록

It would also compromise / national self-interest.
그것은 또한 손상시키는 것입니다 / 자국의 이익추구를

The challenges we face today / are global in nature.
우리가 오늘날 직면한 문제는 / 본질적으로 세계적입니다.

By working together / we can solve them.
협력하여 / 우리는 그런 문제를 해결할 수 있습니다.

The Global Compact provides an excellent platform.
글로벌 콤팩트는 훌륭한 발판이 됩니다.

Let me give you some examples.
몇몇 예를 들어보겠습니다.

The Global Compact's "Caring for Climate" / is the world's largest
글로벌 콤팩트의 "기후 돌보기"는 / 세계에서 규모가 가장 큰 기업 중심

business-led initiative / on climate change.
의 계획입니다 / 기후변화에 대한.

Chief Executive Officers are disclosing / their carbon emissions /
최고경영자들은 밝히고 있고 / 탄소배출량을 /

and committing to comprehensive climate policies.
포괄적인 기후정책을 따르고 있습니다.

They are using renewable energy, / investing in energy efficiency, /
그들은 재생 가능한 에너지를 사용하고 있고 / 에너지 효율에 투자하고 있고 /

and promoting climate friendly practices / such as virtual meetings.
기후에 우호적인 관행을 장려하고 있습니다 / 예를 들어 가상회의라는 (관행을)

Key Expression

'compromise'가 자동사로 사용되면, 주로 '타협하다'라는 의미로 쓰이지만, 타동사로 사용되면, '손상시키다, 위태롭게 하다'라는 의미로 사용된다.

It would also compromise / national self-interest.
그것은 또한 손상시키는 것입니다 / 국가의 사리사욕 추구를

Green Revolution 녹색혁명(품종개량에 의한 식량 증산) | vaccination 예방접종 | eradicate 근절시키다 | reverse 역전시키다 | depletion 파괴, 고갈, 소모 | solid 실질적인 | TB(tuberculosis) 결핵 | build on ~을 기반으로 발전하다 | tyranny 압제, 폭정 | core 중심, 핵심 | retreat 후퇴하다 | nationalism 민족주의 | protectionism 보호주의 | ism 주의 | such as 예를 들어 | compromise 손상시키다 | initiative 계획 | Chief Executive Officer 최고경영자 | disclose 밝히다 | emission 배출(량) | comprehensive 포괄적인, 범위가 넓은 | renewable 재생 가능한 | efficiency 효율(성) | promote 장려하다 | virtual (컴퓨터를 이용한) 가상의

D.

The "CEO Water Mandate" is advancing water stewardship /
"CEO 워터 맨데이트"는 수질 관리를 향상시키고 있습니다 /

through strategies / such as drip irrigation and water harvesting.
전략을 통하여 / 예를 들어 드립 관계(방울 물주기)와 물을 모으는 (전략을 통하여)

New technologies are recycling water / used in manufacturing /
새로운 기술은 물을 재활용하고 있습니다 / 제품을 제조할 때 사용된 (물을) /

so it can be returned safely / to the environment.
물이 안전하게 돌아가도록 / 환경으로

Wind-powered desalination plants are being built / that can produce
풍력 제염 공장들이 지어지고 있습니다 / 식수를 생산할 수 있는 (공장

drinkable water / for a city of over 1 million people.
들이) / 백만 명 이상의 사람이 사는 도시를 위해

In financial markets, / the Global Compact, / through the
금융시장에서 / 글로벌 콤팩트에 따라 (기업은) / '책임지는 투자 원칙'을 통하여 /

"Principles for Responsible Investment," / has begun working with
주요 투자자들과 협력하기 시작했습니다 /

major investors / so their investment evaluations can incorporate /
자신들의 투자 평가에 포함시킬 수 있도록 /

key environmental, social and governance issues.
주요 환경, 사회 및 관리 문제를

Ladies and gentlemen,
신사 숙녀 여러분,

Today / with the economic downturn and climate change, / the
오늘날 / 경기침체와 기후 변화로 인해 /

stakes for companies / have never been higher.
회사의 위험성은 / 어느 때보다도 높습니다.

But for businesses with vision, / the rewards are equally high.
하지만 비전 있는 기업에게 / 보상은 마찬가지로 높습니다.

Over the past few months / momentum has grown / for what I call a
지난 몇 달 동안 / 기세는 커졌습니다 / 제가 세계의 "녹색 뉴딜"이

global "Green New Deal."
라고 부르는 것의 (기세는)

Last week saw the inauguration / of a new President of the
지난주에 취임하는 것을 봤습니다 / 미국의 새로운 대통령이

United States. Barack Obama has made a clear commitment / to
버락 오바마 대통령은 명확한 약속을 했습니다 /

re-energizing the American economy / by boosting the "green
미국 경제를 소생시키겠다고 / "녹색 경제"를 부양시켜

economy."

The green economy is low-carbon and energy-efficient.
녹색 경제는 저탄소이며(탄소배출량을 감소시키고) 에너지 효율적입니다.

It creates jobs.
녹색 경제는 일자리를 창출합니다.

Investment in sustainable technologies / will turn today's crisis /
(자원을 고갈 시키지 않고) 이용할 수 있는 기술에 대한 투자는 / 오늘의 위기를 바꿀 것입니다 /

into tomorrow's sustainable growth.
내일의 (환경 파괴 없이) 지속될 수 있는 성장으로

Key Expression

'be+being+동사의 과거분사'는 진행형 수동태로 어떤 동작이 계속 지속되고, 수동의 의미가 있다. 그래서 아래 예문의 '~ are being built'를 '~가 지어지고 있다'라고 해석한다.

Wind-powered desalination plants are being built /
풍력 제염 공장들이 지어지고 있습니다 /

that can produce drinkable water / for a city of over 1 million people.
식수를 생산할 수 있는 (공장들이) / 백만 명 이상의 사람이 사는 도시를 위해

advance 제안하다 | stewardship 관리 | desalination 제염 | incorporate 포함시키다 | governance 관리 | economic downturn 경기침체 | stakes 위험성 | momentum 여세, 기세 | inauguration 취임 | re-energize 다시 소생시키다, 다시 활기차게 하다 | boost 증대하다, 부양시키다

E.

President Obama is not the only political or business leader /
오바마 대통령은 유일한 정치 또는 재계 지도자가 아닙니다 /

choosing to follow such a path.
그런 길(녹색성장)을 따라가기로 선택한

I therefore urge all of you, / through your supplier chains and via
그러므로 저는 여러분 모두에게 권합니다 / 여러분의 납품회사와 여러분의 동업자들과 /

your business partners, / to develop good policies and practices / in
훌륭한 정책과 관행을 개발할 것을 /

the areas of human rights, the treatment of workers, the environment,
인권, 노동자에 대한 대우, 환경,

and anti-corruption.
부패 방지 분야에서

You can use / the Global Compact's accountability framework /
여러분들은 사용하셔도 되고 / 글로벌 콤팩트의 평가 기준을 /

and disclose your progress annually.
여러분들의 발전을 매년 발표할 수 있습니다.

By doing so / you will not only be doing / what is right.
그렇게 하면 / 여러분들은 실천하고 있을 것입니다 / 옳은 일을

You will also be helping restore / trust, confidence and credibility /
여러분들은 회복시키는데 도움을 줄 것입니다 / 신용, 신뢰와 진실성을 /

into the markets.
시장에 대한

Recent polls show / a dramatic erosion of faith in business.
최근의 여론 조사는 보여줍니다 / 기업에 대한 신뢰가 급격히 감소된 것을

Three of four Americans / trust business less / than they did one year
네 명 중 세 명의 미국인은 / 기업을 덜 신뢰합니다 / 1년 전보다

ago.

Only a third trust / business to do the right thing.
단지 3분의 1만이 신뢰합니다 / 기업이 옳은 일을 한다고

Among young people, / the loss of confidence is especially marked.
젊은이들 간에 / 신뢰 상실은 특히 두드러집니다.

These figures are mirrored / across the world.
이런 통계치는 (비슷하게) 나타납니다 / 세계적으로

And the same polls show / that, globally, 66 percent of the world's
그리고 같은 여론 조사에 의하면 / 전 세계적으로, 66퍼센트의 사람들은 생각합니다 /

people think / business should be fully engaged / in tackling our
기업이 적극적으로 참여해야 한다고 / 우리 공통의 문제를 다루는 일에

common problems.

Those who disagree / total only 3 percent.
(이런 의견에) 반대하는 사람은 / 단지 3퍼센트에 불과합니다.

Key Expression

'Recent polls show'는, '최근 여론 조사는 보여줍니다' 또는 '최근 여론 조사에 의하면'이라고 해석할 수 있다. 그리고 'a dramatic erosion of faith in business'는, '신뢰의 급격한 감소' 또는 '신뢰가 급격히 감소된 경우(사건)'라고 해석할 수 있다.

Recent polls show / a dramatic erosion of faith in business.
최근의 여론 조사는 보여줍니다 / 기업에 대한 신뢰가 급격히 감소된 것을

Recent polls show / that faith in business / was eroded dramatically.
최근의 여론 조사는 보여줍니다 / 기업에 대한 신뢰가 / 급격히 감소된 것을
(최근 여론조사에 의하면 / 기업에 대한 신뢰가 / 급격히 감소되었다)

via ~을 통하여, ~을 매개로 | treatment 대우, 취급 | anti-corruption 부패 방지 |
accountability framework 평가기준, 평가보고서 | restore 회복시키다 | credibility | 진실성 erosion 감소, 쇠퇴 |
marked 두드러진, 명료한 | mirror 반영하다, 나타내다 | tackle 문제를 다루다, 대처하다

F.

Ladies and gentlemen,
신사 숙녀 여러분,

The writing is right there on the wall.
불길한 조짐이 바로 저기에 있습니다(불길한 조짐이 명확하게 보입니다)

Without trust, / we cannot prosper. It is time / to get off the fence /
신뢰가 없으면 / 우리는 번영할 수 없습니다. 시간이 되었습니다 / 우유부단한 태도를 버리고 /

and take up this agenda seriously. Many of you are cutting costs / to
이런 과제를 진지하게 받아 들여야 할. 여러분들 중 많은 사람들이 비용을 절감하고 있습니다

deal with the economic downturn.
/ 경기침체에 대처하기 위해

But I think / you will agree / that it is important / to re-orient your
하지만 제 생각에는 / 여러분들이 동의할 것입니다 / 중요하다고 / (무엇이?) 여러분들의 조직을

organizations / for the economy of thc future.
적응시키는 일이 / 미래의 경제에 맞게

Every downturn is followed / by an upturn.
모든 불황 다음에는 따라 옵니다 / 호전이

If you make the right investments / now, / you will be laying the
만일 여러분들이 올바른 투자를 한다면 / 지금 / 여러분들은 기반을 마련하는 것입니다 /

foundations / to tackle critical long-term issues.
중요하고 장기적 문제에 대처할 수 있는

You will be in the forefront / of a new green economy.
여러분들은 선두에 서있을 것입니다 / 새로운 녹색 경제의

I encourage you / to help create a future / based on a low-carbon
여러분들에게 권합니다 / 미래를 창조하는 일에 도움이 되길 / 저탄소 경제를 기반으로 한 (미래를) /

economy / — green jobs, renewable energy and energy efficiency.
(저탄소 경제란) 녹색 일자리, 재생 가능한 에너지와 에너지 효율성을 (의미합니다)

I also ask you / to be part of the movement / for a comprehensive
또한 여러분들에게 부탁합니다 / 운동에 참여하길 / 포괄적이고

and meaningful agreement / at the climate change summit /
의미심장한 합의를 이루기 위한 (운동에) / 기후변화 정상회담에서 /

in Copenhagen / at the end of this year.
코펜하겐에서 열리는 / 금년 말에

I call on you / to make full use of your supply chains / to make
여러분들에게 부탁합니다 / 납품회사를 충분히 이용해주길 / 확실하게 하기 위해 /

sure / that the cleanest technologies are developed and applied /
클린테크놀러지가 개발되고 적용되도록 /

everywhere.
세계 도처에서

And I ask you / to lead by example.
그리고 여러분들에게 부탁합니다 / 본을 보임으로써 통솔해주길

Educate / your consumers, suppliers and workers.
정보를 주십시오 / 여러분들의 소비자, 납품업자와 노동자들에게

Share your technologies / with the poor.
여러분의 기술을 공유하세요 / 가난한 자들과

It is the one and only path / to a sustainable future, /
그것이 바로 유일한 길입니다 / 환경이 파괴되지 않고 /

with the prospect of prosperity / for all.
자원이 고갈되지 않고 개발할 수 있는 미래로 향하는 / 모든 사람들의 번영을 기대하면서

Ladies and gentlemen,
신사 숙녀 여러분,

We have choices to make.
우리에게는 선택권이 있습니다.

Now is the time / to rebuild trust. It is time / to restore confidence.
현재는 시기입니다 / 신뢰를 다시 쌓을 수 있는. 시기가 됐습니다 / 신뢰를 회복할 수 있는

We can only do it / by offering genuine, long-term solutions /
우리는 이런 일을 할 수 밖에 없습니다 / 진심에서 우러난 장기적인 해결책을 제시함으로써 /

to real problems. People need to be confident / that we are doing /
실제 문제에 대한. 사람들은 확신해야 합니다 / 우리가 하고 있다고 /

the smart thing and the right thing.
현명한 일과 옳은 일을

This means / investing in the new economy / - the economy of
그것은 의미합니다 / 새로운 경제에 투자하는 것을 / 즉 미래 경제에

the future. Enlightened self-interest is the essence / of corporate
현명한 이기심은 본질이며 / 기업 책임의 /

responsibility / and the key to a better world.
더 좋은 미래로 가는 비결입니다.

Thank you.
감사합니다.

The Global Compact: Creating Sustainable Markets
(29 January 2009)

The writing is on the wall. 불길한 조짐이 있다, 문제가 생길 징조가 있다. | get off the fence 엉거주춤하지 않다, 우유부단한 태도를 버리다 | cut costs 비용을 절감하다 | re-orient 새로운 환경에 적응시키다, 순응시키다 | upturn 호전 | critical 중요한 | sustainable 자원이 고갈되지 않고 이용할 수 있는, 환경이 파괴되지 않고 지속할 수 있는 | prospect 기대, 예상 | restore 회복하다 | genuine 진심에서 우러나온 | enlightened 현명한

12. 지속적인 시장 창출을 위해

A.

Excellencies,

Distinguished Panelists,

Ladies and gentlemen,

It is a pleasure to be with you again in Davos.

This is my second visit as Secretary-General, and I must say that the mood is very different from the optimistic spirit of the past. I've been calling this the year of multiple crises. Economies are in trouble. Trust in business and in markets has eroded. People everywhere worry about their jobs and struggle to survive Yet amid these difficulties, we face another crisis. It has been building for years and is global in scope. Climate change threatens all our goals for development and social progress. Indeed, it is a true existential threat to the planet. On the other hand, it also presents us with a gilt-edged opportunity. By tackling climate change head-on we can solve many of our current troubles, including the threat of global recession.

Ladies and gentlemen,

We stand at a crossroads. It is important that we realize we have a choice.

We can choose short-sighted unilateralism and business as usual.

Or we can grasp global cooperation and partnership on a scale never before seen. Exactly ten years ago, my predecessor, Kofi Annan, stood in this hall. He called on business leaders to initiate a "Global Compact" of shared values and principles. He sought to give a human face to the global market.

Then, as now, the world faced a crisis in confidence. Yes, globalization had lifted many from poverty. Yet the spread of free markets and capital did not raise all boats. In fact, it hurt many of the world's poorest people.

B.

The Global Compact was our enlightened response.

It challenged business to embrace universal principles and to partner with the United Nations on the big issues. Chief among them were the Millennium Development Goals. Ten years on, the Global Compact stands as the world's largest corporate sustainability initiative. We can boast more than 6,000 business participants in more than 130 countries.

The Global Compact has become a by-word for corporate responsibility.

Its members have moved far beyond mere philanthropy.

They have pioneered new standards of "best practice" in the areas of human rights and labor law. In many countries they work to protect the environment and fight against corruption. They have undertaken hundreds of projects in health, education and infrastructure in countries around the world.

Now, a new set of crises requires a renewed sense of mission.

So today I urge you to join a new phase of the Global Compact.

We might call it the Global Compact 2.0.

Ladies and gentlemen,

We live in a new era. Its challenges can all be solved by cooperation and only by cooperation. Our times demand a new definition of leadership, global leadership. They demand a new constellation of international cooperation of governments, civil society and the private sector, working together for a collective global good. Some might say such a vision is naive. That it is wishful thinking. Yet we have inspiring examples proving the contrary.

Often, business has played a critical role.

C.

Think of the Green Revolution in the 1960s that lifted hundreds of millions out of poverty in Asia.

Think of the global vaccination campaign that eradicated smallpox by 1979. Business and government cooperation has reversed the depletion of the ozone layer. And we have seen solid progress in the fight against AIDS, TB, polio and malaria.

Today, we have an opportunity — and an obligation — to build on these inspiring examples. But we must break the tyranny of short-term thinking in favor of long-term solutions. This will demand a renewed commitment to core principles. A new Global Compact.

In this time of economic crisis I know there will be a tendency to retreat into nationalism, protectionism and the other "isms" that promote narrow self-interests over common global objectives.

Doing so would be a mistake — not just for global development objectives, such as giving the poor a fair chance to make a living. It would also compromise national self-interest. The challenges we face today are global in nature. By working together we can solve them.

The Global Compact provides an excellent platform.

Let me give you some examples.

The Global Compact's "Caring for Climate" is the world's largest business-led initiative on climate change. Chief Executive Officers are disclosing their carbon emissions and committing to comprehensive climate policies.

They are using renewable energy, investing in energy efficiency, and promoting climate friendly practices such as virtual meetings.

D.

The "CEO Water Mandate" is advancing water stewardship through strategies such as drip irrigation and water harvesting.
New technologies are recycling water used in manufacturing so it can be returned safely to the environment.
Wind-powered desalination plants are being built that can produce drinkable water for a city of over 1 million people.
In financial markets, the Global Compact, through the "Principles for Responsible Investment," has begun working with major investors so their investment evaluations can incorporate key environmental, social and governance issues.

Ladies and gentlemen,
Today with the economic downturn and climate change, the stakes for companies have never been higher.
But for businesses with vision, the rewards are equally high.
Over the past few months momentum has grown for what I call a global "Green New Deal."
Last week saw the inauguration of a new President of the United States.
Barack Obama has made a clear commitment to re-energizing the American economy by boosting the "green economy."
The green economy is low-carbon and energy-efficient.
It creates jobs. Investment in sustainable technologies will turn today's crisis into tomorrow's sustainable growth.

President Obama is not the only political or business leader choosing to follow such a path.

I therefore urge all of you, through your supplier chains and via your business partners, to develop good policies and practices in the areas of human rights, the treatment of workers, the environment, and anti-corruption.

You can use the Global Compact's accountability framework and disclose your progress annually.

By doing so you will not only be doing what is right. You will also be helping restore trust, confidence and credibility into the markets.

Recent polls show a dramatic erosion of faith in business.

Three of four Americans trust business less than they did one year ago.

Only a third trust business to do the right thing. Among young people, the loss of confidence is especially marked.

These figures are mirrored across the world.

And the same polls show that, globally, 66 percent of the world's people think business should be fully engaged in tackling our common problems.

Those who disagree total only 3 percent.

F.

Ladies and gentlemen,

The writing is right there on the wall. Without trust, we cannot prosper. It is time to get off the fence and take up this agenda seriously. Many of you are cutting costs to deal with the economic downturn. But I think you will agree that it is important to re-orient your organizations for the economy of the future. Every downturn is followed by an upturn. If you make the right investments now, you will be laying the foundations to tackle critical long-term issues. You will be in the forefront of a new green economy.

I encourage you to help create a future based on a low-carbon economy — green jobs, renewable energy and energy efficiency.

I also ask you to be part of the movement for a comprehensive and meaningful agreement at the climate change summit in Copenhagen at the end of this year.

I call on you to make full use of your supply chains to make sure that the cleanest technologies are developed and applied everywhere.

And I ask you to lead by example. Educate your consumers, suppliers and workers. Share your technologies with the poor. It is the one and only path to a sustainable future, with the prospect of prosperity for all.

Ladies and gentlemen,

We have choices to make. Now is the time to rebuild trust. It is time to restore confidence. We can only do it by offering genuine, long-term solutions to real problems. People need to be confident that we are doing the smart thing and the right thing. This means investing in the new economy - the economy of the future. Enlightened self-interest is the essence of corporate responsibility and the key to a better world.

Thank you.

Quiz 7

A. 단어 – 다음 제시된 단어의 설명을 읽고, 어떤 단어를 설명하는지 <보기>에서 어울리는 단어를 고르세요.

1. an upward movement or trend as in business activity
2. crucial; decisive
3. the possibility that something will happen
4. a particular way of behaving towards someone
5. the quality of being believed or trusted
6. the process by which something is gradually reduced or destroyed
7. very easy to notice; outstanding
8. deal with a problem
9. believing that good things will happen in the future
10. to include or be included as a part or member of a united whole
11. the ability to keep increasing, developing, or being more successful
12. to increase or improve something and make it more successful
13. a difficult time when there is less business activity in a country than usual
14. to turn around to the opposite direction
15. to move back; retire
16. a substance discharged into the air, especially by an internal combustion engine
17. to give something to someone
18. to accept something willingly or eagerly
19. the practice of giving money and help to people who are poor or in trouble
20. not having much experience of how complicated life is, so that you trust people too much and believe that good things will always happen

<보기>

erosion	philanthropy	momentum	present	critical
marked	optimistic	embrace	credibility	emission
treatment	reverse	upturn	recession	boost
prospect	retreat	naive	incorporate	tackle

1. upturn 2. critical 3. prospect 4. treatment 5. credibility 6. erosion 7. marked 8. tackle 9. optimistic 10. incorporate 11. momentum 12. boost 13. recession 14. reverse 15. retreat 16. emission 17. present 18. embrace 19. philanthropy 20. naive

B. 회화에 강한 동시통역 연습 - 다음을 영어로 쓰고 말해보세요.

1. 저는 말할 수밖에 없습니다 / 분위기가 매우 다르다고 / 과거의 낙관적인 성향과
2. 사람들은 걱정하고 있다 / 자신들의 일자리에 대해 / 그리고 생존하려고 애쓰고 있습니다.
3. 기후변화에 정면으로 대처하면 / 우리는 해결할 수 있습니다 / 많은 현재의 고민거리를
4. 많은 국가에서 / 그들은 환경을 보호하기 위해 노력하고 / 부패와 싸우기 위해 노력하고 있습니다.
5. 오늘 / 저는 여러분들에게 권합니다 / 글로벌 콤팩트의 새로운 단계에 참석할 것을
6. 우리시대는 요구합니다 / 리더십에 대한 새로운 정의를 / 글로벌 리더십이라는
7. 세계적인 예방접종 캠페인을 생각해보세요 / 천연두를 근절시켰던 / 1979년까지
8. 기업과 정부의 협력은 / 역전시켰습니다 / 오존층 파괴를
9. 이것은 요구할 것입니다 / 새롭게 헌신하는 것을 / 중심원칙에
10. 새로운 기술은 물을 재활용하고 있습니다 / 제품을 제조할 때 사용된 (물을) / 물이 안전하게 돌아가도록 / 환경으로
11. 오늘날 / 경기침체와 기후 변화로 인해, / 회사의 위험성은 / 어느 때보다도 높습니다.
12. 녹색 경제는 / 저탄소이며(탄소배출량을 감소시키고) 에너지 효율적입니다.
13. 최근의 여론 조사는 보여줍니다 / 급격히 감소된 것을 / 기업에 대한 신뢰가
14. 여러분들 중 많은 사람들이 비용을 절감하고 있습니다 / 경기침체에 대처하기 위해
15. 현재는 시기입니다 / 신뢰를 다시 쌓을 수 있는.
    시기가 됐습니다 / 신뢰를 회복할 수 있는

Answer

1. I must say / that the mood is very different / from the optimistic spirit of the past.
2. People worry / about their jobs / and struggle to survive.
3. By tackling climate change head-on / we can solve / many of our current troubles.
4. In many countries / they work to protect the environment / and fight against corruption.
5. Today / I urge you / to join a new phase of the Global Compact.
6. Our times demand / a new definition of leadership, / global leadership.
7. Think of the global vaccination campaign / that eradicated smallpox / by 1979.
8. Business and government cooperation / has reversed / the depletion of the ozone layer.
9. This will demand / a renewed commitment / to core principles.
10. New technologies are recycling water / used in manufacturing / so it can be returned safely / to the environment.
11. Today / with the economic downturn and climate change, / the stakes for companies / have never been higher.
12. The green economy / is low-carbon and energy-efficient.
13. Recent polls show / a dramatic erosion / of faith in business.
14. Many of you are cutting costs / to deal with the economic downturn.
15. Now is the time / to rebuild trust. It is time / to restore confidence.

Part II

성명서 및 논평을 중심으로

13. 공중위생

14. 에이즈

15. 여성 및 아동의 건강

16. 체르노빌 원전 사고

17. 아동의 재활

18. 말라리아

19. 아동범죄

20. 만성질병

21. 새로운 인플루엔자 바이러스

22. 식량안보

23. 자폐증

24. 주의 산만한 운전

25. 군비축소와 세계 안보

26. 유엔건물 폭파사건

27. 위기관리와 안보

28. 테러 희생자

29. 기후변화

30. 기아

13. 공중위생 Sanitation

A.

Last month I visited / Nigeria and Ethiopia / to highlight global
지난달에 저는 방문했습니다 / 나이지리아와 에티오피아를 / 세계적인 발전과 부족한 부분을 강조

progress and shortfalls / on women's and children's health.
하려고 / 여성 및 아동 보건의

During my visit, / I saw / that simple interventions by the
저의 방문 기간 동안에 / 저는 깨달았습니다 / 정부, 기업체 및 시민단체의 간단한 개입은 /

Government, by business, by civil society / - can make a huge
큰 영향을 끼칠 수 있다는 것을

difference.

Improving sanitation is one such intervention.
공중위생을 개선하는 것은 그런 개입에 속합니다.

That, of course, is why / sanitation itself is included / among the
당연히 그런 이유 때문에 / 공중위생은 포함되어 있습니다 / 업무 대상(해야 할 일)

targets in our work / towards the Millennium Development Goals.
에 / 밀레니엄 개발 목표를 달성하기 위해

Key Expression

'the targets towards+명사'는 '~을 위하여 해야 할 일(목표)'이라고 해석하고, 전치사 'towards'는 뭔가를 달성하기 위한 목표나 목적을 나타낼 때 사용한다.

That, of course, is why / sanitation itself is included / among the targets in our work /
당연히 그런 이유 때문에 / 공중위생은 포함되어 있습니다 / 업무 대상(해야 할 일)에 /

towards the Millennium Development Goals.
밀레니엄 개발 목표를 달성하기 위해

highlight ~을 강조하다, ~에 관심을 끌다 | global 세계의 | shortfall 부족액(부족한 부분) | intervention 개입, 조정 | make a difference 영향을 끼치다 | sanitation 공중위생 | target 목표, 대상 | millennium 새천년

B.

Every day, 5,000 children die / from diarrhoea.
매일, 5천 명의 어린이들이 사망합니다 / 설사로.

It is the second-leading cause / of mortality of children under five.
그것은 두 번째로 주된 원인입니다 / 5세 이하 어린이 사망의.

But the damage does not stop there.
그러나 피해는 여기서 멈추지 않습니다.

Diarrhoea triggers / a cause-and-effect chain / with tragic results.
설사는 일으킵니다 / 원인과 결과가 되는 연속 반응을 / 비극적인 결과를 낳는.

It is closely linked / to under-nutrition, / which accounts for / more
그것은 밀접하게 연결되어 있으며 / 영양결핍과, / 영양결핍은 해당됩니다 /

than half of all under-five deaths.
5세 이하 사망의 50% 이상에.

Undernourished children have compromised / immune systems.
영양이 결핍된 어린이들은 위태롭게 합니다 / 면역체계를.

Therefore, they often develop fatal / or debilitating diseases, /
그러므로, 그들에게는 종종 발생합니다 / 치명적이거나 (체력을) 쇠퇴시키는 질병이 /

including pneumonia / -- which kills / more children than any
폐렴을 포함하여 / 폐렴은 사망하게 합니다 / 어떤 다른 질병보다 더 많은 어린이를.

other disease. Under-nutrition also stunts / growth and mental
영양결핍은 또한 방해합니다 / 성장 및 지능의 발달을

development.

Sustainable Sanitation : Five-Year Drive to 2015
(21 June 2011)

Key Expression

'more than any other+명사'를 직역하면 '다른 어떤 ~보다'라는 뜻의 최상급 의미를 갖는다.

Therefore, they often develop fatal / or debilitating diseases, /
그러므로 그들에게는 종종 발생합니다 / 치명적이거나 (체력을) 쇠퇴시키는 질병이 /

including pneumonia / -- which kills / more children than any other disease.
폐렴을 포함하여 / 폐렴은 사망하게 합니다 / 어떤 다른 질병보다 더 많은 어린이를.

diarrhoea 설사 | mortality 사망자수, 사망률 | trigger (일련의 반응을) 일으키다 | cause-and-effect 원인과 결과 | chain 연속, 일련 | under-nutrition 영양결핍 | account for (비율·분량을) 차지하다, ~에 해당되다 | undernourished 영양이 결핍된 | compromise ~을 위태롭게 하다 | immune system 면역체계 | fatal 치명적인 | debilitating (체력을) 쇠퇴시키는 | pneumonia 폐렴 | stunt (성장·발육을) 방해하다

14. 에이즈 HIV & AIDS

A.

In Zambia, / a young woman named Tasila learned / she was HIV
잠비아에 사는 / 타실라라고 불리는 젊은 여인은 알았습니다 / 그녀가 에이즈바이러스에

positive / when she went / for prenatal care.
양성반응이 나왔다는 것을 / 그녀가 갔을 때 / 산전(임신 중) 관리를 받으러.

With help from UNICEF, / Tasila started receiving treatment / with
UNICEF의 도움으로 / 타실라는 치료를 받기 시작했습니다 /

anti-retroviral drugs. When her son was born, / a midwife taught
항 레트로 바이러스 치료제로. 그녀의 아들이 태어났을 때 / 조산원은 그녀에게 가르쳐 주었

her / how to give him medicine / for the first week of his life.
습니다 / 아들에게 약을 투여하는 방법을 / 생후 1주일 동안에.

At six weeks, / with her baby in her arms, / Tasila learned / that her
생후 6주에, / 아기를 팔에 안고 있던 / 타실라는 알았습니다 / 그녀의 아들

son was still HIV-free. By the time her son was able to stand / on
은 여전히 에이즈바이러스가 없다는 것을. 그녀의 아들이 설 수 있을 때 /

his own two feet, / he again tested negative. He was too young / to
자신의 두발로, / 그는 다시 음성반응을 나타냈습니다. 그는 너무나 어렸습니다 /

understand his mother's joy, / but we all can appreciate it.
어머니의 기쁨을 이해하기에 / 하지만 우리는 어머니의 기쁨을 이해할 수 있습니다.

More than that, / we can spread it / around the world.
게다가, / 우리는 그 기쁨을 퍼뜨릴 수 있습니다 / 전 세계로

Key Expression

'too 형용사 or 부사 to+동사원형'는 '너무나 ~하다 ~하기에(너무 ~하여 ~할 수 없다)'라고 해석한다.

He was too young / to understand his mother's joy.
그는 너무나 어렸습니다 / 어머니의 기쁨을 이해하기에.

HIV(human immunodeficiency virus) 에이즈바이러스, AIDS(Acquired Immune Deficiency Syndrome) 후천성 면역결핍증 | positive 양성의 | prenatal 출생전의, 산전의 | treatment 치료 | anti- (병·독에) 저항하는, 항 | retroviral 레트로 바이러스의 | retrovirus 레트로 바이러스(암이나 에이즈를 일으키는 바이러스) | midwife 조산원 | HIV-free 에이즈바이러스가 없는 | test negative(positive) 음성(양성)반응을 나타내다 | appreciate ~을 이해하다, 식별하다

B.

I have been working very hard / to tear down / all the political, legal
저는 아주 열심히 노력했습니다 / 부수려고 / 모든 정치적, 법적,

and social walls / which have been set up / for those people living
사회적 장벽을 / (어떤 장벽?) 설치된 / 에이즈바이러스(후천성 면역결핍증)를

with HIV/AIDS.
앓고 있는 사람들에게.

I have committed myself to / tearing them down.
저는 헌신했습니다 / 그런 장벽을 부수는 일에

I have seen / President Obama's courageous decision / to tear down
저는 보았습니다 / 오바마 대통령의 용기 있는 결정을 / 이런 제한 조건을 부

these restrictions.
수려는.

Then everybody is free to come / to the United States.
그렇게 되면 누구나가 자유롭게 갈 수 있습니다 / 미국에

And I have spoken / to the Chinese leadership / and spoken to my
그리고 저는 (저의 의견을) 말했고 / 중국정부의 지도자들에게 / 저의 조국인 한국 정부에 말했

country, Korea.
습니다.

And there are very few countries / that are imposing restrictions for
그래서 나라는 거의 없습니다 / 입국에 제한 조건을 부과하는 /

entry / for those people going to their own countries.
자신의 조국으로 돌아가는 사람들에게

the Elimination of New HIV Infections among Children and
Keeping their Mothers Alive
(09 June 2011)

Key Expression

현재분사가 앞에 나온 명사를 수식하면 명사와 현재분사는 능동관계이다.

people living with HIV/AIDS
에이즈바이러스나 후천성 면역결핍증을 앓고 있는 사람들

people going to their own countries
조국으로 돌아가는 사람들

tear down (건물을) 부수다 | legal 법적인 | set up ~을 설치하다 | commit oneself to ~에 헌신하다, 충성을 맹세하다 | courageous 용기 있는 | decision 결정 | restriction 제한 조건(제약) | leadership 지도자들, 지도부 | entry 입국, 입장 | elimination 근절 | infection 감염

C.

AIDS is a social issue, a human rights issue, an economic issue.
에이즈는 사회적인 문제이고, 인권의 문제이며, 경제적인 문제입니다.

It targets young adults / just as they should be contributing /
에이즈는 청소년들에게 영향을 끼치고 있습니다 / 그들이 기여하고 있어야 할 때 /

to economic development, intellectual growth / and bringing up
경제 개발, 지적 성장에 / 그리고 자식들을 기르고 있어야

children.
할 때.

It is taking a disproportionate toll / on women.
에이즈는 너무나 큰 피해를 주고 있습니다 / 여성들에게.

It has made / millions of children orphans.
에이즈는 만들었습니다 / 수백만 명의 어린이들을 고아로.

It does to society / what HIV does to the human body / -- reduces
에이즈는 사회에 하고 있습니다 / 에이즈바이러스가 인체에 하는 것을 / (에이즈는 인체

resilience and weakens capacity, / hampers development and
뿐만 아니라 사회에도 영향을 끼치고 있습니다) 회복력을 줄이고 능력을 약화시키고 / 성장을 방해하고

threatens stability. This does not need to happen.
안정을 위협합니다. 이런 일이 일어나면 안 됩니다.

We have the means / to prevent / young adults from becoming
우리에게는 방법이 있습니다 / 예방할 수 있는 (방법이) / 청소년들이 감염되는 것을.

infected. We have the means / to treat / those who are infected.
우리에게는 방법이 있습니다 / 치료할 수 있는 (방법이) / 감염된 사람들을.

We have the means / to provide care and support.
우리에게는 방법이 있습니다 / 치료하고 지원할 수 있는.

Key Expression

'prevent A from B'는 'A가 B되는 것(B하는 것)을 막다'라는 표현이다.

We have the means / to prevent / young adults from becoming infected.
우리에게는 방법이 있습니다 / 예방할 수 있는 (방법이) / 청소년들이 감염되는 것을.

target (특정집단에) 영향을 끼치다 | young adult 청소년 | bring up ~을 기르다, 양육하다 |
take a toll 악영향을 끼치다, 피해를 주다 | disproportionate 너무나 큰, 어울리지 않는 | resilience 회복력 |
hamper ~을 방해하다, 훼방하다 | stability 안정 | means 방법, 수단 | prevent (~의 발생을) 예방하다, 막다 |
infect ~을 감염시키다

D.

Although new data shows / that global HIV prevalence has levelled
비록 새로운 데이터는 보여주지만 / 세계적으로 에이즈바이러스의 유행이 안정되었다는 것을 /

off, / the numbers are still staggering, / and AIDS remains / among
감염자의 수는 아직도 충격적이고 / 에이즈는 아직도 남아 있습니다 /

the leading causes of death / globally.
주된 사망 원인으로 / 세계적으로

It is our crucial mission / to ensure / that everyone can access / HIV
우리의 중대한 임무입니다 / 확실하게 하는 것이 / 모든 사람들이 접근할 수 있도록 / 에이즈

prevention, treatment, care and support.
의 예방, 치료, 간호 및 지원에.

This includes all people / -- wherever they live, / whatever they do.
이것에는 모든 사람들을 포함합니다 / 그들이 어디에 살든, / 어떤 일을 하든.

Overcoming stigma remains / one of our biggest challenges.
치욕(사회적 낙인)을 극복하는 것이 남아 있습니다 / 가장 큰 난제 중 하나로.

It is still the single biggest barrier / to public action on AIDS.
그것은 여전히 가장 큰 장애물입니다 / 에이즈에 대한 공적인 활동에.

It is one of the reasons / why the epidemic continues to wreak its
그것이 이유에 속합니다 / 왜 전염병(에이즈)이 계속 엄청난 피해를 입히고 있는지 /

devastation / around the world.
전 세계적으로.

Today, I call for / renewed leadership / in eradicating stigma /
오늘, 저는 요구합니다 / 새로운 리더십을 / 치욕(사회적 낙인)을 근절시키는데 /

associated with HIV. I applaud / the brave individuals / who live
에이즈바이러스와 관련된. 저는 박수갈채를 보냅니다 / 용감한 개인들에게 / 에이즈에 감염된 사

openly with HIV, / who advocate tirelessly / for the rights of the
실을 공개하고 살고 있는 (개인들에게), / 꾸준히 옹호하는 (개인들에게) / 에이즈바이러스 보균자들의 권리

HIV-positive, / who educate others about AIDS.
를, / (그리고) 에이즈에 대해 다른 사람들을 교육하는 (개인들에게).

At observance of World AIDS Day
(30 November 2007)

Key Expression

'the + 형용사(분사)'는 '~한 사람들'이라는 의미다. 따라서 'the HIV-positive'는 '에이즈바이러스에 양성인 사람들, 에이즈바이러스 보균자들'이라고 해석한다.

~ who advocate tirelessly / for the rights of the HIV-positive.
~ (그리고) 꾸준히 옹호하는 (개인들에게) / 에이즈바이러스 보균자들의 권리를

prevalence 유행, 보급 | level off 안정되다 | staggering 충격적인, 믿기 어려운 | leading 주요한, 주된 | crucial 중대한, 결정적인 | access ~에 접근하다 | prevention 예방(법) | stigma 치욕, 오명 | epidemic 전염병 | wreak (피해를) 가하다, 입히다 | devastation 파멸, 파괴 | eradicate 근절하다, 박멸하다 | associated with ~와 관련된 | advocate 옹호하다, 지지하다

15. 여성 및 아동의 건강 Women's and Children's Health

A.

I am honored to / be here at Maitama Hospital.
저는 영광으로 생각합니다 / 마이타마 병원에 오게 되어서.

You are saving / young mothers and their babies / and helping /
여러분들은 구하고 있고 / 젊은 어머니들과 그들의 아이들을 / 돕고 있습니다 /

them look forward to / a healthy future. You are keeping others
그들이 기대하도록 / 건강한 미래를. 여러분들은 다른 사람들이 병에 걸리지 않게

from getting sick / or helping / them to get better / when they are
하고 있으며 / 돕고 있습니다 / 그들이 회복하도록 / 그들이 아플 때.

ill. This has been a top priority for me / since I became Secretary-
이것은 저의 최우선 과제입니다 / 제가 사무총장이 된 때로부터.

General. Healthy women, healthy mothers, and healthy children
건강한 여성, 건강한 어머니와 건강한 아동들은 의미합니다 /

mean / healthy societies. Health systems / that work for women and
건강한 사회를. 보건제도는 / (어떤 보건제도?) 여성과 아이들에게 효

children / are health systems / that work for all.
과적인 / 보건제도입니다 / 모두에게 효과적인.

Unfortunately, around the world, / health systems are not working /
불행히도, 전 세계적으로, / 보건제도는 효과적이지 않습니다 /

for women and children.
여성과 아이들에게.

Key Expression

'that'이 관계대명사 주격으로 쓰이면, 'that' 앞에 나온 '명사(health systems)'를 더 자세히 설명한다. 예문처럼 'that'이 주격으로 사용되면 주어가 없고, 목적격으로 사용되면, 목적어가 없어야 한다.

Health systems / that work for women and children ~
보건제도는 / (어떤 보건제도?) 여성과 아이들에게 효과적인 ~

be honored to ~하는 것을 영광으로 생각하다 | look forward to ~을 기대하다 | keep A from 동사+ing A가 ~하지 않게 하다 | get better 병에서 회복하다 | top priority 최우선 (과제) | Secretary-General 사무총장 | health system 보건제도 | work for ~에게 효과적이다

B.

One thousand women die / every day from complications /
천 명의 여성들이 사망합니다 / 매일 합병증으로 /

from pregnancy and childbirth.
임신과 분만으로 인한.

The kinds of complications / can and should be dealt with /
이런 종류의 합병증은 / 치료될 수 있고 치료되어야 합니다 /

in a hospital like this one.
이와 같은 병원에서.

Twenty-two thousand children under five / die / every day too.
2만2천 명의 5세 이하의 아이들이 / 사망합니다 / 매일 또한.

This is truly unacceptable.
이런 일은 정말로 받아들일 수 없습니다.

Especially / because most of these deaths can be easily prevented.
특히 / 대부분의 이와 같은 사망은 쉽게 예방할 수 있기 때문에.

That is why / we created / the Global Strategy on Women's and
그런 이유 때문에 / 우리는 만들었고 / 여성과 아동들의 건강을 위한 세계적인 전략을 /

Children's Health / and why all Governments have endorsed it.
그리고 (그런 이유 때문에) 모든 정부가 그것을 지지하고 있습니다.

Key Expression

'die'는 (일반적으로) 죽다, 'pass away'는 (완곡적으로) 사망하다, 'be killed'는 (전쟁·사고로) 죽다, 'die from' (병이 원인이 되어) '죽다'라는 의미며, 'die from'과 'die of'를 서로 바꿔 쓰는 경우도 많다.

One thousand women die / every day from complications / from pregnancy and
천 명의 여성들이 사망합니다 / 매일 합병증으로 / 임신과 분만으로 인한.
childbirth.

complications 합병증 | pregnancy 임신 | childbirth 분만, 출생 | deal with (문제를) 다루다, (병을) 치료하다 | unacceptable 받아들일 수 없는 | prevent (사건을) 예방하다, 막다 | strategy 전략 | endorse (계획을) 지지하다, 승인하다

C.

Thank you / for committing to do your utmost / towards ensuring /
감사합니다 / 최선을 다하려고 헌신해주셔서 / 반드시 일어나게 하기 위해 /

that every woman and child on earth / has the chance / to live long,
(무엇이?) 세계의 모든 여성과 어린이가 / 기회를 갖는 일이 / 오랫동안 건강한 삶

healthy lives. If I may say something about myself: / I was born /
을 살 수 있는. 저에 대해 말해보면 / 저는 태어났습니다 /

not in a hospital but in my home / - a simple small home / in rural
병원이 아니라 저의 집에서 / 평범한 작은 집에서 / 한국 농촌에

Korea. There was nothing very strange or special / about that fact.
있는. 이상하거나 특이한 것은 없었습니다 / 그런 사실에는

Where I grew up, / hospitals and clinics / were faraway luxuries.
제가 성장한 곳에, / 병원과 진료소는 / 먼 곳에 있는 사치품이었습니다.

So older women / from the community / would gather at a home /
그래서 나이든 아낙네들은 / 같은 지역에 사는 / 집에 모이곤 했습니다 /

- mothers, mothers-in-law, aunts, neighbors.
(아낙네들이란) 어머니, 시어머니, 이모, 이웃들이었습니다.

Quite often / the only medical training / they had / was experience.
종종 / 유일한 의료 훈련이란 / 그들이 받은 / 경험이었습니다.

In our world today, / too many women lose their lives / giving life.
오늘날 이 세상에 / 너무나 많은 여성들이 생명을 잃고 있습니다 / 아이를 낳을 때.

The fact remains / that one preventable maternal death / is too
사실로 남아 있습니다 / 예방할 수 있는 임산부의 사망이 / 너무 많다는 것이.

many. Hundreds of thousands / are simply unacceptable.
수천 명 중 수백 명의 사망은 / 정말로 받아들일 수 없습니다.

This, in the 21st century.
21세기에 이런 일이 일어난다는 것은 (받아들일 수 없습니다)

In some countries / maternal deaths are declining.
일부 국가에서 / 임산부의 사망은 감소하고 있습니다.

That is great news.
그것은 좋은 소식입니다.

But progress on maternal health / is still lagging far behind.
하지만 임산부 건강의 발전은 / 아직도 훨씬 느릿느릿 진행되고 있습니다.

Remarks at Maitama Hospital
(22 May 2011)

commit to ~에 헌신하다, 전념하다 | do one's utmost 최선을 다하다 | towards (목적을) 달성하기 위해, ~을 위하여 | ensure 반드시 ~하게 하다 | rural 농촌의 | community 지역, 공동체 | preventable 예방할 수 있는 | maternal 임산부의, 어머니의 | simply 정말로, 완전히 | unacceptable 받아들일 수 없는 | decline 감소하다 | progress 진보, 발전 | lag behind 느릿느릿 나아가다

13. 공중위생 Sanitation

A.

Last month I visited Nigeria and Ethiopia to highlight global progress and shortfalls on women's and children's health.

During my visit, I saw that simple interventions by the Government, by business, by civil society - can make a huge difference.

Improving sanitation is one such intervention.

That, of course, is why sanitation itself is included among the targets in our work towards the Millennium Development Goals.

B.

Every day, 5,000 children die from diarrhoea.

It is the second-leading cause of mortality of children under five.

But the damage does not stop there.

Diarrhoea triggers a cause-and-effect chain with tragic results.

It is closely linked to under-nutrition, which accounts for more than half of all under-five deaths. Undernourished children have compromised immune systems.

Therefore, they often develop fatal or debilitating diseases, including pneumonia -- which kills more children than any other disease.

Under-nutrition also stunts growth and mental development.

14. 에이즈 HIV & AIDS

A.

In Zambia, a young woman named Tasila learned she was HIV positive when she went for prenatal care.

With help from UNICEF, Tasila started receiving treatment with anti-retroviral drugs. When her son was born, a midwife taught her how to give him medicine for the first week of his life.

At six weeks, with her baby in her arms, Tasila learned that her son was still HIV-free. By the time her son was able to stand on his own two feet, he again tested negative.

He was too young to understand his mother's joy, but we all can appreciate it.

More than that, we can spread it around the world.

B.

I have been working very hard to tear down all the political, legal and social walls which have been set up for those people living with HIV/AIDS.

I have committed myself to tearing them down.

I have seen President Obama's courageous decision to tear down these restrictions.

Then everybody is free to come to the United States.

And I have spoken to the Chinese leadership and spoken to my country, Korea.

And there are very few countries that are imposing restrictions for entry for those people going to their own countries.

C.

AIDS is a social issue, a human rights issue, an economic issue.

It targets young adults just as they should be contributing to economic development, intellectual growth and bringing up children.

It is taking a disproportionate toll on women.

It has made millions of children orphans.

It does to society what HIV does to the human body -- reduces resilience and weakens capacity, hampers development and threatens stability.

This does not need to happen.

We have the means to prevent young adults from becoming infected.

We have the means to treat those who are infected.

We have the means to provide care and support.

D.

Although new data shows that global HIV prevalence has levelled off, the numbers are still staggering, and AIDS remains among the leading causes of death globally.

It is our crucial mission to ensure that everyone can access HIV prevention, treatment, care and support.

This includes all people -- wherever they live, whatever they do.

Overcoming stigma remains one of our biggest challenges.

It is still the single biggest barrier to public action on AIDS.

It is one of the reasons why the epidemic continues to wreak its devastation around the world.

Today, I call for renewed leadership in eradicating stigma associated with HIV.

I applaud the brave individuals who live openly with HIV, who advocate tirelessly for the rights of the HIV-positive, who educate others about AIDS.

15. 여성 및 아동의 건강 Women's and Children's Health

A.

I am honored to be here at Maitama Hospital.

You are saving young mothers and their babies and helping them look forward to a healthy future.

You are keeping others from getting sick or helping them to get better when they are ill.

This has been a top priority for me since I became Secretary-General. Healthy women, healthy mothers, and healthy children mean healthy societies.

Health systems that work for women and children are health systems that work for all.

Unfortunately, around the world, health systems are not working for women and children.

B.

One thousand women die every day from complications from pregnancy and childbirth.

The kinds of complications can and should be dealt with in a hospital like this one.

Twenty-two thousand children under five die every day too.

This is truly unacceptable.

Especially because most of these deaths can be easily prevented.

That is why we created the Global Strategy on Women's and Children's Health and why all Governments have endorsed it.

C.

Thank you for committing to do your utmost towards ensuring that every woman and child on earth has the chance to live long, healthy lives.

If I may say something about myself: I was born not in a hospital but in my home - a simple small home in rural Korea.

There was nothing very strange or special about that fact.

Where I grew up, hospitals and clinics were faraway luxuries.

So older women from the community would gather at a home - mothers, mothers-in-law, aunts, neighbors.

Quite often the only medical training they had was experience.

In our world today, too many women lose their lives giving life.

The fact remains that one preventable maternal death is too many. Hundreds of thousands are simply unacceptable.

This, in the 21st century. In some countries maternal deaths are declining. That is great news.

But progress on maternal health is still lagging far behind.

유엔 사무총장 **반기문 – 명언 ⑬** 자기개혁 Change

Change / yourself first.
변화하라 / 자신부터

자신부터 변화하라.

Quiz 8

A. 단어 – 다음 제시된 단어의 설명을 읽고, 어떤 단어를 설명하는지 〈보기〉에서 어울리는 단어를 고르세요.

1. to make a problem easy to notice so that people pay attention to it
2. a failure to attain a specified amount or level; a shortage
3. the act of becoming involved in an argument, fight, or other difficult situation in order to change what happens
4. frequent and watery bowel movements
5. to give rise to; set off
6. Inadequate nutrition resulting from lack of food or failure of the body to absorb nutrients properly
7. to stop something or someone from growing to their full size or developing properly
8. occurring before birth; during pregnancy
9. a disease that affects a particular part of your body and is caused by bacteria or a virus
10. a principle that limits the extent of something
11. the ability to recover quickly from illness
12. the condition of being steady and not changing
13. a group of people living in the same locality and under the same government
14. a strong feeling in society that being in a particular situation is something to be ashamed of
15. to support or recommend something publicly; plead for or speak in favor of something
16. a medical problem or illness that happens while someone is already ill and makes treatment more difficult
17. the act of giving birth to a baby
18. to give approval of or support to, especially by public statement
19. happening in or relating to the countryside, not the city
20. to grow smaller; to decrease in quantity or importance

〈보기〉

rural	advocate	stunt	restriction	endorse
under-nutrition	stability	community	decline	stigma
prenatal	diarrhoea	resilience	childbirth	intervention
complications	trigger	infection	highlight	shortfall

Answer

1. highlight 2. shortfall 3. intervention 4. diarrhoea 5. trigger 6. under-nutrition 7. stunt 8. prenatal 9. infection 10. restriction 11. resilience 12. stability 13. community 14. stigma 15. advocate 16. complications 17. childbirth 18. endorse 19. rural 20. decline

B. 회화에 강한 동시통역 연습 - 다음을 영어로 쓰고 말해보세요.

1. 저의 방문 기간 동안에, / 저는 깨달았습니다 / 정부, 기업체 및 시민단체의 단순한 개입은 / 큰 영향을 끼칠 수 있다는 것을
2. 매일, / 5천 명의 어린이들이 사망합니다 / 설사로. 그것은 두 번째로 주된 원인입니다 / 5세 이하 어린이 사망의
3. 타실라라고 불리는 젊은 여인은 알았습니다 / 그녀가 에이즈바이러스에 양성반응이 나왔다는 것을 / 그녀가 갔을 때 / 산전(임신 중)관리를 받으러
4. 그녀의 아들이 설 수 있을 때 / 자신의 두발로 / 그는 다시 음성반응을 나타냈습니다.
5. 그는 너무나 어렸습니다 / 어머니의 기쁨을 이해하기에 / 하지만 우리는 어머니의 기쁨을 이해할 수 있습니다.
6. 저는 아주 열심히 노력했습니다 / 부수려고 / 모든 정치적, 법적, 사회적 장벽을
7. 에이즈는 사회적인 문제이고, 인권의 문제이며, 경제적인 문제입니다.
8. 우리에게는 방법이 있습니다 / 예방할 수 있는 (방법이) / 청소년들이 감염되는 것을
9. 우리의 중대한 임무입니다 / 확실하게 하는 것이 / 모든 사람들이 접근할 수 있도록 / 에이즈의 예방, 치료, 간호 및 지원에
10. 치욕을 극복하는 것이 남아 있습니다 / 가장 큰 난제 중 하나로
11. 여러분들은 다른 사람들이 병에 걸리지 않게 하고 있거나 / 돕고 있습니다 / 그들이 회복하도록 / 그들이 아플 때
12. 1천 명의 여성들이 사망합니다 / 매일 합병증으로 / 임신과 분만으로 인한
13. 저는 태어났습니다 / 병원이 아니라 저의 집에서
14. 사실로 남아 있습니다 / (무엇이?) 예방할 수 있는 임산부의 사망이 / 너무나 많다는 것이
15. 제가 성장한 곳에서는, / 병원과 진료소는 먼 곳에 있는 사치품이었습니다.

Answer

1. During my visit, / I saw / that simple interventions by the Government, by business, by civil society / - can make a huge difference.
2. Every day, / 5,000 children die / from diarrhoea. It is the second-leading cause / of mortality of children under five.
3. A young woman named Tasila learned / she was HIV positive / when she went / for prenatal care.
4. By the time her son was able to stand / on his own two feet, / he again tested negative.
5. He was too young / to understand his mother's joy, / but we all can appreciate it.
6. I have been working very hard / to tear down / all the political, legal and social walls.
7. AIDS is a social issue, a human rights issue, an economic issue.
8. We have the means / to prevent / young adults from becoming infected.
9. It is our crucial mission / to ensure / that everyone can access / HIV prevention, treatment, care and support.
10. Overcoming stigma remains / one of our biggest challenges.
11. You are keeping others from getting sick / or helping / them to get better / when they are ill.
12. One thousand women die / every day from complications / from pregnancy and childbirth.
13. I was born / not in a hospital but in my home.
14. The fact remains / that one preventable maternal death / is too many.
15. Where I grew up, / hospitals and clinics were faraway luxuries.

16. 체르노빌 원전 사고 Chernobyl Nuclear Accident

During my visit / to Chernobyl last week, / I witnessed / the
저의 방문 기간 동안에 / 체르노빌을 지난주에 / 저는 목격했습니다 /

devastation first-hand, / a moving experience / which provided an
파괴된 상태를 직접, / (그것은) 가슴 아픈 경험이었으며 / 심사숙고할 기회를 주었습니다 /

opportunity to reflect / upon the impact of the disaster, / the lives
참사의 영향과 / 희생되거나 영원히

lost or changed forever, / and to face / the harsh reality of illness
변화된 생명체에 대하여 / 그리고 직시할 수 있는 (기회를 얻었습니다) / 질병의 가혹한 현실과

and environmental damage / for generations of the past and future.
환경 피해를 / 과거와 미래의 사람들에게

I hope / that the Government of Ukraine and the donor community /
저는 바랍니다 / 우크레인 정부와 국제 원조 단체가 /

can celebrate / the completion of a safer and more environmentally
축하할 수 있길 / 더 안전하고 더 환경 친화적인 보호 외장설비의 준공을 /

friendly protective shell / in 2015.
2015년에.

Moreover, / I am pleased / that the Kiev Summit on Safe and
게다가, / 기쁩니다 / (왜?) 안전하고 혁신적인 핵에너지 이용에 대한 키예프 정상회담이 /

Innovative Use of Nuclear Energy / has successfully highlighted /
성공적으로 강조하게 되어 /

the importance of reassessing / the need to strengthen the global
재평가할 중요성을 / (무엇을?) 전 세계 핵 안전 체제를 강화해야 하는 필요성을.

nuclear safety regime. The urgency of that work was underscored /
그런 일을 해야 할 절박함은 강조되었으며 /

by the recent nuclear accident / in Fukushima nuclear power plant, /
최근 원전 사고로 인하여 / 후쿠시마 핵발전소에서 /

which has put nuclear safety back / at the top of the international
핵 안전을 다시 되돌려 놓았습니다 / 국제사회의 의제 중 최상위로.

agenda.

Statement on the 25th Anniversary of the Chernobyl Disaster
(26 April 2011)

witness 목격하다 | devastation 파괴, 파괴된 상태 | reflect 심사숙고하다 | impact 영향 | harsh 가혹한 | damage 피해, 손해 | generation 한 세대의 사람들 | donor 제공자, 원조자, 기증자 | completion 완성 | protective 보호의 | shell 껍질, 외장설비 | summit 정상회담, 수뇌회의 | innovative 혁신적인 | highlight 강조하다 | reassess 재평가하다 | urgency 절박함, 긴급 | underscore 강조하다 | agenda 의제, 안건

17. 아동의 재활 Children's Rehabilitation

It's a great pleasure / for me to visit / this children's rehabilitation
아주 유쾌한 일입니다 / 제가 방문한 것은 / 이 어린이 재활 센터를 /

center / as the first schedule / on my visit to Russia.
첫 번째 일정으로 / 러시아 방문의.

The children at this center / deserve / our full attention, care and
이 센터의 아이들은 / 받아야 합니다 / 우리의 최대한 관심, 배려 및 지지를.

support.

Teachers and supporters of this center / deserve / our full support
이 센터의 교사와 지지자들은 / 받아야 합니다 / 우리의 최대한 지지와 칭찬

and praise.
을.

People living with disabilities, / particularly children with
장애로 살고 있는 사람들은 / 특히 장애로 살고 있는 어린이들은 /

disabilities, / are a global problem. In Russia, / there are more than
세계적인 문제입니다. 러시아에 / 50만 명 이상의 사람들이 있습니

half a million people / who live with disabilities.
다 / 장애로 살고 있는 (사람들이).

The United Nations, / particularly led by UNICEF, / are working
유엔은 / 특히 UNICEF가 이끄는 / 열심히 일하고 있습니다 /

very hard / to help these people with disabilities / so that they can
장애가 있는 사람들을 도와주기 위해 / 그들이 융합(적응)할 수 있도

integrate themselves / in social life.
록 / 사회생활에

Visit to the Children's Physical Rehabilitation Center
(21 April 2011)

Key Expression

과거분사가 명사 뒤에서 수식하면, 수동의 의미가 있다.

The United Nations, / particularly led by UNICEF, / are working very hard.
유엔은 / 특히 UNICEF에 의해 통솔되는(특히 UNICEF가 지휘하는) / 열심히 일하고 있습니다.

rehabilitation 재활, 사회복귀 | deserve ~을 받을 가치가 있다, ~을 받을 만하다 | support 지원, 지지 |
disability (육체적, 정신적)장애, 결함 | particularly 특히 | integrate oneself 융합하다

18. 말라리아 Malaria

We are here / to celebrate our success / in the fight against malaria /
우리는 이 자리에 모였습니다 / 우리의 성공을 축하하려고 / 말라리아에 대한 전쟁에서 /

and to plan our response / for the challenges that remain.
그리고 우리의 대응을 계획하려고 (모였습니다) / 아직도 남아 있는 난제에 대한.

We are witnessing / an historic turnaround.
우리는 목격하고 있습니다 / (질병과의 싸움에서) 역사에 남을 만한 방향 전환을.

Until recently, / hopes for beating malaria / had all but vanished.
최근까지, / 말라리아를 퇴치할 수 있다는 희망은 / 거의 보이지 않았습니다.

The situation was deteriorating. Now, / thanks to the dedication of
상황은 악화되고 있었습니다. 이제, / 이곳에 있는 분들과

those in this room and thousands of unsung heroes, /
수천 명의 칭송 받지 못하는 영웅들의 헌신 덕분에 /

Africa is being freed / from one of its heaviest burdens and one of
아프리카는 해방되어가고 있습니다 / 가장 무거운 부담과 발전에 가장

the biggest obstacles to its development. In a very short time, /
큰 장애로부터. 머지않아, /

the world has gone / from simply trying to hold malaria at bay, /
세상은 변할 것입니다 / 단지 말라리아를 저지하려는 시도에서, /

to the goal of delivering effective and affordable care / to all who
효과적이며 적절한 치료를 하는 목표로 / 치료를 필요로 하는

need it.
모든 사람들에게.

Bridging the Malaria Gap
(22 September 2010)

Key Expression

'beat'는 '(질병을) 극복하다, (질병과 싸워) 이기다'라는 뜻이다.

Until recently, / hopes for beating malaria / had all but vanished.
최근까지 / 말라리아를 극복할 수 있다는 희망은 / 거의 보이지 않았습니다.

celebrate 축하하다 | response 대응, 반응 | challenge 난제, 어려운 일(과제) | historic 역사에 남을 만한 | turnaround 방향전환 | all but 거의 | vanish 보이지 않다, 사라지다 | deteriorating 악화되는 | thanks to ~덕분에 | dedication 헌신 | unsung (자격이 있지만) 칭찬받지 못하는 | burden 부담, 짐 | obstacle 장애물 | hold ~ at bay ~을 저지하다 | effective 효과적인 | affordable 가능한, 적절한, 적당한

19. 아동 범죄 Crime against Children

A.

Thank you / for this opportunity / to see / your important and very
감사합니다 / 이런 기회를 주셔서 / 볼 수 있는 / 어린이에 대한 여러분들의 중요하고 매우

moving work with children. I understand / that there are several
감동적인 일을. 저는 알고 있습니다 / 이와 같은 프로젝트가 몇 개 더 있다는

more projects like this / for children / in Libreville and in Port
것을 / 어린이들을 위한 / Libreville과 in Port Gentil에.

Gentil.

They show the results / that can be achieved / through partnership /
그들은 결과를 보여주고 있습니다 / 성취할 수 있는 (결과를) / 협력을 통하여 /

between the state, civil society, private businesses, religious
국가, 시민사회, 사기업체, 종교 단체와

institutions and the United Nations / in this case, through UNICEF.
유엔 간에 / 이런 경우, UNICEF를 통하여.

The difference you make / to each child's life / is incalculable.
여러분들이 만든 변화는 / 각 어린이의 삶에 / 막대합니다.

You are giving them / a true second chance. The people responsible
여러분들은 그들에게 주고 있습니다 / 다시 한 번 진정한 기회를. 책임져야 할 사람들을 /

/ must be found, / prosecuted and convicted.
반드시 찾아내서 / 기소하고 유죄를 입증해야 합니다.

The era of impunity / for crimes against children / is over.
처벌받지 않는 시대는 / 어린이에게 범죄를 저지르고 / 끝났습니다.

Key Expression

'to+동사원형' 앞에 나온 명사를 더 자세히 설명해 주면, 형용사처럼 명사를 수식하기 때문에, to 부정사의 형용사적 용법이라고 부른다. 예문의 'to see'는 앞에 있는 'this opportunity'를 수식한다.

Thank you / for this opportunity / to see / your important and very moving work
감사합니다 / 이런 기회를 주셔서 / 볼 수 있는 / 어린이에 대한 여러분들의 중요하고 매우 감동적인 일을

with children.

moving 감동적인 | partnership 협력, 제휴 | state 국가 | civil 시민의 | institution (공공)기관, 단체 | case 경우, 사례 | difference 변화, 차이 | incalculable 막대한, 헤아릴 수 없는 | prosecute 기소하다 | convict 유죄를 입증하다 | era 시대 | impunity 처벌되지 않음, 무사 | crime 범죄

B.

I strongly encourage / the government of Gabon to step up its
저는 강력히 권합니다 / 가봉 정부가 노력을 증가시키는 것을 /

efforts / to eliminate / the trafficking and abuse of children.
없애려는 (노력을) / 어린이의 밀매매와 학대를.

The government, civil society, private businesses, and the police /
정부, 시민 사회, 사기업체와 경찰은 /

must play their part / in creating and implementing laws / to protect
자신의 역할을 수행해야 합니다 / 법을 만들고 실행할 때 / 어린이를 보호

children.
하려는.

A society is judged / by its treatment / of its weakest and most
한 사회는 평가를 받습니다 / 어떻게 대우하느냐에 따라 / 가장 약하고 상처를 받기 쉬운 구성원들을.

vulnerable members.

What I have seen here today / is a sign of great hope / for the future.
오늘 제가 여기서 목격한 것은 / 큰 희망을 품을 수 있는 징조입니다 / 미래에 대한.

During visit to Child Protection Center
(01 July 2010)

Key Expression

'what'이 관계대명사로 쓰이면, 'what'절 안에 주어 또는 목적어가 없고, '~한 것'으로 해석한다. 아래 예문을 보면, 'what I have seen'절 안에는 목적어가 없고, '내가 목격한 것'이란 뜻으로 해석되며, 문장의 주어 역할을 한다. 그리고 관계대명사 'what'이 포함된 절은 명사처럼 사용된다.

What I have seen here today / is a sign of great hope / for the future.
오늘 제가 여기서 목격한 것은 / 큰 희망을 품을 징조입니다 / 미래에 대한.

encourage ~하도록 권하다, 권장하다, 격려하다 | step up ~을 증가시키다, 강화시키다 | eliminate 제거하다, 몰아내다 | trafficking 밀매매 | abuse 학대 | play one's part 자신의 역할을 수행하다 | implement 이행하다, 수행하다 | judge ~을 평가하다 | treatment 취급, 대우 | vulnerable 약한, 상처를 받기 쉬운

16. 체르노빌 원전 사고 Chernobyl Nuclear Accident

During my visit to Chernobyl last week, I witnessed the devastation first-hand, a moving experience which provided an opportunity to reflect upon the impact of the disaster, the lives lost or changed forever, and to face the harsh reality of illness and environmental damage for generations of the past and future.

I hope that the Government of Ukraine and the donor community can celebrate the completion of a safer and more environmentally friendly protective shell in 2015.

Moreover, I am pleased that the Kiev Summit on Safe and Innovative Use of Nuclear Energy has successfully highlighted the importance of reassessing the need to strengthen the global nuclear safety regime.

The urgency of that work was underscored by the recent nuclear accident in Fukushima nuclear power plant, which has put nuclear safety back at the top of the international agenda.

17. 아동의 재활 Children's Rehabilitation

It's a great pleasure for me to visit this children's rehabilitation center as the first schedule on my visit to Russia.

The children at this center deserve our full attention, care and support.

Teachers and supporters of this center deserve our full support and praise.

People living with disabilities, particularly children with disabilities, are a global problem.

In Russia, there are more than half a million people who live with disabilities.

The United Nations, particularly led by UNICEF, are working very hard to help these people with disabilities so that they can integrate themselves in social life.

18. 말라리아 Malaria

We are here to celebrate our success in the fight against malaria and to plan our response for the challenges that remain.

We are witnessing an historic turnaround.

Until recently, hopes for beating malaria had all but vanished.

The situation was deteriorating.

Now, thanks to the dedication of those in this room and thousands of unsung heroes, Africa is being freed from one of its heaviest burdens and one of the biggest obstacles to its development.

In a very short time, the world has gone from simply trying to hold malaria at bay, to the goal of delivering effective and affordable care to all who need it.

19. 아동 범죄 Crime against Children

A.

Thank you for this opportunity to see your important and very moving work with children.

I understand that there are several more projects like this for children in Libreville and in Port Gentil.

They show the results that can be achieved through partnership between the state, civil society, private businesses, religious institutions and the United Nations in this case, through UNICEF.

The difference you make to each child's life is incalculable.

You are giving them a true second chance.

The people responsible must be found, prosecuted and convicted.

The era of impunity for crimes against children is over.

B.

I strongly encourage the government of Gabon to step up its efforts to eliminate the trafficking and abuse of children.

The government, civil society, private businesses, and the police must play their part in creating and implementing laws to protect children.

A society is judged by its treatment of its weakest and most vulnerable members.

What I have seen here today is a sign of great hope for the future.

유엔 사무총장 반기문 – 명언 ⑭ 겸손 Modesty

Learn / the wisdom of modesty.
배워라 / 겸손의 지혜를

겸손의 지혜를 배워라.

Quiz 9

A. 단어 - 다음 제시된 단어의 설명을 읽고, 어떤 단어를 설명하는지 〈보기〉에서 어울리는 단어를 고르세요.

1. to see, be present at, or know at first hand
2. capable of being wounded or hurt
3. to think carefully about something
4. severe, cruel, or unkind
5. using or showing new methods; producing something like nothing done or experienced or created before
6. to emphasize; stress
7. the restoration of someone to a useful place in society
8. a physical or mental condition that makes it difficult for someone to use a part of their body properly
9. something that is done as a reaction to something that has happened
10. a test of one's abilities in a demanding but stimulating undertaking
11. famous or likely to be recorded as part of history; significant
12. to grow worse
13. something that makes it difficult to achieve something
14. a large organization that has a particular kind of work or purpose
15. not capable of being computed or enumerated; enormous
16. to charge someone with a crime and try to show that they are guilty of it in a court of law
17. exemption from punishment, penalty, or harm
18. cruel or violent treatment of someone
19. to carry out; put into action; perform
20. to give an opinion about someone or something after thinking carefully about all the information you know about them

〈보기〉

underscore	incalculable	harsh	implement	obstacle
rehabilitation	challenge	abuse	impunity	reflect
deteriorate	institution	disability	innovative	response
prosecute	judge	witness	vulnerable	historic

Answer

1. witness 2. vulnerable 3. reflect 4. harsh 5. innovative 6. underscore 7. rehabilitation 8. disability 9. response 10. challenge 11. historic 12. deteriorate 13. obstacle 14. institution 15. incalculable 16. prosecute 17. impunity 18. abuse 19. implement 20. judge

B. 회화에 강한 동시통역 연습 - 다음을 영어로 쓰고 말해보세요.

1. 저의 방문 기간 동안에 / 체르노빌을 / 지난주에 / 저는 목격했습니다 / 파괴된 상태를 / 직접
2. 우크레인 정부와 국제 원조 단체가 / 축하할 수 있습니다 / 더 안전하고 더 환경 친화적인 보호 외장설비의 준공을 / 2015년에
3. 그런 일을 해야 할 절박함은 강조되었습니다 / 최근 원전 사고로 인하여 / 후쿠시마 핵발전소에서
4. 이 센터의 아이들은 / 받을 가치가 있습니다 / 우리의 최대한 관심, 배려 및 지지를
5. 장애로 살고 있는 사람들은 / 특히 장애로 살고 있는 어린이들은 / 세계적인 문제입니다.
6. 러시아에, / 50만 명 이상의 사람들이 있습니다 / 장애로 살고 있는
7. 유엔은 열심히 일하고 있습니다 / 장애가 있는 사람들을 도와주기 위해 / 그들이 융합(적응)할 수 있도록 / 사회생활에
8. 우리는 이 자리에 모였습니다 / 우리의 성공을 축하하려고 / 말라리아에 대한 전쟁에서 / 그리고 우리의 대응을 계획하려고 (모였습니다) / 아직도 남아 있는 난제에 대한
9. 우리는 목격하고 있습니다 / 역사에 남을 만한 방향 전환을
10. 최근까지, / 말라리아를 극복할 수 있다는 희망은 / 거의 보이지 않았습니다.
11. 여러분들이 만든 변화는 / 각 어린이의 삶에 / 막대합니다.
12. 여러분들은 그들에게 주고 있습니다 / 다시 한 번 진정한 기회를
13. 책임져야 할 사람들을 / 반드시 찾아내서, / 기소되고 유죄를 입증해야 합니다.
14. 처벌받지 않는 시대는 / 아동에게 범죄를 저지르고 / 끝났습니다.
15. 한 사회는 평가를 받습니다 / 어떻게 대우하느냐에 따라 / 가장 약하고 상처를 받기 쉬운 구성원들을

Answer

1. During my visit / to Chernobyl / last week, / I witnessed / the devastation / first-hand.
2. The Government of Ukraine and the donor community / can celebrate / the completion of a safer and more environmentally friendly protective shell / in 2015.
3. The urgency of that work was underscored / by the recent nuclear accident / in Fukushima nuclear power plant.
4. The children at this center / deserve / our full attention, care and support.
5. People living with disabilities, / particularly children with disabilities, / are a global problem.
6. In Russia, / there are more than half a million people / who live with disabilities.
7. The United Nations are working very hard / to help these people with disabilities / so that they can integrate themselves / in social life.
8. We are here / to celebrate our success / in the fight against malaria / and to plan our response / for the challenges that remain.
9. We are witnessing / an historic turnaround.
10. Until recently, / hopes for beating malaria / had all but vanished.
11. The difference you make / to each child's life / is incalculable.
12. You are giving them / a true second chance.
13. The people responsible / must be found, / prosecuted and convicted.
14. The era of impunity / for crimes against children / is over.
15. A society is judged / by its treatment / of its weakest and most vulnerable members.

20. 만성질병 Chronic Disease

A.

No one talks much / about smallpox anymore. The last victim died /
아무도 많은 이야기를 하지 않습니다 / 천연두에 대하여 더 이상. 마지막 희생자는 사망했습니다 /

three decades ago. But I remember smallpox / every time I face /
30년 전에. 하지만 저는 천연두가 떠오릅니다 / 제가 마주할 때마다 /

a major public health challenge. Because smallpox showed / that
주요한 공중 보건의 난제를. 왜냐하면 천연두는 보여주었기 때문입니다 /

even the most fearsome killer can be defeated.
심지어 가장 무시무시한 살인마도 이길 수 있다는 것을.

The Millennium Development Goals ushered in / unprecedented
밀레니엄 개발 목표는 예고했습니다 / 전례 없는 협력과 발전을 /

cooperation and progress / on infectious diseases.
감염성 질병에 내한.

Our campaign against HIV/AIDS / is saving lives / by bringing
인체면역결핍 바이러스/에이즈에 대한 우리의 캠페인은 / 생명을 구하고 있습니다 / 정부, 시민 사회와 산업

together governments, civil society and industry / including many
계가 모여서(협력하여) / 이 방에 계신 여러분을 포

of you in this room.
함한.

Non-communicable diseases / deserve similar attention. Six out of
비전염성 질병도 / 비슷한 관심을 받아야 합니다. 열 명 중 여섯 명

every ten people / die / from cancer, diabetes, chronic lung diseases
의 사람들이 / 사망합니다 / 암, 당뇨, 만성 폐질환이나 심장혈관 질환으로.

or cardiovascular illness. Thirty-five million people die / every year.
3천5백만 명이 사망합니다 / 매년.

The problem is grave and growing. Already, heart disease, stroke
문제는 심각하고 더욱더 커지고 있습니다. 이미, 심장 질병, 뇌졸중과 당뇨는 /

and diabetes / are estimated / to cost low-and middle-income
평가되고 있습니다 / 저소득 및 중간 소득에 속하는 국가들에게 비용이 들게 하는

countries / as much as five percent of GDP.
것으로 / 국내 총생산의 5% 정도의.

smallpox 천연두 | victim 희생자 | decade 10년간 | fearsome 무시무시한 | defeat 이기다, 패배시키다 |
millenium 천년간, 새롭고 행복한 시대 | usher in 예고하다, 도래를 알리다 | unprecedented 전례 없는 |
infectious 감염성의, 전염의 | non-communicable 비전염성의 | diabetes 당뇨 | chronic 만성의 |
cardiovascular 심장 혈관의 | grave 심각한 | stroke 뇌졸중 | be estimated to ~한 것으로 평가되다 |
GDP(gross domestic product) 국내 총생산 |

B.

By 2030, / chronic disease-related deaths / in Africa, the Middle
2030년까지 / 만성질병과 관련된 사망자는 / 아프리카, 중동과

East, and South East Asia / will grow / by more than 50 percent.
동남아시아에서 / 늘어날 것입니다 / 50퍼센트 이상까지.

Globally / diabetes deaths will increase / by two-thirds.
세계적으로 / 당뇨병으로 인한 사망은 증가할 것입니다 / 3분의 2정도까지

Chronic diseases used to be seen / as a rich man's problem.
만성질병은 여겨지곤 했습니다 / 부자들의 문제로.

Not anymore. Unhealthy lifestyles are going global.
더 이상은 아닙니다. 건강에 유해한 생활 방식은 세계 전체로 펴지고 있습니다.

Eighty-five percent of people / who die from non-communicable
85퍼센트의 사람들은 / 비전염성 질병으로 사망하는 /

diseases / are in the developing world. In developed countries, /
개발도상국에 있습니다. 선진국에는, /

measures like early detection / that prolong life / are common.
조기 발견과 같은 수단은 / 생명을 연장하는 / 흔합니다.

Not so in developing countries / where health systems are generally
개발도상국에는 그렇지 않습니다 / 개발도상국에는 보건체제가 일반적으로 약하고 /

weak, / and geared to infectious diseases.
감염성 질병에 잘 걸리는 상황에 처해 있기에.

We cannot allow / chronic diseases to even further amplify /
우리는 내버려 둘 수 없습니다 / 만성질병이 더욱더 증폭시키는 것을 /

the health challenges faced by developing countries.
개발도상국이 처한 보건 난제를.

On combating chronic disease
(27 January 2011)

Key Expression

아래 예문에 'by'란 전치사는 두 번 사용되지만 각각의 의미는 다르다. 'By 2030'란 표현에 있는 'by'는 언제까지라는 의미로 '기한'을 표현한다. 그리고 'by more than 50 percent'란 표현에 있는 'by'는 어떤 것의 양이 얼마 만큼이지 그 '정도'를 표현하다.

By 2030, / chronic disease-related deaths / in Africa, the Middle East, and South East Asia /
2030년까지 / 만성질병과 관련된 사망자는 / 아프리카, 중동과 동남아시아에서 /

will grow / by more than 50 percent.
늘어날 것입니다 / 50퍼센트 이상까지

chronic disease-related 만성질병과 관련된 | globally 전 세계적으로 | go global 전 세계적으로 퍼지다 | measure 수단, 방책 | detection 발견, 간파 | prolong 연장하다 | geared to ~할 준비가 된, ~할 상황에 처한 | allow ~하도록 내버려 두다 | amplify ~을 증폭시키다, 확대하다 | challenge 난제, 어려운 문제

21. 새로운 인플루엔자 바이러스 A new influenza virus

During the last few days, / as you know, / we have seen /
지난 며칠 동안 / 여러분들도 아시는 것처럼 / 우리는 목격했습니다 /

the appearance of a new influenza virus.
새로운 인플루엔자 바이러스가 등장한 것을.

It has been confirmed / in the United States, Mexico and Canada /
그 바이러스는 확인되었고 / 미국, 멕시코와 캐나다에서 /

and is suspected to have moved / to other countries.
이동했다고 생각합니다 / 다른 나라로.

We are concerned / that this virus could cause / a new influenza
우리는 걱정합니다 / 이 바이러스가 일으킬 수 있다는 것을 / 새로운 인플루엔자 유행병을.

pandemic. It could be mild, in its effects, / or potentially be severe.
유행병의 영향은 가벼울 수 있습니다 / 또는 어쩌면 심각할 수도 있습니다.

We do not yet know / which way it will go.
우리는 아직 모르고 있습니다 / 유행병이 어느 쪽으로 이동할지.

But we are concerned that, / in Mexico, / most of those who died /
그러나 우리는 걱정하고 있습니다, / 멕시코에서, / 사망한 사람들의 대부분은 /

were young and healthy adults.
젊거나 건강한 성인이라는 것을.

This will be a first test / of the pandemic preparedness work /
이것은 첫 번째 테스트가 될 것입니다 / 유행병 대비 작업에 대한 /

the community of nations has undertaken / in the last three years.
국가 공동체(유엔)가 떠맡았던 / 지난 3년 동안.

If we are indeed facing a pandemic, / we need to demonstrate /
정말로 우리가 유행병에 직면하고 있다면 / 우리는 보여주어야 합니다 /

global solidarity. The swine flu outbreak shows yet again /
전 세계적인 결속을. 돼지 인플루엔자의 발생은 다시 보여줍니다 /

that, in our interconnected world, / no nation can deal with /
서로 연결된 세상에서 / 어떤 국가도 대처할 수 없다는 것을 /

threats of such dimension / on its own.
그런 규모의 위협을 / 독자적으로.

On influenza A
(27 April 2009)

appearance 등장, 나타남 | confirm ~을 확인하다, 확증하다 | be suspected to ~이라고 생각하다, 이라는 느낌이 들다 | pandemic 세계적인 유행병 | mild 가벼운 | potentially 어쩌면 | severe 심각한 | preparedness 대비, 준비 | undertake 떠맡다 | demonstrate 명백히 나타내다, 증명하다 | solidarity 결속, 단결 | swine flu 돼지 인플루엔자 | outbreak 발생(발발) | interconnected 서로(상호) 연결된 | deal with (문제에) 대처하다, 다루다 | dimension 규모, 크기

22. 식량안보

A.

By the end of the year, / the total number of hungry people /
금년 말까지, / 굶주리는 사람들의 총 수는 /

in our world / approached an intolerable one billion.
세계에서 / 참을 수 없는 정도인 10억 명에 이르렀습니다.

The statistics are startling, / but the stories of each household /
이런 통계는 놀라운 것입니다 / 그러나 각 가정에 대한 이야기는 /

affected by hunger, / and each malnourished child, / are truly
기아에 영향을 받고 있는 (가정에 대한 이야기와) / 영양실조로 고통 받는 아이에 대한 이야기는 / 정말로

appalling. I saw it myself / in my village / when I was younger.
끔찍합니다. 저는 그런 모습을 직접 봤습니다 / 제가 태어난 마을에서 / 어렸을 때.

I see it now / when I travel, / and it never ceases to disturb me.
저는 그런 모습을 지금도 봅니다 / 여행할 때, / 그래서 그런 모습은 저의 마음을 계속 불안하게 합니다.

Parents are cutting down on the food / they eat / to ensure /
부모들은 음식을 줄이고 있습니다 / 자신들이 먹는 (음식을) / 확실하게 하기 위해 /

their children have enough. Households are selling / their animals,
자신들의 자식들이 충분히 먹는 것을. 가족들은 팔고 있습니다 / 자신들의 가축,

land or even homes / to buy food. Mothers are struggling each
땅이나 심지어 집까지도 / 먹을 것을 사려고. 어머니들은 매일 발버둥치고 있습니다 /

day / to protect their children / from the physical and mental
아이들을 보호하려고 / 영양실조라는 육체적, 정신적 상처로부터.

scars of malnutrition. World poverty cannot be reduced / without
세계의 빈곤은 감소될 수 없습니다 / 개선하지 않으면 /

improvements / in agriculture and food systems. Most poor people
농업과 식량 생산체제를. 대부분의 가난한 사람들은 농

are farmers. Most farm work is done / by women.
부이기 때문입니다. 대부분의 농사일은 이루어지고 있기 때문입니다 / 여성들에 의해.

Key Expression

'be+동사의 과거분사'는 수동적인 의미를 가지고 있으므로, 주어는 어떤 행동을 할 의지나 능력이 없다. 그래서 주어가 '~하게 되다, ~당하다'라고 해석한다.

World poverty cannot be reduced / without improvements / in agriculture and food
세계의 빈곤은 감소될 수 없습니다 / 개선하지 않으면 / 농업과 식량 생산체제를

systems.

approach 접근하다, 이르다 | intolerable 참을 수 없는 | statistics 통계(자료) | startling 놀라운 | affect 영향을 주다 | malnourished 영양실조의 | appalling 끔찍한 | cease ~하는 것을 그만두다, 멈추다 | struggle 발버둥치다, 애쓰다 | reduce 감소하다, 줄이다

B.

Poor people / are constantly being put to the test / by food and
가난한 사람들은 / 끊임없이 어려움을 겪고 있습니다 / 식량과

nutrition insecurity, / the impact of climate change, water shortages
영양 불안정 때문에 / 기후 변화의 영향, 식수 부족과

and animal diseases.
동물 질병 때문에.

We need to do far more / to strengthen social protection systems /
우리는 훨씬 더 많은 것을 해야합니다 / 사회 보호체제를 강화하려면 /

that promote community resilience / and prevent long-term despair
(보호체제란?) 지역사회의 회복력을 증진하고 / 장기적 절망과 파괴를 막을 수 있는 (보호체제를).

and destruction.

Much good work has been done / in the last year.
훌륭한 많은 일을 했습니다 / 지난해에.

Farmers' groups, community organizations, private enterprises
농민 단체, 지역사회 조직, 민간 기업,

and governments / in many of the affected countries / have worked
정부는 / 영향을 받고 있는 많은 나라의 / 열심히 일했습니다 /

hard, / often together, / to tackle the crisis.
종종 협력하여 / 이런 위기에 대처하려고.

Many nations increased / their domestic programs / to ensure food
많은 국가들은 증가시켰습니다 / 자국의 프로그램을 / 식량안보를 확보하려고.

security.

Donors increased / their assistance / as best they could.
원조국들은 증가시켰습니다 / 원조를 / 가능한 최대로.

And members of the international community came together /
그래서 국제사회의 회원국들은 함께 모여서 /

and committed / to do more to help / at the high-level conference in
맹세했습니다 / 원조하기 위해 더 많은 일을 하기로 / 로마에서 열린 고위급 회담과 /

Rome / and at the UN General Assembly in New York.
뉴욕에서 열린 유엔 총회에서.

On Food Security for All
(27 January 2009)

Key Expression

수동태 문장이 진행형일 때는 동사의 과거분사 앞에 'being'이 온다. 그래서 'being put to the test'를 '어려운 상황이나 어려움을 겪고 있다'라고 해석한다.

Poor people / are constantly being put to the test / by food and nutrition insecurity, /
가난한 사람들은 / 끊임없이 어려움을 겪고 있습니다 / 식량과 영양 불안정 때문에 /

the impact of climate change, water shortages and animal diseases.
기후 변화의 영향, 식수 부족과 동물 질병 때문에.

constantly 끊임없이 | impact 영향, 효과 | promote 증진하다 | resilience 회복력 | despair 절망 |
tackle (위기·문제에) 대처하다, 문제를 해결하려고 노력하다 | domestic 국내의, 자국의 | ensure ~을 확보하다, 확실하게 하다 |
commit 맹세하다, 약속하다 | the General Assembly (국제연합의) 총회

20. 만성질병 Chronic Disease

A.

No one talks much about smallpox anymore.

The last victim died three decades ago.

But I remember smallpox every time I face a major public health challenge.

Because smallpox showed that even the most fearsome killer can be defeated.

The Millennium Development Goals ushered in unprecedented cooperation and progress on infectious diseases.

Our campaign against HIV/AIDS is saving lives by bringing together governments, civil society and industry including many of you in this room.

Non-communicable diseases deserve similar attention.

Six out of every ten people die from cancer, diabetes, chronic lung diseases or cardiovascular illness. Thirty-five million people die every year.

The problem is grave and growing.

Already, heart disease, stroke and diabetes are estimated to cost low-and middle-income countries as much as five percent of GDP.

B.

By 2030, chronic disease-related deaths in Africa, the Middle East, and South East Asia will grow by more than 50 percent. Globally diabetes deaths will increase by two-thirds.

Chronic diseases used to be seen as a rich man's problem.

Not anymore. Unhealthy lifestyles are going global.

Eighty-five percent of people who die from non-communicable diseases are in the developing world.

In developed countries, measures like early detection that prolong life are common.

Not so in developing countries where health systems are generally weak, and geared to infectious diseases.

We cannot allow chronic diseases to even further amplify the health challenges faced by developing countries.

21. 새로운 인플루엔자 바이러스 A new influenza virus

During the last few days, as you know, we have seen the appearance of a new influenza virus.

It has been confirmed in the United States, Mexico and Canada and is suspected to have moved to other countries.

We are concerned that this virus could cause a new influenza pandemic.

It could be mild, in its effects, or potentially be severe.

We do not yet know which way it will go.

But we are concerned that, in Mexico, most of those who died were young and healthy adults.

This will be a first test of the pandemic preparedness work the community of nations has undertaken in the last three years.

If we are indeed facing a pandemic, we need to demonstrate global solidarity.

The swine flu outbreak shows yet again that, in our interconnected world, no nation can deal with threats of such dimension on its own.

22. 식량안보

A.

By the end of the year, the total number of hungry people in our world approached an intolerable one billion.

The statistics are startling, but the stories of each household affected by hunger, and each malnourished child, are truly appalling.

I saw it myself in my village when I was younger.

I see it now when I travel, and it never ceases to disturb me.

Parents are cutting down on the food they eat to ensure their children have enough.

Households are selling their animals, land or even homes to buy food.

Mothers are struggling each day to protect their children from the physical and mental scars of malnutrition.

World poverty cannot be reduced without improvements in agriculture and food systems.

Most poor people are farmers.

Most farm work is done by women.

B.

Poor people are constantly being put to the test by food and nutrition insecurity, the impact of climate change, water shortages and animal diseases. We need to do far more to strengthen social protection systems that promote community resilience and prevent long-term despair and destruction.
Much good work has been done in the last year.
Farmers' groups, community organizations, private enterprises and governments in many of the affected countries have worked hard, often together, to tackle the crisis.
Many nations increased their domestic programs to ensure food security.
Donors increased their assistance as best they could.
And members of the international community came together and committed to do more to help at the high-level conference in Rome and at the UN General Assembly in New York.

유엔 사무총장 **반기문 – 명언 ⑮** 소신 Conviction

Don't withdraw / if your idea is right.
물러서지 마라 / 당신의 생각이 옳다면

자신의 생각이 옳다면 물러서지 마라.

Quiz 10

A. 단어 - 다음 제시된 단어의 설명을 읽고, 어떤 단어를 설명하는지 〈보기〉에서 어울리는 단어를 고르세요.

1. a highly infectious and often fatal disease characterized by fever, headache, and severely inflamed skin sores that result in extensive scarring
2. someone who suffers because of something bad that happens or because of an illness
3. to win a victory over someone; beat
4. never having happened before
5. relating to an illness characterized by long duration or frequent recurrence
6. a sudden loss of brain function caused by a blockage or rupture of a blood vessel to the brain
7. an official action that is intended to deal with a particular problem
8. the perception that something has occurred or some state exists
9. to deliberately make something such as a feeling or activity last longer; lengthen
10. to strengthen or make more firm
11. epidemic over a wide geographic area and affecting a large proportion of the population
12. very bad or very serious
13. loyalty and general agreement between all the people in a group because they all have a shared aim
14. to show something clearly
15. Impossible to endure; unbearable
16. very bad and shocking
17. to make something smaller or less in size, amount, or price
18. the effect or influence that an event has on someone or something
19. to help something to develop or increase
20. a meeting for consultation or discussion

〈보기〉

measure	confirm	chronic	demonstrate	victim
stroke	impact	solidarity	intolerable	prolong
appalling	promote	conference	smallpox	detection
pandemic	severe	reduce	defeat	unprecedented

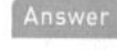

1. smallpox 2. victim 3. defeat 4. unprecedented 5. chronic 6. stroke 7. measure 8. detection 9. prolong 10. confirm 11. pandemic 12. severe 13. solidarity 14. demonstrate 15. intolerable 16. appalling 17. reduce 18. impact 19. promote 20. conference

B. 회화에 강한 동시통역 연습 - 다음을 영어로 쓰고 말해보세요.

1. 아무도 많은 이야기를 하지 않습니다 / 천연두에 대하여 더 이상
2. 마지막 희생자는 사망했습니다 / 30년 전에
3. 저는 천연두가 떠오릅니다 / 제가 마주할 때마다 / 주요한 공중 보건의 난제를
4. 열 명 중 여섯 명의 사람들이 / 사망합니다 / 암, 당뇨, 만성 폐질환이나 심장혈관 질환으로
5. 2030년까지, / 만성질병과 관련된 사망자는 / 아프리카, 중동과 동남아시아에서 / 늘어날 것입니다 / 50퍼센트 이상까지
6. 세계적으로 / 당뇨병으로 인한 사망은 증가할 것입니다 / 3분의 2 정도까지
7. 만성질병은 여겨지곤 했습니다 / 부자들의 문제로
8. 85퍼센트의 사람들은 / 비전염성 질병으로 사망하는 / 개발도상국에 있습니다.
9. 우리는 목격했습니다 / 새로운 인플루엔자 바이러스의 등장한 것을
10. 그것(바이러스)은 확인되었고 / 미국, 멕시코와 캐나다에서 / 이동했다고 생각합니다 / 다른 나라로
11. 정말로 우리가 유행병에 직면하고 있다면 / 우리는 보여주어야 합니다 / 전 세계적인 결속을
12. 굶주리는 사람들의 총 수는 / 세계에서 / 참을 수 없는 정도인 10억 명에 이르렀습니다.
13. 어머니들은 매일 발버둥치고 있습니다 / 아이들을 보호하려고 / 영양실조라는 육체적, 정신적 상처로부터
14. 많은 국가들은 증가시켰습니다 / 자국의 프로그램을 / 식량안보를 확보하려고
15. 지원국들은 증가시켰습니다 / 원조를 / 가능한 최대로

Answer

1. No one talks much / about smallpox anymore.
2. The last victim died / three decades ago.
3. I remember smallpox / every time I face / a major public health challenge.
4. Six out of every ten people / die / from cancer, diabetes, chronic lung diseases or cardiovascular illness.
5. By 2030, / chronic disease-related deaths / in Africa, the Middle East, and South East Asia / will grow / by more than 50 percent.
6. Globally / diabetes deaths will increase / by two-thirds.
7. Chronic diseases used to be seen / as a rich man's problem.
8. Eighty-five percent of people / who die from non-communicable diseases / are in the developing world.
9. We have seen / the appearance of a new influenza virus.
10. It has been confirmed / in the United States, Mexico and Canada / and is suspected to have moved / to other countries.
11. If we are indeed facing a pandemic, / we need to demonstrate / global solidarity.
12. The total number of hungry people / in our world / approached an intolerable one billion.
13. Mothers are struggling each day / to protect their children / from the physical and mental scars of malnutrition.
14. Many nations increased / their domestic programs / to ensure food security.
15. Donors increased / their assistance / as best they could.

23. 자폐증 Autism

A.

More and more children and people / are being diagnosed /
더욱더 많은 어린이들과 사람들이 / 진단을 받고 있습니다 /

with autistic conditions. Autism strikes / without discrimination - /
자폐증 질환이 있다고. 자폐증은 공격합니다 / 차별 없이 /

but people living with autism / can suffer / intolerable
하지만 자폐증이 있는 상태로 살고 있는 사람들은 / 고통을 받을 수 있습니다 / 참을 수 없는 차별로 /

discrimination / that must stop. We have to unite our efforts.
중단되어야 하는 (차별로). 우리는 힘을 모아야합니다.

We have to share experiences / - what works, / and what does not
우리는 경험을 공유해야 합니다 / 어떤 것이 효과적이고 / 어떤 것이 효과적이지 않은지.

work. And we have to raise funds / to turn / workable solutions /
그리고 우리는 기금을 조성해야 합니다 / 바꾸기 위해 / 실행가능한 해결책을 /

into practical actions.
실천적인 행동으로.

When I think / of what is at stake / I remember / one young woman
제가 생각하면 / 현재 문제가 되는 것을 / 저는 기억합니다 / 한 젊은 여성을 /

/ whose brother has autism. People / who didn't understand his
그녀의 동생이 자폐증이 있는. 사람들은 / 그의 질환을 이해하지 못하는 /

condition / would ask, / what is wrong / with that child?
질문하곤 합니다 / 무슨 일이 있지 / 저 아이에게?

Why is he acting / like that? Once someone blamed / her mother
왜 그는 행동하고 있지 / 저렇게? 한때 어떤 사람이 비난했습니다 / 그녀의 어머니와

and father, / saying / why can't they be better parents?
아버지를 / 말하면서 / 왜 저 사람들은 더 나은 부모가 될 수 없을까라고.

The girl was so stung / by those words, / she will never forget /
그 소녀는 너무나 큰 상처를 입었습니다 / 그런 말 때문에 / 그녀는 결코 잊지 못할 것입니다 /

them.
그런 말을.

Key Expression

'that'이 관계대명사로 쓰이려면, 'that'에 주어나 목적어가 없어야 한다. 아래 예문의 경우, 'that' 다음에 주어가 없고, 'that'은 바로 앞에 나온 '명사(discrimination)'를 가리킨다. 따라서 '관계대명사 that'은 '그래서 그것은', '그리고 그것은'이라고 해석한다.

People living with autism / can suffer / intolerable discrimination / that must stop.
하지만 자폐증이 있는 상태로 살고 있는 사람들은 / 고통을 받을 수 있습니다 / 참을 수 없는 차별로 / 그래서 그것(그런 차별)은 중단되어야 합니다.

autistic 자폐증의 | condition 질환, 질병 | autism 자폐증 | discrimination 차별 | intolerable 참을 수 없는 | workable 실행 가능한 | at stake 문제가 되는 | sting 상처를 입히다

B.

Fortunately / for all of us, / she dealt with / this ignorance /
다행스럽게도 / 우리 모두에게 / 그녀는 대처했습니다 / 이런 무지에 /

by organizing gatherings of families / dealing with autism.
가족 간의 모임을 주최하여 / 자폐증이란 문제에 대처하고 있는.

They asked completely different questions.
그들(가족들)은 완전히 다른 질문을 했습니다.

Instead of judging her parents, / they wanted to know: /
그녀의 부모님을 판단하려 하지 않고 / 그들은 알고 싶어했습니다 /

Are you okay? Do you need anything?
괜찮아요? 뭔가 필요한 것이 있나요? (라고 물으면서)

That difference / - between blame and support, / between judgment
다른 것이란 / 비난과 지지와 / 판단과 동정 간에

and compassion - / is what World Autism Awareness Day is all
세계 자폐증 인식의 날의 참모습과 같습니다.

about.

Our challenge / is to move people / from misunderstanding to
우리의 과제는 / 사람들을 변화시키는 것입니다 / 오해에서 타인을 이해하도록.

empathy.

This is a movement / - a global movement - / that goes beyond
이것은 운동입니다 / 전 세계적인 운동입니다 / 자폐증이 있는 사람들과

people with autism and their families.
그들의 가족의 차원을 넘어선 (운동입니다).

This is a movement / to create a better world / for all of us.
이것은 운동입니다 / 더 좋은 세상을 만드는 / 우리 모두를 위해.

Solving the Autism Public Health Puzzle
(06 April 2011)

Key Expression

'by 동사+ing'은 어떤 문제를 해결할 때 어떻게 해결하는지 그 방법을 표현할 때 사용한다. 그래서 '~하여, ~해서'라고 해석한다.

She dealt with / this ignorance / by organizing gatherings of families /
그녀는 상대했습니다 / 이런 무지를 / 가족들의 모임을 주최하여 /

dealing with autism.
자폐증이란 문제에 대처하고 있는.

ignorance 무지 | deal with ~을 상대하다, (문제에) 대처하다 | compassion 동정 | awareness 인식 | challenge 과제 | empathy 타인을 이해하는 능력

24. 주의 산만한 운전 Distracted Driving

Every year, / more than 1.2 million people die / on the roads /
매년, / 120만 명 이상의 사람들이 사망하고 / 도로에서 /

around the world, / and as many as 50 million others are injured.
세계적으로 / 5천만 명이나 되는 사람들이 부상을 당합니다.

Over 90% of these deaths occur / in low-income and middle-income
이런 사망 중 90% 이상은 발생합니다 / 저소득이나 중간소득 국가에서.

countries.

Road accidents / are now the top global killer / of young people.
자동차 사고는 / 이제 전 세계에서 최고로 많은 사람을 죽이는 것입니다 / 젊은 사람을.

A number of factors increase / the risk.
많은 요인들이 증가시킵니다 / 위험성을.

High speed. Drunk-driving. No seat-belt, child restraint or
고속. 음주 운전. 안전벨트 미착용, 아동 보호용 의자 또는

motorcycle helmet. We are seeing / a major emerging challenge /
오토바이 헬멧 미착용입니다. 우리는 목격하고 있습니다 / 최근에 등장한 주요한 난제를 /

-- driver distraction, / mainly by using mobile phones.
즉 운전자 주의 산만을 / 주로 이동전화를 사용하여 발생하는.

Studies indicate / that using a mobile phone increases / the risk of a
연구(조사)는 보여줍니다 / 이동전화를 사용하는 것은 증가시킨다는 것을 / 충돌할 위험을 /

crash / by about 4 times. And yet in some countries / up to 90% of
약 4배 정도까지. 그럼에도 불구하고 일부 국가에서 / 90% 정도에 이르는 사

people / use mobile phones / while driving. We must instill /
람들이 / 이동전화를 사용하고 있습니다 / 운전 중에. 우리는 가르쳐 주어야 합니다 /

a culture of road safety. A culture / in which driving while
도로 안전을 생각하는 문화를. 문화는 / 주의가 산만한 채로 운전하는 (문화는) /

distracted / - on the phone, or text messaging / - is unacceptable.
전화를 통화하거나, 문자 메시지를 보내려고 / 받아들일 수 없습니다.

Unacceptable / in the eyes of the law and the public.
(그런 문화는) 받아들일 수 없는 일입니다 / 법과 대중의 눈으로 볼 때.

A press encounter on distracted driving
(19 May 2010)

factor 요인, 요소 | child restraint 아동보호용 의자 | distraction 주의 산만 | indicate 보여주다 |
up to (시간·정도·거리가) ~에 이르기 까지 | distracted 주의가 산만한

25. 군비축소와 세계 안보 Disarmament and World Security

A.

I would like to highlight / four points / today.
저는 강조하고 싶습니다 / 네 가지 사항을 / 오늘.

First, / we must look at the relationship / between disarmament and other global challenges. The world is over-armed, / and development is under-funded. Spending on weapons worldwide / is now well above / one trillion dollars a year / and rising.
첫째, / 우리는 관계를 살펴보아야 합니다 / 군비축소와 다른 세계적인 문제들 간에. 세계는 지나치게 무장되어 있고 / 개발 자금은 부족합니다. 세계적으로 무기에 사용하는 것은 / 이제 훨씬 넘었고 / 1년에 1조 달러를 / 그리고 증가하고 있습니다.

These priorities should be reversed. By accelerating disarmament, / we can secure the resources / we need / to combat climate change, / address food insecurity / and achieve the Millennium Development Goals.
이런 것(군비 증강)을 중요시하는 것은 전환되어야 합니다. 군비축소를 촉진시키면, / 우리는 재원을 확보할 수 있습니다 / 우리가 필요한 (재원을) / 기후변화와 싸우고, / 식량 불안정에 대처하고 / 밀레니엄 개발 목표를 달성하기 위해.

Second, / let us recognize / that disarmament efforts can help / strengthen international cooperation / and move the world / toward a renewed multilateralism. A renewed focus / on disarmament and non-proliferation / will greatly benefit / international security and stability. But we can only achieve / our goals / through engaging with each other / in a spirit of trust, cooperation, solidarity and mutual reliance.
둘째, / 인정합시다 / 군비축소 노력은 도움이 된다는 것을 / 국제 협력을 강화하는데 / 그리고 세상을 변화시킨다고 / 새로운 다자간 공동 정책을 형성하는 방향으로. 새로운 관심은 / 군비 축소와 (핵)확산 방지에 대한 / 상당한 도움이 될 것입니다 / 국제 안보와 안정에. 하지만 우리는 성취할 수밖에 없습니다 / 우리의 목표를 / 서로 관계를 맺음으로써 / 신뢰하고, 협력하고, 단결하고 서로 의존하는 정신으로.

highlight ~을 강조하다 | disarmament 군비축소 | trillion 1조 | priority 중요한 것, 중요시하는 것 | reverse 전환하다, 바꾸어 놓다 | accelerate ~을 촉진하다, 가속하다 | resources 재원, 자금 | combat ~와 싸우다 | address (문제에) 대처하다, 다루다 | insecurity 불안정 | multilateralism (핵 무장해제를 위한) 다자간 공동 정책 | focus 주목, 관심의 대상 | non-proliferation (핵무기 및 화학무기의) 확산 방지 | engage with 관계를 맺다 | solidarity 결속, 단결 | mutual 서로의 | reliance 의존, 의지

B.

Third, / we must further enhance / the partnership / between the
셋째, / 우리는 더욱더 늘려야 합니다 / 협력을 / 유엔 총회와 안전보장 이

General Assembly and the Security Council.
사회 간에.

The Security Council Summit meeting / on Nuclear Non-
안전보장 이사회 정상 회담은 / 핵 확산 방지와 군비축소에 대한 /

Proliferation and Disarmament / last September / was a true
지난 9월에 열린 / 정말로 획기적인 사건이었으

milestone, / which we must build on.
며, / 그 사건을 기반으로 더 발전시켜야 합니다.

The General Assembly also has an important role, / which I
또한 유엔 총회에는 중요한 임무가 있으며 / 그 점을 저는 인정했습니

recognized / in my Action Plan / on Nuclear Disarmament and
다 / 저의 실천 계획에서 / 핵 군비축소 및

Non-Proliferation. The two bodies have / their own distinct
확산 방지에 대한. 두 기구에는 있습니다 / 나름대로 명백한 의무가 /

responsibilities, / but their cooperation is vital.
하지만 그들의 협력은 절대적으로 필요합니다.

Fourth, / our work on disarmament should address / both weapons
넷째, / 군비축소에 대한 우리의 임무는 다뤄야합니다 / 대량 살상 무기와

of mass destruction and the regulation of conventional armaments.
재래식 무기의 규제를.

Small arms in the wrong hands / destroy / lives and livelihoods, /
엉뚱한 손에 있는 작은 무기는 / 파괴하고 / 생명과 생계 수단을 /

impede peace efforts, / hinder humanitarian aid, / facilitate the
평화를 지키려는 노력을 방해하고 / 인도주의적 원조를 방해하고 / 마약의 불법 거래를 촉진시

illicit trade in narcotics / and obstruct investment and development.
키며 / 투자와 개발을 방해합니다.

On Disarmament and World Security
(19 April 2010)

enhance (가치·능력을) 늘리다, 높이다 | milestone 획기적인 사건 | build on ~을 기반으로 발전시키다 | distinct 명백한 | vital 절대적으로 필요한, 매우 중요한 | mass destruction 대량 살상 | regulation 규제, 제한 | conventional 재래식의, 비핵의 | armament 대형 무기 | impede 방해하다, 지연시키다 | hinder 방해하다 | humanitarian 인도주의적인 | facilitate 촉진하다 | illicit 불법의, 부정한 | narcotics 마약 | obstruct 방해하다, 막다

23. 자폐증 Autism

A.

More and more children and people are being diagnosed with autistic conditions.

Autism strikes without discrimination - but people living with autism can suffer intolerable discrimination that must stop.

We have to unite our efforts.

We have to share experiences - what works, and what does not work.

And we have to raise funds to turn workable solutions into practical actions.

When I think of what is at stake I remember one young woman whose brother has autism.

People who didn't understand his condition would ask, what is wrong with that child?

Why is he acting like that?

Once someone blamed her mother and father, saying why can't they be better parents?

The girl was so stung by those words, she will never forget them.

B.

Fortunately for all of us, she dealt with this ignorance by organizing gatherings of families dealing with autism.

They asked completely different questions.

Instead of judging her parents, they wanted to know: Are you okay? Do you need anything?

That difference - between blame and support, between judgment and compassion - is what World Autism Awareness Day is all about.

Our challenge is to move people from misunderstanding to empathy.

This is a movement - a global movement - that goes beyond people with autism and their families.

This is a movement to create a better world for all of us.

24. 주의 산만한 운전 Distracted Driving

Every year, more than 1.2 million people die on the roads around the world, and as many as 50 million others are injured.

Over 90% of these deaths occur in low-income and middle-income countries.

Road accidents are now the top global killer of young people.

A number of factors increase the risk. High speed. Drunk-driving.

No seat-belt, child restraint or motorcycle helmet.

We are seeing a major emerging challenge -- driver distraction, mainly by using mobile phones.

Studies indicate that using a mobile phone increases the risk of a crash by about 4 times.

And yet in some countries up to 90% of people use mobile phones while driving.

We must instill a culture of road safety.

A culture in which driving while distracted - on the phone, or text messaging - is unacceptable.

Unacceptable in the eyes of the law and the public.

25. 군비축소와 세계 안보 Disarmament and World Security

A.

I would like to highlight four points today.

First, we must look at the relationship between disarmament and other global challenges.

The world is over-armed, and development is under-funded.

Spending on weapons worldwide is now well above one trillion dollars a year and rising.

These priorities should be reversed.

By accelerating disarmament, we can secure the resources we need to combat climate change, address food insecurity and achieve the Millennium Development Goals.

Second, let us recognize that disarmament efforts can help strengthen international cooperation and move the world toward a renewed multilateralism.

A renewed focus on disarmament and non-proliferation will greatly benefit international security and stability.

But we can only achieve our goals through engaging with each other in a spirit of trust, cooperation, solidarity and mutual reliance.

B.

Third, we must further enhance the partnership between the General Assembly and the Security Council.
The Security Council Summit meeting on Nuclear Non-Proliferation and Disarmament last September was a true milestone, which we must build on.
The General Assembly also has an important role, which I recognized in my Action Plan on Nuclear Disarmament and Non-Proliferation.
The two bodies have their own distinct responsibilities, but their cooperation is vital.
Fourth, our work on disarmament should address both weapons of mass destruction and the regulation of conventional armaments.
Small arms in the wrong hands destroy lives and livelihoods, impede peace efforts, hinder humanitarian aid, facilitate the illicit trade in narcotics and obstruct investment and development.

유엔 사무총장 **반기문 – 명언 ⑯** 긍지 Pride

Let other people know / who you really are.
다른 사람들에게 알려라 / 당신의 참모습을

자신의 참모습을 알려라.

Quiz 11

A. 단어 – 다음 제시된 단어의 설명을 읽고, 어떤 단어를 설명하는지 〈보기〉에서 어울리는 단어를 고르세요.

1. to find out what illness someone has
2. unfair treatment of a person or group on the basis of prejudice
3. practical and effective
4. to say or think that someone is responsible for something bad
5. the condition of being uneducated, unaware, or uninformed
6. a strong feeling of sympathy for someone who is suffering
7. understanding of another's situation, feelings, and motives
8. using means other than nuclear weapons or energy
9. one of several things that influence or cause a situation
10. drawing someone's attention away from something
11. to show that a particular situation exists
12. to teach someone to think, behave, or feel in a particular way over a period of time
13. to prevent the progress or accomplishment of someone or something
14. the reduction of offensive or defensive fighting capability
15. to move or act faster
16. available source of wealth; a new or reserve supply that can be drawn upon when needed
17. to fight
18. the act of relying or the state of being dependent
19. to improve something
20. easily sensed or understood; clear; precise

〈보기〉

distraction	combat	compassion	factor	disarmament
resource	enhance	indicate	blame	accelerate
diagnose	ignorance	discrimination	instill	obstruct
empathy	distinct	workable	conventional	reliance

Answer

1. diagnose 2. discrimination 3. workable 4. blame 5. ignorance 6. compassion 7. empathy 8. conventional 9. factor 10. distraction 11. indicate 12. instill 13. obstruct 14. disarmament 15. accelerate 16. resource 17. combat 18. reliance 19. enhance 20. distinct

B. 회화에 강한 동시통역 연습 - 다음을 영어로 쓰고 말해보세요.

1. 우리는 기금을 조성해야 합니다 / 바꾸기 위해 / 실행가능한 해결책을 / 실질적인 행동으로
2. 더욱더 많은 어린이들과 사람들이 / 진단을 받고 있습니다 / 자폐증의 질환이 있다고
3. 다행스럽게도, / 그녀는 대처했습니다 / 이런 무지에 / 가족 간의 모임을 주최하여 / 자폐증이란 문제에 대처하고 있는
4. 이것은 운동입니다 / 더 좋은 세상을 만드는 / 우리 모두를 위해
5. 이런 사망 중 90% 이상은 발생합니다 / 저소득이나 중간소득 국가에서
6. 자동차 사고는 / 이제 전 세계에서 최고로 많은 사람을 죽이는 것입니다 / 젊은 사람을
7. 일부 국가에서 / 90% 정도에 이르는 사람들이 / 이동전화를 사용하고 있습니다 / 운전 중에
8. 우리는 심어 주어야 합니다 / 도로의 안전을 생각하는 문화를
9. 문화는 / 주의가 산만한 채로 운전하는 (문화는) / 전화를 통화하거나 문자 메시지를 보내려고 / 받아들일 수 없습니다.
10. 저는 강조하고 싶습니다 / 네 가지 사항을 / 오늘
11. 세계는 지나치게 무장되어 있고, / 개발 자금은 부족합니다.
12. 세계적으로 무기에 사용하는 것은 / 이제 훨씬 넘었고 / 일 년에 1조 달러를 / 그리고 증가하고 있습니다.
13. 새로운 관심은 / 군비 축소와 (핵)확산 방지에 대한 / 상당한 도움이 될 것입니다 / 국제 안보와 안정에
14. 두 기구에는 있습니다 / 나름대로 명백한 의무가 / 하지만 그들의 협력은 / 절대적으로 필요합니다.
15. 엉뚱한 손에 있는 작은 무기는 / 파괴하고 / 생명과 생계 수단을 / 평화를 지키려는 노력을 방해하고 / 인도주의적 원조를 방해합니다.

Answer

1. We have to raise funds / to turn / workable solutions / into practical actions.
2. More and more children and people / are being diagnosed / with autistic conditions.
3. Fortunately, / she dealt with / this ignorance / by organizing gatherings of families / dealing with autism.
4. This is a movement / to create a better world / for all of us.
5. Over 90% of these deaths occur / in low-income and middle-income countries.
6. Road accidents / are now the top global killer / of young people.
7. In some countries / up to 90% of people / use mobile phones / while driving.
8. We must instill / a culture of road safety.
9. A culture / in which driving while distracted / - on the phone, or text messaging / - is unacceptable.
10. I would like to highlight / four points / today.
11. The world is over-armed, / and development is under-funded.
12. Spending on weapons worldwide / is now well above / one trillion dollars a year / and rising.
13. A renewed focus / on disarmament and non-proliferation / will greatly benefit / international security and stability.
14. The two bodies have / their own distinct responsibilities, / but their cooperation / is vital.
15. Small arms in the wrong hands / destroy / lives and livelihoods, / impede peace efforts, / and hinder humanitarian aid.

26. 유엔건물 폭파사건 The Bombing of UN Premises

A.

We are here / to remember, and pay tribute to, / the dear colleagues
우리는 여기 모였습니다 / 기억하고 경의를 표하려고 / 친애하는 동료와 친구들에게 /

and friends / we lost / in the horrific bomb attack / in Algiers /
목숨을 잃은 / 끔찍한 폭탄 공격에서 / 알제에서 발생한 /

two years ago today. It seems such a short time ago / that I was in
2년 전 오늘. 방금 전인 것 같습니다 / 제가 알제에 있으면서 /

Algiers, / meeting the traumatized family members and colleagues
충격을 받은 가족과 동료를 만난 것이 /

/ of those who were killed. I will never forget / the sadness and
희생된 분들의. 저는 결코 잊을 수 없습니다 / 슬픔과 분노를 /

anger / I felt that day. The attack has caused / suffering and grief /
제가 그날 느꼈넌. 폭탄 공격은 끼쳤습니다 / 고통과 분노를 / 절

that will never go away. Nothing can ever justify / wanton killing
대로 사라지지 않을. 어떤 것도 결코 정당화시킬 수 없습니다 / 잔인한 살육과 파괴를.

and destruction. Our colleagues who died / were working on / the
사망한 동료 분들은 / 개선하려고 애쓰고 있었습니다 /

full spectrum of UN issues, / from food security to human rights
광범위한 유엔 문제를 / 식량 안보에서 인권과 산업개발에 이르는.

and industrial development. In every case, / they were devoted / to
가능한 모든 경우에 / 그분들은 헌신했습니다 /

helping the people of Algeria / to build better lives / for themselves
알제리 국민을 돕는 일에 / 더 나은 삶을 건설하려고 / 자신과 자신들의 자녀를

and their children. I salute / them, / as well as those who are
위해. 저는 경의를 표합니다 / 그분들과 / 게다가 자신의 맡은 임무를 계속하시는 분

continuing their work / with dedication and professionalism.
들에게 / 헌신과 전문성을 가지고

Key Expression

'콤마(,)+동사+ing' 형태로 두개의 사건이 연이어 일어나는 상황을 표현한다. 이것을 동시상황(부대상황)을 나타내는 분사구문이라고 부른다. 아래 예문의 경우, 주어는 알제에 있으면서 사망한 사람들을 만났다. 그래서 '콤마(,) meeting'으로 두개의 사건이 동시에 발생한 동시상황을 표현했다.

It seems such a short time ago / that I was in Algiers, / meeting the traumatized
방금 전인 것 같습니다 / 제가 알제에 있으면서 / 충격을 받은 가족과 동료를 만난 것이 /

family members and colleagues / of those who were killed.
희생된 분들의

premises (건물을 포함한) 부지, 구내, 건물 | pay tribute to 경의를 표하다, 칭찬하다 | colleague 동료 | horrific 끔찍한 | traumatized (마음의) 충격을 받은 | justify 정당화시키다 | wanton 잔인한, 터무니없는 | work on (해결·개선하기 위해) 애쓰다, 노력하다 | the full spectrum of 광범위한 | salute 경의를 표하다, 경례를 하다 | as well as 게다가, ~에 더하여 | dedication 헌신

B.

The attack in Algiers, / the bombing in Baghdad in 2003, / and this
알제의 폭탄 공격, / 2003년 바그다드의 폭탄 공격, / 그리고 금년도

year's horrific killings / in Afghanistan and Pakistan, / point to a
의 끔찍한 살육사건은 / 아프가니스탄과 파키스탄에서 발생했던 / 진실을 가리키고 있

truth / that we must face.
습니다 / 우리가 직면해야 하는(외면해서는 안 되는).

The United Nations is now a target / of terrorist groups.
유엔은 이제 표적입니다 / 테러 단체의.

We are still considering / all the implications of this fact. This is
우리는 아직도 검토하고 있습니다 / 이런 사실 때문에 발생할 수 있는 모든 결과를. 이것은 당연히

rightfully a cause of great concern / to all United Nations staff.
매우 중대한 문제입니다 / 모든 유엔직원들에게.

I am working / with the Department of Safety and Security / and
저는 일하고 있습니다 / 유엔 안전 및 안보부와 /

with Member States / to ensure / that you have the safest conditions
회원국들과 함께 / 확실하게 하기 위해 / 여러분들이 가능한 가장 안전한 상황에 있도록 /

possible / in which to live and to carry out / your important work.
생존하고 수행할 수 있는 (상황에) / 중요한 임무를.

UN staff are on the ground / throughout the world / not to benefit
유엔 직원은 현장에 있습니다 / 전 세계의 도처에 있는 / 한 단체나 다른 단체에게

one group or another, / but to strive / for global peace and security,
이롭게 하기 위해서가 아니라 / 노력하려고 (현장에 있습니다) / 세계 평화나 안보를 위해 /

/ for human rights and for development, / for all the world's people.
인권과 개발을 위해 / 세계의 모든 사람들을 위해.

We are there / to realize the great ideals / found in the UN Charter.
우리는 그곳(현장)에 있습니다 / 위대한 이상을 실현하려고 / 유엔 헌장에서 발견되는(찾아볼 수 있는).

On Second Anniversary of the bombing of UN Premises in Algiers
(11 December 2009)

Key Expression

to 부정사의 부사적 용법 중에 앞에 나온 동사를 더 자세히 설명하는 경우가 있다. 아래 예문처럼 주어가 일하고 있는데 왜 일을 하는지 더 자세히 설명하기 위해 'to ensure'를 사용했다.

I am working / with the Department of Safety and Security / and with Member States /
저는 일하고 있습니다 / 유엔 안전 및 안보부와 / 회원국들과 함께 /

to ensure / that you have the safest conditions possible.
(왜?) 확실하게 하기 위해 / 여러분들이 가능한 가장 안전한 상황에 있도록.

implication 영향, 결과 | of great concern 매우 중요한 | ensure 확실하게 하다 | on the ground 현장에, 현지에 | strive 노력하다, 애쓰다 | realize 실현하다, 현실화하다

C.

First, let me thank / those who have traveled long distances / to be
우선, 감사 드립니다 / 먼 거리를 여행하신 분들께 /

here today with us. I've had the privilege / of meeting some of you
오늘 우리와 함께 모이려고. 저는 특권을 가졌습니다 / 전에 여러분 중 몇 분을 만나보는 /

before, / but this is the first time / that we are all here together.
하지만 이번이 처음입니다 / 우리 모두가 이곳에 함께 모인 일은.

This is a solemn gathering, / but I hope / it can also be an
이번은 엄숙한 모임입니다 / 하지만 저는 바랍니다 / 이번 모임이 기회가 될 수 있길 /

opportunity / for us to look forward.
우리가 앞날을 생각해볼 수 있는.

The bombing in Baghdad / stunned me, / even though I wasn't with
바그다드의 폭파사건은 / 저를 깜짝 놀라게 했습니다 / 비록 저는 유엔에 없었지만 /

the United Nations / at the time. When the United Nations was hit
그 당시에. 유엔이 또다시 공격 당했을 때 /

again, / last year in Algiers, / I experienced the devastation / first
작년 알제(알제리의 수도)에서 / 저는 황폐한 모습을 경험했습니다 / 직접.

hand. It was heartbreaking. But then you don't need / me to tell you
그것은 가슴 아픈 일이었습니다. 하지만 여러분들에게는 필요가 없을 것입니다 / 제가 그 사건에

that. You know it all too well.
대해 말할. 여러분들은 그 일을 너무나 잘 알고 있기 때문입니다.

The past five years have been very hard / for many of you.
지난 5년은 힘든 해였습니다 / 여러분 중에 많은 사람들에게는.

Reliving what happened. Wondering why it did.
일어난 사건을 다시 체험하고. 왜 그런 일이 일어났는지 의아하게 생각하고.

Thinking / about whether and how it could have been prevented.
생각했기 때문에 / 그런 사건을 예방할 수 있었을까 그리고 어떻게 예방할 수 있었을까.

Today, my team from Headquarters / will give you a full account /
오늘, 유엔본부에 나온 저의 동료가 / 여러분들에게 자세한 설명을 드릴 것이고 /

of the status of the various investigations / into the bombing, /
여러 수사 상황을 / 폭파사건에 대한 /

and will respond to all of your questions.
여러분들의 모든 질의에 응할 것입니다.

Do use this opportunity / to get as many of the answers you need.
이번 기회를 이용하십시오 / 여러분들이 필요한 많은 답을 얻는데.

to commemorate the 5th Anniversary of the bombing
of the UN Headquarters in Baghdad
(01 September 2008)

privilege 특권, 영광 | solemn 엄숙한 | bombing 폭파사건 | stun 깜짝 놀라게 하다 |
devastation 황폐한 모습, 대대적인 파괴 | heartbreaking 가슴 아픈, 가슴이 터질 것 같은 | relive 다시 체험하다 |
Headquarters 본부 | account 설명 | status 상황, 상태 | various 다양한, 여러 가지의 | investigation 수사, 조사

27. 위기관리와 안보 Crisis Management and Security

I should start / by noting / that cooperation between our
저는 (연설을) 시작하겠습니다 / 언급하면서 / 조직 간의 협력은 /

organizations / goes well beyond crisis management.
위기관리 이상을 넘어선다고.

We work together / on an enormous range of policy and operational
우리는 협력하고 있습니다 / 광범위한 정책 및 운영상의 문제에 대해 /

issues, / from climate change, HIV/AIDS, gender and migration / to
기후변화, 에이즈바이러스, 성과 이주문제부터 /

emergency relief, development and peacebuilding.
긴급구조, 개발 및 평화구축에 이르는.

This legacy of coordination / provides a sound basis /
이렇게 협력하는 유산은 / 건전한 기반을 제공합니다 /

on which to strengthen our cooperation / on crisis management and
그 기반을 바탕으로 우리의 협력을 강화할 수 있는 / 위기관리와 안보 문제에 대해.

security challenges.

Few could have imagined / how swift such cooperation has
상상할 수 있던 사람은 거의 없었습니다 / 얼마나 빠르게 그런 협력이 발전했는지 /

progressed, / in particular over the past five years.
특히 지난 5년 동안에.

Today, the United Nations and European Union are working
오늘날, 유엔과 유럽연합은 협력하고 있습니다 /

together / to prevent and mediate crises, / to support fragile peace
위기를 예방하고 조정하기 위해 / 무너지기 쉬운 평화 합의를 지원하기 위해

settlements / and to promote long-term peacebuilding /
/ 장기적인 평화유지를 증진하기 위해 /

in almost all continents.
거의 모든 대륙에서.

UN-EU cooperation in Crisis Management and Security
(26 September 2008)

note 언급하다, ~에 대해 말하다 | crisis management 위기 관리 | enormous 거대한, 큰 | operational 운영상의 | gender 성, 성별 | migration 이주 | emergency relief 긴급구조 | legacy 유산 | coordination 협력 | swift 빠른 | mediate 조정하다, 중재하다 | fragile 무너지기 쉬운

28. 테러 희생자 Victims of Terrorism

A.

We are honored / to have with us today four victims of terrorism, /
영광스러운 일입니다 / 오늘 네 분의 테러 희생자들과 함께 있게 되어 /

who I will introduce later.
그분들을 제가 나중에 소개해드리겠습니다.

They illustrate the fact / that terrorism affects people everywhere /
그분들은 사실을 설명합니다 / 테러행위는 세계의 모든 사람들에게 영향을 끼친다는 (사실을) /

irrespective of their religion, nationality, sex, age, or their region of
그분들의 종교, 국적, 성, 나이, 또는 세계 어디든

origin in the world. They illustrate / that terrorism has many faces /
출신지역과 상관없이. 그분들은 설명합니다 / 테러행위는 다양한 모습이 있고 /

and can not be distilled into one image or person.
어떤 이미지나 어떤 사람으로 요약될 수 없다는 것을.

It takes great bravery to speak out / against the most brutal and
공개적으로 말하는 것은 큰 용기가 필요합니다 / 가장 잔인하고 분별력 없는 폭력행위에 반대하여.

senseless acts of violence. Our guests today have demonstrated /
오늘 참석한 귀빈들은 보여줬습니다 /

that courage many times. I had a good exchange of views / with
그런 용기를 여러 번. 저는 충분한 의견교환을 했습니다 /

them, all participants, / yesterday and this morning.
참석한 귀빈들과 / 어제와 오늘 아침에.

Almost exactly two years ago, / the General Assembly took a
거의 두 시간 전에 / (유엔) 총회는 역사에 남을 만한 일보 전진했습니다 /

historic step forward / in adopting the United Nations Global
유엔의 글로벌 대테러 전략을 채택하였을 때.

Counter-Terrorism Strategy.

For the first time, / Member States came together / and took a
처음으로 / 회원국들은 모여서 / 공통된 입장을 취했습니다 /

common stand / on the issue of terrorism.
테러행위라는 문제에 대해.

And they acknowledged / that terrorism cannot be defeated without
그리고 그들은 인정했습니다 / 테러행위를 정복할 수 없다는 것을 /

/ the help of those who suffer most, / the victims and their families.
가장 고통을 받는 사람들의 도움이 없다면 / 희생자와 그분들의 가족인.

And they acknowledged / that victims require our support.
그리고 그분들은 인정했습니다 / 희생자들은 우리의 지지가 필요하다는 것을.

terrorism 테러행위 | illustrate 설명하다 | irrespective ~와 상관없이 | distill 요점을 뽑아내다 | bravery 용기 | speak out 공개적으로 말하다 | senseless 분별력 없는 | demonstrate 보여주다, 나타내다 | historic 역사적으로 남을 만한 | step forward 일보 전진 | adopt ~을 채택하다, 받아들이다 | take a common stand 공통된 입장을 취하다 | acknowledge 인정하다

B.

The symposium today is a historic moment / as it is the first time /
오늘의 좌담회는 역사적으로 남을 만한 순간입니다 / 처음이기에 /

that the United Nations is bringing together / governments,
유엔이 모이게 한 것이 / 정부,

civil society and victims of terrorism / to discuss practical and
시민사회와 테러 희생자들을 / 실행가능하고 구체적인 해결책을 토의하기 위

concrete solutions / needed to strengthen support for victims and
해 / 희생자와 그들의 가족에 대한 지원을 강화하는데 필요한.

their families. Indeed, / it is long overdue / that we open the doors
정말로 / 오래전에 했어야 할입니다 / 우리가 유엔의 문을 열고 /

of the United Nations / to victims of terrorism, / and that we focus
테러 희생자들에게 / 우리가 그들이 필요한 것에 관

on their needs. We hope / that this symposium / which is now going
심을 기울이는 일은. 우리는 바랍니다 / 이 좌담회가 / 지금 진행되고 있는 /

on / will help achieve several important outcomes.
몇 가지 중요한 성과를 이루는데 도움이 되길.

First, we want to put a human face / to the tragic consequences
첫째, 우리는 인간적인 모습을 더하고 싶습니다 / 테러와 같은 재앙에서 비롯된 비극적 결과에 /

of the scourge of terrorism, / thus addressing / one of the major
그리고 해결하는 것입니다 /

conditions conducive to terrorism: / the de-humanization of victims.
테러 행위에 기여하는 주요 조건 중 하나를 / 희생자들의 인간성 말살이라는 문제를.

Second, we want to provide an opportunity / for Member States,
둘째, 우리는 기회를 주고싶습니다 / 회원국,

victims and civil society / to share with one another their
희생자, 시민사회에게 / 서로 자신들의 경험을 공유할 수 있고 /

experiences / in supporting victims / and to gather best practices.
희생자들을 지원할 때 / 그리고 최선의 관례를 모을 수 있는 (기회를)

And third, / we want to start a dialogue / among victims and
그리고 셋째로 / 우리는 대화를 시작하길 원합니다 / 희생자들과 전문가들 간에 /

experts / on victims' needs and optimal ways of addressing them.
희생자들이 필요한 것과 그런 것을 해결하는 최선의 방법에 대해

Joint press conference with victims of terrorism
(09 September 2008)

symposium 좌담회 | practical 실행 가능한 | concrete 구체적인 | long overdue 오래전에 했어야 할 | outcome 성과 |
scourge 재앙(의 원인) | conducive ~에 기여하는, 도움이 되는 | de-humanization 인간성 말살 | optimal 최선의

29. 기후변화 Climate Change

Our duty and responsibilities is to hand over / this planet earth
우리의 의무와 책임은 물려주는 것입니다 / 우리의 지구를 /

of ours / with a more hospitable and environmentally sustainable
쾌적하고 환경이 파괴되지 않고 지속할 수 있는 세상이 있는 (지구를) /

world / to the next generation.
다음 세대에게.

We feel a strong sense of responsibility.
우리는 강한 책임감을 느낍니다.

That is why I am here / and I commit myself to work together with
그래서 제가 이곳에 있고 / 저는 여러분과 협력할 것을 굳게 약속합니다 /

you / on this matter.
이 문세에 대해.

As I have said many times / since taking office as the Secretary-
제가 자주 말했듯이 / 사무총장으로 취임한 이래로,

General, / I have taken from day one of my office / this climate
저는 취임한 첫째 날부터 받아들였습니다 / 기후변화 문제를 /

change issue / as the most important priority of myself / as well as
저에게 가장 중요한 일로 / 또한 유엔 전체의

the United Nations as a whole.
(가장 중요한 사항으로)

This is a complex challenge / for any country, corporation, or
이것은 복잡한 문제입니다 / 어떤 나라, 회사나 지역사회가 /

community / to address alone, / however powerful one country may
홀로 대처하기에는 / 한 나라가 아무리 강력할지라도 /

be, / like the United States or Japan -- / the No.1 and No.2 largest
미국이나 일본처럼 / 세계에서 가장 크거나 두 번째로 큰 경제대국

economies. You cannot do it alone.
인. 여러분들은 홀로 대처할 수 없습니다.

This global challenge requires / a global response.
이런 세계적인 문제는 요구합니다 / 전 세계의 대응을.

That is why / I have been trying / to galvanize a political will.
그렇기 때문에 / 저는 시도하고 있습니다 / 정치적 의지에 활력을 주려고.

We have resources, / we have technologies / but largely lacking is /
우리에게는 재원이 있고 / 우리에게는 기술이 있습니다 / 하지만 대체로 부족합니다 /

a political will / at the level of leaders.
정치적 의지가 / 지도자들의 수준에서.

That is why / I am going to discuss this / with Prime Minister
그렇기 때문에 / 저는 토의할 예정입니다 / 푸쿠다 총리와 함께 /

Fukuda / tomorrow.
내일

Town Hall Meeting on Climate Change
(29 June 2008)

Key Expression

'however+형용사 or 부사+주어+동사'는 양보의 의미하는 표현이며, '비록 ~할지라도'라 해석한다.

This is a complex challenge / for any country, corporation, or community /
이것은 복잡한 문제입니다 / 어떤 나라, 회사나 지역사회가 /

to address alone, / however powerful one country may be.
홀로 대처하기에는 / 비록 한 나라가 아무리 강력할지라도

hand over 물려주다 | (the) planet earth 지구 | hospitable 쾌적한 | commit oneself to ~하기로 굳게 약속하다 | priority (중요) 사항 | galvanize 활기를 띠게 하다

30. 기아 Starvation

I would like to thank you, / particularly the presence of Heads of
저는 여러분들에게 감사드리고 싶습니다 / 특히 국가원수와 정부수반인 /

State and Government / in the Horn of Africa; / from Ethiopia,
아프리카의 뿔(북동부지역)의 / 에티오피아,

Kenya, Djibouti and Somalia.
케냐, 디지보우티와 소말리아에서 오신.

Your participation / is a demonstration of your firm commitment /
여러분들의 참석은 / 여러분들의 확고한 헌신을 보여주는 것입니다 /

to address these issues.
다음과 같은 문제를 다루려는.

Excellencies, Ladies and gentlemen,
각하, 신사 숙녀 여러분,

The Horn of Africa is in crisis, / and that crisis grows deeper /
아프리카의 뿔(북동부지역)은 위기에 처해 있고 / 그 위기는 더욱더 심각해집니다 /

by the day.
날이 갈수록.

In Ethiopia, Kenya, Somalia and Djibouti, / more than 13 million
에티오피아, 케냐, 소말리아와 디지보우티에서 / 1천3백만 명 이상이 필요합니다 /

people need / our help.
우리의 원조를.

In Somalia, / famine has spread / through large areas of the south.
소말리아에서 / 기근이 퍼졌습니다 / 남부의 광대한 지역으로.

Three quarters of a million men, women and children / are at
75만 명의 남성, 여성과 아동이 /

imminent risk of starvation; / 4 million need / our urgent help.
아사할 절박한 위험에 처해 있습니다 / 4백만 명이 필요합니다 / 우리의 촌각을 다투는 원조를.

Tens of thousands of refugees / have moved to Mogadishu, /
수만 명의 난민들이 / 모가디슈로 이주했고 /

overwhelming its limited infrastructure.
한정된 기간 시설(인프라)을 곤경에 빠뜨리고 있습니다.

Tens of thousands more have crossed the border / to overcrowded
그리고 수만 명이 국경을 넘었습니다 / 초만원인 난민 수용소로 가

camps / in neighbouring countries.
려고 / 이웃국가에 있는.

Meanwhile, / millions of people in Kenya, Ethiopia and Djibouti /
한편 / 케냐, 에티오피아와 디지보우티의 수백만 명의 사람들이 /

continue to face severe difficulties.
계속 심각한 곤경에 처해있습니다.

Communities around refugee camps / are asking for equal
난민 수용소 주변에 있는 지역주민들은 / 동등한 대우를 요구하고 있습니다.

treatment.

The United Nations and its partners are providing / food, healthcare
유엔과 협력단체들은 공급하고 있습니다 / 식량, 건강관리와 다른 원

and other assistance / to more than one million people.
조를 / 1백만 명 이상의 사람들에게.

We have made progress / in helping those most in need / in
우리는 진전을 보이고 있습니다 / 심각한 곤궁에 빠져있는 사람들을 돕는 일에 /

Somalia.
소말리아에서.

But it is still not enough.
하지만 그것으론 아직 충분하지 않습니다.

Remarks at Mini-Summit on Horn of Africa
(24 September 2011)

head of state 국가 원수 | head of government 행정수반 | Horn of Africa 아프리카의 뿔(아프리카 대륙 북동부, 소말리아 공화국과 그 인근 지역) | famine 기근 | imminent 절박한, 긴급한 | starvation 아사 | refugee 난민 | infrastructure 기간 시설(인프라) | overcrowded 초만원의, 과밀한 | treatment 대우, 취급

26. 유엔건물 폭파사건 The Bombing of UN Premises

A.

We are here to remember, and pay tribute to, the dear colleagues and friends we lost in the horrific bomb attack in Algiers two years ago today.
It seems such a short time ago that I was in Algiers, meeting the traumatized family members and colleagues of those who were killed.
I will never forget the sadness and anger I felt that day.
The attack has caused suffering and grief that will never go away.
Nothing can ever justify wanton killing and destruction.
Our colleagues who died were working on the full spectrum of UN issues, from food security to human rights and industrial development.
In every case, they were devoted to helping the people of Algeria to build better lives for themselves and their children.
I salute them, as well as those who are continuing their work with dedication and professionalism.

B.

The attack in Algiers, the bombing in Baghdad in 2003, and this year's horrific killings in Afghanistan and Pakistan, point to a truth that we must face. The United Nations is now a target of terrorist groups.

We are still considering all the implications of this fact.

This is rightfully a cause of great concern to all United Nations staff.

I am working with the Department of Safety and Security and with Member States to ensure that you have the safest conditions possible in which to live and to carry out your important work.

UN staff are on the ground throughout the world not to benefit one group or another, but to strive for global peace and security, for human rights and for development, for all the world's people.

We are there to realize the great ideals found in the UN Charter.

C.

First, let me thank those who have traveled long distances to be here today with us. I've had the privilege of meeting some of you before, but this is the first time that we are all here together.

This is a solemn gathering, but I hope it can also be an opportunity for us to look forward.

The bombing in Baghdad stunned me, even though I wasn't with the United Nations at the time. When the United Nations was hit again, last year in Algiers, I experienced the devastation first hand. It was heartbreaking.

But then you don't need me to tell you that. You know it all too well.

The past five years have been very hard for many of you.

Reliving what happened. Wondering why it did.

Thinking about whether and how it could have been prevented.

Today, my team from Headquarters will give you a full account of the status of the various investigations into the bombing, and will respond to all of your questions.

Do use this opportunity to get as many of the answers you need.

I should start by noting that cooperation between our organizations goes well beyond crisis management.

We work together on an enormous range of policy and operational issues, from climate change, HIV/AIDS, gender and migration to emergency relief, development and peacebuilding.

This legacy of coordination provides a sound basis on which to strengthen our cooperation on crisis management and security challenges.

Few could have imagined how swift such cooperation has progressed, in particular over the past five years.

Today, the United Nations and European Union are working together to prevent and mediate crises, to support fragile peace settlements and to promote long-term peacebuilding in almost all continents.

유엔 사무총장 반기문 – 명언 ⑰ 절제 Self-control

Don't go / after reputation in vanity.
쫓지 마라 / 헛된 명성을

헛된 명성을 쫓지 마라.

28. 테러 희생자 Victims of Terrorism

A.

We are honored to have with us today four victims of terrorism, who I will introduce later.
They illustrate the fact that terrorism affects people everywhere irrespective of their religion, nationality, sex, age, or their region of origin in the world.
They illustrate that terrorism has many faces and can not be distilled into one image or person.
It takes great bravery to speak out against the most brutal and senseless acts of violence.
Our guests today have demonstrated that courage many times.
I had a good exchange of views with them, all participants, yesterday and this morning.
Almost exactly two years ago, the General Assembly took a historic step forward in adopting the United Nations Global Counter-Terrorism Strategy.
For the first time, Member States came together and took a common stand on the issue of terrorism.
And they acknowledged that terrorism cannot be defeated without the help of those who suffer most, the victims and their families.
And they acknowledged that victims require our support.

B.

The symposium today is a historic moment as it is the first time that the United Nations is bringing together governments, civil society and victims of terrorism to discuss practical and concrete solutions needed to strengthen support for victims and their families. Indeed, it is long overdue that we open the doors of the United Nations to victims of terrorism, and that we focus on their needs.

We hope that this symposium which is now going on will help achieve several important outcomes.

First, we want to put a human face to the tragic consequences of the scourge of terrorism, thus addressing one of the major conditions conducive to terrorism: the de-humanization of victims.

Second, we want to provide an opportunity for Member States, victims and civil society to share with one another their experiences in supporting victims and to gather best practices.

And third, we want to start a dialogue among victims and experts on victims' needs and optimal ways of addressing them.

Our duty and responsibilities is to hand over this planet earth of ours with a more hospitable and environmentally sustainable world to the next generation.
We feel a strong sense of responsibility.
That is why I am here and I commit myself to work together with you on this matter. As I have said many times since taking office as the Secretary-General, I have taken from day one of my office this climate change issue as the most important priority of myself as well as the United Nations as a whole.
This is a complex challenge for any country, corporation, or community to address alone, however powerful one country may be, like the United States or Japan -- the No.1 and No.2 largest economies.
You cannot do it alone.
This global challenge requires a global response.
That is why I have been trying to galvanize a political will.
We have resources, we have technologies but largely lacking is a political will at the level of leaders.
That is why I am going to discuss this with Prime Minister Fukuda tomorrow.

30. 기아 Starvation

I would like to thank you, particularly the presence of Heads of State and Government in the Horn of Africa; from Ethiopia, Kenya, Djibouti and Somalia. Your participation is a demonstration of your firm commitment to address these issues.

Excellencies, Ladies and gentlemen, The Horn of Africa is in crisis, and that crisis grows deeper by the day.

In Ethiopia, Kenya, Somalia and Djibouti, more than 13 million people need our help.

In Somalia, famine has spread through large areas of the south.

Three quarters of a million men, women and children are at imminent risk of starvation; 4 million need our urgent help.

Tens of thousands of refugees have moved to Mogadishu, overwhelming its limited infrastructure.

Tens of thousands more have crossed the border to overcrowded camps in neighbouring countries.

Meanwhile, millions of people in Kenya, Ethiopia and Djibouti continue to face severe difficulties. Communities around refugee camps are asking for equal treatment.

The United Nations and its partners are providing food, healthcare and other assistance to more than one million people.

We have made progress in helping those most in need in Somalia.

But it is still not enough.

Quiz 12

A. 단어 – 다음 제시된 단어의 설명을 읽고, 어떤 단어를 설명하는지 〈보기〉에서 어울리는 단어를 고르세요.

1. someone you work with, used especially by professional people
2. causing horror; terrifying
3. deliberately harming someone or damaging something for no reason; unnecessarily cruel or destructive
4. to make certain that something will happen properly; make sure
5. to make a great effort
6. to bring into reality; make real
7. something that you are lucky to have the chance to do, and that you enjoy very much
8. characterized or marked by seriousness or sincerity
9. to remember something that happened in the past so clearly that you experience the same emotions again
10. a careful search or examination in order to discover facts
11. the movement of persons from one country or locality to another
12. help or assistance to the poor, needy, or distressed
13. easily broken, damaged, or destroyed
14. someone who has been forced to leave their country
15. to clarify or explain something by use of examples
16. to get the main ideas or facts from a much larger amount of information
17. definite and specific
18. a group of people living in the same locality and under the same government
19. close in time; about to occur
20. a situation in which a large number of people have little or no food for a long time and many people die

〈보기〉

ensure	privilege	investigation	illustrate	famine
migration	fragile	horrific	refugee	wanton
concrete	solemn	imminent	relive	colleague
community	strive	relief	realize	distill

1. colleague 2. horrific 3. wanton 4. ensure 5. strive 6. realize 7. privilege 8. solemn 9. relive 10. investigation
11. migration 12. relief 13. fragile 14. refugee 15. illustrate 16. distill 17. concrete 18. community 19. imminent 20. famine

B. 회화에 강한 동시통역 연습 - 다음을 영어로 쓰고 말해보세요.

1. 저는 결코 잊을 수 없습니다 / 슬픔과 분노를 / 제가 그날 느꼈던
2. 그분들은 헌신했습니다 / 알제리 국민을 돕는 일에 / 더 나은 삶을 건설하려고 / 자신과 자신들의 자녀를 위해
3. 유엔은 이제 표적입니다 / 테러 단체의
4. 이번은 엄숙한 모임입니다 / 하지만 저는 바랍니다 / 이번 모임이 기회가 될 수 있길 / 우리가 앞날을 생각해볼 수 있는
5. 지난 5년은 힘든 해였습니다 / 여러분 중에 많은 사람들에게는
6. 바그다드의 폭파사건은 / 저를 깜짝 놀라게 했습니다 / 비록 저는 유엔에 없었지만 / 그 당시에
7. 상상할 수 있던 사람은 거의 없었습니다 / 얼마나 빠르게 그런 협력이 / 발전했는지 / 특히 지난 5년 동안에
8. 우리는 협력하고 있습니다 / 광범위한 정책 및 운영상의 문제에 대해 / 기후변화, 에이즈바이러스, 성과 이주문제부터 / 긴급구조, 개발 및 평화구축에 이르는
9. 처음으로, / 회원국들은 모여서 / 공통된 입장을 취했습니다 / 테러행위라는 문제에 대해
10. 그들은 인정했습니다 / 테러행위를 정복할 수 없다는 것을 / 가장 고통을 받는 사람들의 도움이 없다면 / 희생자와 그분들의 가족인
11. 오래전에 했어야 할 일입니다 / 우리가 유엔의 문을 여는 것은 / 테러 희생자들에게
12. 우리는 바랍니다 / 이 좌담회가 / 지금 진행되고 있는 / 몇 가지 중요한 성과를 이루는데 도움이 되길
13. 그래서 제가 이곳에 있고 / 저는 굳게 약속합니다 / 여러분과 협력할 것을 / 이 문제에 대해
14. 우리에게는 재원이 있고 / 우리에게는 기술이 있습니다 / 하지만 대체로 부족합니다 / 정치적 의지가 / 지도자들의 수준에서
15. 난민 수용소 주변에 있는 지역주민들은 / 동등한 대우를 요구하고 있습니다.

Answer

1. I will never forget / the sadness and anger / I felt that day.
2. They were devoted / to helping the people of Algeria / to build better lives / for themselves and their children.
3. The United Nations is now a target / of terrorist groups.
4. This is a solemn gathering, / but I hope / it can be an opportunity / for us to look forward.
5. The past five years have been very hard / for many of you.
6. The bombing in Baghdad / stunned me, / even though I wasn't with the United Nations / at the time.
7. Few could have imagined / how swift such cooperation / has progressed, / in particular over the past five years.
8. We work together / on an enormous range of policy and operational issues, / from climate change, HIV/AIDS, gender and migration / to emergency relief, development and peacebuilding.
9. For the first time, / Member States came together / and took a common stand / on the issue of terrorism.
10. They acknowledged / that terrorism cannot be defeated / without the help of those who suffer most, / the victims and their families.
11. It is long overdue / that we open the doors of the United Nations / to victims of terrorism.
12. We hope / that this symposium / which is now going on / will help achieve several important outcomes.
13. That is why I am here / and I commit myself / to work together with you / on this matter.
14. We have resources, / we have technologies / but largely lacking is / a political will / at the level of leaders.
15. Communities around refugee camps / are asking for equal treatment.

Translation

해석

유엔 사무총장 **반기문 – 명언 ⑱** 공부 Study

If you sleep now, / you will dream,
당신이 지금 잠을 자면, / 당신은 꿈을 꿀 것이고,

but if you study, / your dream will come true.
하지만 당신이 공부하면, / 당신의 꿈이 이루어질 것이다.

지금 잠을 자면 꿈을 꾸지만, 지금 공부하면 꿈을

Part I 연설문을 중심으로

1. 여성폭력의 근절

관리들이 여성폭력을 근절시키는 일에 대한 강력한 지지를 나타내려고 매년 유엔에 모입니다.

저는 엄청난 여성의 인권 침해를 이렇게 공개적으로 강력하게 비난하는 것을 환영합니다.

하지만 금년에 한 지도자는 연설뿐만 아니라 다른 방식으로 자신의 분노를 표현하기로 결심했습니다. 볼리비아 대통령 에보 모랄레스는 여성폭력 문제에 대한 인식을 높이려고 축구경기를 개최했다.

미첼 바첼렛 대통령도 그곳에 참석하셨다고 자랑스럽게 말씀 드리겠습니다. 바첼렛 대통령은 경기용 셔츠를 입고 공을 찼습니다. 하지만 그것보다 그녀는 폭력을 예방하고 종식시키려는 우리의 노력을 돋보이게 하여 득점하였습니다.

그녀는 말씀하였습니다. "우리는 폭력을 용납할 수 없고, 예방할 수 있고, 뿌리 뽑을 수 있고, 우리는 이런 목표를 성취하기 위해 열심히 일할 것이라고 명확한 메시지를 전 세계에 보내고 있다."

왜 바첼렛 여사가 우리 팀의 주장인지 여러분들은 이해할 수 있을 것입니다!

볼리비아 대통령 모랄레스는 실천하는 많은 지도자 중 한 분입니다.

여성폭력 종결을 위한 저의 캠페인은 국가 정부와 지도자들과 함께 활발한 동반자 관계를 형성했습니다. 코스타리카, 과테말라, 모잠비크 대통령과 태국 수상은 강력하게 지지하시는 분입니다. 또한 우리는 우루과이부터 세이셸까지 걸쳐 있는 지역에서, 캄보디아부터 남미비아에 이르는 지역에서, 카리브 해 지역과 그 지역 건너편 지역에서 국가 계획을 수립하고 있습니다.

여성폭력은 세계에서 가장 많이 퍼져 있는 인권침해 중 하나이기 때문에 우리는 전 세계에서 일하고 있습니다.

이런 위협은 차별, 처벌되지 않은 것과 무사안일주의에서 발생했습니다. 폭력은 여성을 경시하는 사회적 태도에서 발생합니다. 폭력은 무관심, 무지와 과감하게 말할 수 없는 두려움으로 인해 묵인되었습니다. 그리고 폭력은 가족과 공동체가 여성들에게 묵묵히 참으로 압박하는 곳에서 번창합니다.

그렇기 때문에 여성차별이라는 구조적 유형과 맞서 싸우고 여성의 능력을 키우기 위한 우리의 노력을 배가하는 것이 매우 중요합니다.

많은 국제적 기준, 조약, 선언과 결의안은 여성의 권리를 인권으로 인정하고 여성폭력을 명확하게 비난합니다. 이와 같은 수단은 전쟁 시에도 평화 시에도, 가난할 때도 부유할 때도, 아플 때도 건강할 때도, 평생 동안 항상 이용됩니다. 어떤 상황에서도 여성들은 품위 있고 안전한 삶을 살 권리가 있습니다.

과거 어느 때보다 오늘날 우리는 수십 년에 걸쳐 이룩한 견고한 인권체계에 의지해야 합니다.

하지만 여성폭력행위는 그런 체계에 표현된 약속을 어기는 것입니다.

모든 국가는 관련된 법, 정책과 방침을 개발하거나 개선할 의무가 있고, 범죄자에게 법의 심판을 받게 하고 폭력을 당한 여성들에게 구제방법을 제시할 의무가 있습니다.

모든 기구, 지역 사회와 개인들은 여성폭력행위를 받아들이거나 봐주는 관습이나 신념에 대해 반대 의사를 분명히 말할 책임이 있습니다.

이번 주 유엔총회 사회박애문화 위원회가 여성 성기를 절단하는 악습을 없애려는 첫 번째 결의안을 통과시킨 결정에 대해 박수갈채를 보냅니다.

저는 총회에서 이 결의안이 채택되길 기대하며, 결의안이 채택되면 여성을 보호하고 이런 악습이 처벌받게 하는 데 주요한 일보 전진이 될 것입니다.

신사 숙녀 여러분,

여성폭력 종결을 위한 캠페인은 여성들이 더 안전하고 더 행복한 삶을 살게 하는 성과를 지지합니다.

저는 여성폭력을 다루는 남성 지도력이 필요하다고 강력히 믿기 때문에 이런 캠페인에는 남성지도자 네트워크가 포함되어 있습니다. 남성의 심리상태를 변화시키려면 남성이 필요합니다. 하지만 우선 이 방에 계신 여러분들을 포함하여 이런 투쟁을 지금까지 이끌어온 여성들에게 박수갈채를 보냅니다.

저는 오늘 생존자들의 발언을 보여주는 비디오를 보길 기대하고 있습니다.

현재 여성폭력의 희생자들과 함께 일하는 한 여성이 말합니다. “저는 침묵하지 말고 꿈을 위해 대담하게 싸우라고 희생자들에게 권합니다. 제가 성공할 것처럼 그들도 성공할 수 있다고 저는 그들에게 말합니다.”

신사 숙녀 여러분, 오늘 여성폭력을 종식시키고 여성 인권을 실현하는데 도움이 되고자 하는 우리의 결의를 굳건하게 합시다.

대단히 감사합니다.

2. 교육의 중요한 과제

Education First(교육의 중요성)의 지지자 역할을 하겠다고 동의했고, 오늘 이곳에 오스트레일리아, 방글라데시, 브라질, 크로아티아, 덴마크, 가이아나, 남아프리카, 튀니지를 대표하여 참석하신 국가원수 및 총리들에게 감사의 뜻을 전하며 시작하겠습니다.

여러분들의 리더십에 감사 드립니다.

저는 또한 유네스코와 유니세프를 포함한 유엔체제와 많은 다른 조직에서 오신 협조자와 지도자들에게 감사의 뜻을 전하고자 합니다.

유네스코 사무총장 이리나 보코바에게 유네스코가 발휘한 뛰어난 지도력과 Education First를 성공시킬 유네스코의 지도력에 대해 특별한 감사의 뜻을 전하고자 합니다.

저의 교육 특사 고든 브라운에게 전 세계적인 교육을 지지하는 의견을 강력하게 표명한 것에 대해 감사의 뜻을 전합니다. 그리고 전 세계 청년들의 참여를 요청해주신 것과 본인의 강력한 메시지를 전해 주신 체노르바씨에게 감사의 뜻을 전합니다.

정말로 당신의 메시지는 저의 가슴에 와 닿았습니다. 많은 추억을 떠올리게 했습니다.

제가 신문에 실리거나 교재에 나온 교육결핍에 대한 것을 읽을 필요가 없었습니다.

저에게는 교재가 없었습니다.

전쟁이 끝난 저의 작은 마을에 학교 건물이 없었습니다. 저희 반 학생들은 나무아래 모였습니다.

하지만 교육에 필요한 것이 어떤 것이 부족하든 우리는 배우려는 열정으로 보충했습니다. 저는 성장하는 동안 사람들과 사회전체를 변화시키는 교육의 힘을 깨달았습니다.

그렇기 때문에 교육이 중요한 것이라고 말할 때 저의 주장은 내면 깊은 곳에서 나온 것입니다.

"교육이 세상을 변화시키는 가장 강력한 도구다"라고 넬슨 만델라가 말할 때 저는 그가 무엇을 의미하는지 압니다.

제 삶이 그랬기 때문입니다.

우리 모두는 우리의 가치를 믿고 교육에 투자했던 교사, 지역사회, 가족을 토대로 발전합니다. 어느 곳에 살든 모든 아이들은 동등한 기회를 가져야 한다는 것을 알고 있기 때문에 우리는 오늘 이곳에 모였습니다.

교육은 희망이며 존엄성입니다.

교육은 성장이며 역량강화입니다.

교육은 모든 사회의 기본 구성요소이며 가난에서 벗어나는 통로입니다.

더 많이 교육 받으면 심각한 가난과 기아에 덜 취약하다는 것을 의미합니다. 여성들에게 더 많은 기회를 주어야 합니다. 그들은 더 많은 양의 보건 및 기초 위생시설이 필요합니다. 에이즈바이러스, 말라리아, 콜레라 및 다른 죽음을 초래하는 질병과 싸울 더 많은 힘을 주어야 합니다.

정말로 교육의 발전이 모든 밀레니엄 개발 목표를 성취하게 합니다. 그리고 우리는 2015년까지 밀레니엄 개발 목표를 성취하려는 노력을 아끼지 않아야 합니다. 우리에게는 3년 3개월이 있습니다. 끊임없이 노력해야 합니다. 이것은 공동의 책임입니다.

Education Frist는 초년기부터 성인이 될 때까지 아이들이 당연히 받아야 하는 교육에 대한 모든 부모들의 요구에 응답하려 합니다.

우리의 새로운 글로벌 계획은 세 가지 중요사항에 주력합니다.

첫째로, 우리는 모든 아이들을 학교에 보내야 합니다.

모든 아이들은 성별, 배경 또는 환경에 관계없이 교육을 받을 동등한 기회를 가져야 합니다. 어떤 아이라도 중퇴하고, 버려지거나 쫓겨나게 할 여유 있는 사회는 없습니다.

한 소녀가 단지 1년 더 교육을 받으면 장래 임금을 20퍼센트 정도까지 증가시킬 수 있으며 소녀는 임금을 가족이나 지역사회로 보낼 것입니다. 이것은 우리가 만들어야 하는 선순환입니다.

둘째, 우리는 학습의 질을 개선시켜야 합니다.

많은 아이들이 학교에 다니고 있지만 매년 배우는 것이 매우 적습니다. 그리고 너무나 많은 청년들이 오늘날 구직시장에 필요한 도구나 기술 없이 졸업합니다. 우리는 더 강력한 기술개발과 기술의 힘을 이용하여 이러한 격차를 해소해야 합니다.

셋째로, 우리는 세계시민의식을 발전시켜야 합니다.

교육은 읽고 쓰는 능력과 산술능력 이상의 것이며 또한 시민에 대한 것입니다. 더 공정하고 평화롭고 아량이 있는 사회를 만들기 위해 사람들을 도와줄 때 교육은 전적으로 중심적인 역할을 맡아야 합니다.

각하, 신사 숙녀 여러분,

우리는 이곳에서 모든 대륙, 모든 나라, 모든 공동체로 메시지를 전해야 합니다.

모든 아이, 청년과 성인들이 학교에 다니고, 배우고 사회에 기여할 수 있는 기회를 가질 때까지 우리는 멈출 수 없습니다.

이것이 우리의 과제입니다. 이것이 우리의 숙제입니다.

세계의 어린이들을 위한 시험에 통과합시다.

교육을 가장 중요하게 생각합시다.

3. 허리케인 샌디

허리케인 샌디의 충격을 여러분에게 알릴 수 있는 기회를 주셔서 감사합니다.

저는 폭풍에 대한 정보를 공유하려고 몇몇 고위 관리들이 여러분들보다 먼저 오신 것을 알고 있습니다. 하지만 여러분이 제기한 문제에 대해 제가 알고 있고 솔직하게 함께 얼굴을 맞대면 이런 문제를 아주 적절하게 토론할 수 있다고 믿기 때문에 저는 직접 이곳에 오길 원했습니다. 이와 같은 의미로 저는 여러분과 생산적이며 절실히 필요한 토론을 하길 기대합니다.

폭풍과 비상사태는 큰 시험과 난관이 됩니다.

폭풍과 비상사태는 견디기 어렵고 심지어 초인적인 상황에서 직무의 범위를 넘어 일하는 사람들로부터 가장 좋은 것을 이끌어 낼 수 있습니다.

하지만 또한 비상사태는 어떤 면에서 근거 없는 추측을 기반으로 일했는지 어떤 면에서 더 잘 해야 하는지 나타나게 합니다.

지난 2주간은 그와 같은 상황이었습니다. 상당한 혼란이 있었지만 유엔은 중요한 포괄적인 서비스를 지속적으로 제공했습니다. 동시에 실수가 있는 곳에는 분명히 교훈이 있습니다.

우리는 배우고 전진하기 위해 기어코 여러분 모두와 함께 일할 작정입니다.

허리케인 샌디는 재외공관의 직원과 그들의 가족 그리고 유엔 직원들 우리 모두에게 영향을 끼쳤습니다.

게다가 폭풍과 폭풍의 영향은 아직도 우리에게 남아있습니다.

이곳 뉴욕시 지역과 미국의 동해안 지역에서 100명 이상이 목숨을 잃었고 많은 가족이 전력과 식수가 없는 상태입니다.

카리브 해 지역에서 5백만 명의 사람들이 폭풍의 영향을 받았고, 72명이 사망했습니다.

아이티에서만 54명이 사망했고, 수십만 명이 홍수와 강풍에 피해를 당했습니다. 쿠바에서는 인구의 20퍼센트가 영향을 받았습니다.

또한 자메이카, 도미니칸 공화국과 바하마에 상당한 영향을 끼쳤습니다.

저는 쿠바, 도미니칸 공화국, 아이티 대통령과 자메이카 국무총리와 함께 이야기를 했습니다.

저는 오바마 대통령에게 애도의 편지를 보냈고, 뉴저지 주지사 크리스티, 뉴욕주지사 쿠오모, 뉴욕시장 블룸버그와 미국적십자 회장 맥엘빈 헌터와 함께 이야기했습니다.

저는 그들 각자에게 결속을 표현했고, 유엔이 회복노력을 최대한 지원할 것을 약속했습니다. 폭풍이 있자마자 쿠바에 5백만 달러와 아이티를 위해 4백만 달러를 중앙비상 대처 기금에서 할당했습니다.

자메이카는 보건 및 식량안보 지원을 위한 비상보조금을 받을 것입니다.

유엔은 현재 국가적인 요구에 대처하고 장래 재난위험 감소를 강화하려는 노력을 가능한 가장 강력하게 지원하기 위해 정부당국, 원조국과 비상대책 기구들과 함께 긴밀히 협력하고 있습니다.

각하, 이제 이곳 유엔본부의 피해에 관심을 기울여봅시다.

폭풍의 위기 내내 저와 간부들의 가장 중요한 관심사는 각국의 대표와 직원들의 안전을 보장하는 것이었으며 가능한 일찍 정상적인 운영을 재개하는 것이었습니다.

폭풍이 강타하고 상황이 전개될 때 비록 제가 유엔본부에 없었지만, 저는 부 사무총장과 계속 연락을 했고 부 사무총장은 본부에서 위기대응을 관리했다는 점을 강조하겠습니다. 저는 수요일 저녁에 뉴욕에 돌아왔고 현장에서 진행되던 위기 대응 토론과 시도에 즉시 합류했습니다.

직원과 그들의 부양가족들이 부상당하지 않았다는 것을 여러분들에게 알려드리게 되어 기쁩니다. 하지만, 몇몇 직원들이 재산피해를 당했고 다른 어려움을 겪었습니다. 저는 위로 및 후원의 뜻을 전하기 위해 연락을 취했습니다. 여러분들도 저와 함께 관심을 표현한다는 것을 저는 알고 있습니다.

심각한 폭풍에도 불구하고 상대적으로 유엔 공관의 손해가 퍼지는 것을 막을 수 있었습니다.

고위관리들이 이미 최신 정보를 알려줬고 앞으로 계속 그렇게 할 것이기 때문에 상세히 설명하지 않겠습니다.

핵심을 말하자면 지하실의 침수로 냉각시스템의 정지와 결국 정보통신기술 기반시설인 주요 데이터 센터가 정지되었을 때 가장 심각한 피해를 입었습니다.

갑자기 정지되었기 때문에 뉴저지에 있는 부속 데이터 센터로 이전하는데 어려움이 있었습니다. 통신시스템의 일부인 데이터와 전화는 심각하게 영향을 받았습니다. 하지만 부속 데이터 센터 덕분에 데이터의 손실 없이 중요한 정보통신 시스템과 통신의 지속성을 유지할 수 있었습니다.

우리는 또한 중단하지 않고 전 세계적인 서비스를 제공하고 있다는 것을 강조하겠습니다. 많은 직원들이 하루 종일 일하고 있습니다. 비상대응센터는 현장 파견단과 항상 연락을 하고 있습니다. 안전보장 이사회는 텔레비전과 인터넷으로 생방송을 하는 가운데 이 건물에서 수요일에 만날 수 있었고 업무를 계속하기 위해 혁신적인 조치를 취했습니다. 목요일에 여러 본회의와 위원회 회의가 있었고 금요일에 사무국이 제대로 기능을 다하고 있었습니다.

하지만, 운영과 기반시설에 지나치게 집중할 때 통신에 관한 한 부족한 점이 있었다는 것이 명백합니다. 사무국은 비상연락 웹사이트와 긴급 직통전화를 통해 직원과 대표단에 연락을 취하고 이메일로 대표부와 연락하려고 끊임없이 노력했습니다. 그러나 너무나 많은 이메일 주소가 쓸모 없거나 정확하지 않은 것임을 발견했습니다. 그리고 넓은 의미에서 폭풍의 영향과 결과에 회원국, 직원과 더 광범위한 방청자들에게 대해 최근의 정보를 알려주기 위해 더 많은 것을 했어야 했습니다.

재해가 일어난 동안 안내를 받고, 중요한 정보를 얻고 또는 안심시키는 말을 듣기 바라는 많은 대표단과 직원들이 겪은 좌절감을 저는 충분히 이해합니다. 재난에 대처하는 동안에 어떤 것이 성공했고 어떤 것이 잘못되었는지 면밀히 조사하고 있고 기어코 잘못된 일을 시정할 것입니다.

유엔사무국 국장이 상황점검 활동을 지휘하고 있습니다. 상황점검에 위기관리, 기반시설, 기술, 직원지원과 내·외부 통신이 포함되어 있습니다. 우리는 이런 노력에 의해 업무의 영속성을 강화하는데 필요한 실용적인 건의와 위기 동안 명백하게 나타난 결함을 보완하는데 필요한 실용적인 건의가 있길 기대합니다.

초기 빠른 조정의 일환으로 우리는 유엔본부 비상정보 웹사이트를 구축했으며, 이 웹사이트는 유엔본부 구내에서 일하는 모든 사람들에게 도움이 될 것입니다. 즉 대표단, 직원, 비정부기구, 기자 및 다른 사람들에게 도움이 될 것입니다. 그렇지만 당연히 훨씬 더 많은 것이 필요할 것입니다.

각하,

유엔본부가 있는 위대하고 관대한 미국과 뉴욕시와 결속을 보여주려고 유엔직원과 저는 기부운동을 시작했습니다. 또한 우리는 손실 및 손상을 입은 직원들을 지원하고 있습니다.

마지막으로 우리 모두는 단 한번의 폭풍발생이 기후변화의 탓이라고 말하는 것은 곤란하다는 점을 알고 있습니다. 하지만 또한 기후변화 때문에 발생한 기상이변이 새로운 기준이 되었다는 것도 알고 있습니다.

이것은 불편한 진실일 수도 있지만 우리가 위험을 무릅쓰고 무시하는 진실입니다.

세계의 유명한 과학자들이 다년간 경고를 하였습니다.

우리의 눈으로 어떤 일이 일어나고 있는지 볼 수 있습니다.

우리는 외면할 수 없고 평소처럼 일을 계속할 수 없고 위협이 감소하거나 사라지길 바랄 수도 없습니다.

우리의 목표는 명확하고 절박합니다. 목표는 온실가스 배출을 줄이는 것이고 어떤 일을 우리가 하던 우리가 알기로 현재 진행 중인 더 큰 규모의 기후변화 충격에 대한 적응력을 강화하는 것입니다. 그리고 지난해 더반에서 2015년까지 체결하기로 합의한 대로 법적으로 구속력 있는 기후협약을 체결하는 것입니다.

이것은 부담이 아니라 기회입니다. 이것은 세계를 더 잘 유지할 수 있는 길로 인도할 기회이며 일자리와 에너지시스템을 만들 것이며 모두를 위한 장기적인 번영과 안정에 필요한 다른 기반을 만들 것입니다.

이것은 허리케인 샌디로부터 얻는 중요한 교훈이 되어야 합니다.

우리 공동의 미래를 위해 현명한 투자를 합시다. 경청해 주셔서 감사합니다.

4. 유엔 사무총장으로 재선되고

유엔 총회 의장,

안전보장 이사회 의장, 경제사회 이사회 의장 그리ㄴ고 신탁통치 이사회 의장,

대한민국 외무부 장관,

유엔 총회 부의장,

다섯 개 지역 연합 대표,

유엔 주재 미국 상임대표,

각하,

귀빈 여러분,

신사 숙녀 여러분,

오늘 오후에 여러분의 결정과 여러분의 따뜻한 말씀덕분에 저는 표현할 수 없을 정도로 매우 영광스럽습니다.

저의 전임자(역대 유엔 사무총장)들의 거대한 유산을 잊지 않고 이곳에 서있는 저는 여러분의 신임덕분에 겸허해지고, 우리들의 공통 목적 의식 때문에 마음이 벅차 오릅니다.

이렇게 엄숙한 행사는 또 다른 측면에서 특별합니다.

조금 전 취임 선서를 할 때, 저는 복사본이 아니라 샌프란시스코에서 조인된 원본 유엔 헌장에 손을 놓았습니다.

우리의 선조들은 이 문서(유엔 헌장)가 매우 소중하다고 생각하여 그 헌장을 낙하산에 붙들어 매어 비행기에 싣고 워싱턴으로 회항했습니다. 그 헌장과 함께 왔던 불쌍

한 외교관에게는 이러한 배려를 하지 않았습니다. 그는 자신의 운에 맡겨야 했습니다.

오늘 헌장을 너그럽게 빌려주고 헌장을 보존하기 위해 관심을 아끼지 않은 미국 국립기록원에 감사 드립니다.

각하,

신사 숙녀 여러분,

유엔 헌장은 우리의 위대한 조직(유엔)에 생기를 주는 정신이자 영혼입니다.

65년 동안 이 위대한 조직은 인류의 염원을 지켜왔습니다.

마지막 세계대전부터 베를린 장벽이 무너지고 인종차별이 끝날 때까지 염원을 지켜왔습니다. 우리(유엔)는 굶주린 사람들을 먹이고, 아프고 고통 받는 자를 위로하고, 전쟁으로 괴로워하는 사람들에게 평화를 가져다 주었습니다.

인류의 발전에 헌신하는 이 위대한 조직은 바로 유엔입니다.

각하,

약 4년 반 전에 집단행동의 새로운 정신인 다국간 공동 정책을 요구하면서 우리의 임무를 함께 시작했습니다.

우리는 일상적인 임무를 수행할 때 어째서 세계의 모든 사람들이 유엔에 더욱더 기대를 걸고 있는지 알게 되었습니다.

우리는 통합되고 서로 연결된 시대에 산다는 것을 그 당시에 알고 있었지만 이제는 더 절실히 인식하고 있습니다. 이와 같은 새로운 시대에는 어떤 국가도 모든 난관을 독자적으로 해결할 수 없습니다. 그래서 모든 국가는 문제 해결의 일환이 되어야 합니다.

이런 것이 바로 현 시대의 현실입니다.

우리는 그런 현실에 맞서 싸울 수도 있습니다. 아니면 앞장서서 이끌어 나갈 수도 있습니다. 유엔의 역할이란 앞장서서 이끌어 나가는 것입니다.

오늘 여기에 참석하는 우리는 각자 그 무거운 책임을 함께 지고 있습니다.

그렇기 때문에 어느 때보다 유엔이 다르고 더욱더 중요해지고 있습니다.

앞장서서 인도하려면, 우리는 성과를 내야 합니다. 단지 통계표만으로는 충분하지 않습니다. 우리는 사람들이 보고 만질 수 있고, 삶을 변화시킬 수 있을 정도로 변화를 일으키는 성과가 필요합니다.

의장님,

각하,

신사 숙녀 여러분,

호의와 상호 신뢰를 바탕으로 협력하는 동안 우리는 미래를 위한 단단한 기반을 마련했습니다.

우리가 시작할 때, 기후변화는 보잘것없는 문제였습니다.

오늘 우리는 그 문제를 세계가 토의할 안건에 확실히 넣었습니다.

우리가 함께 일을 시작했을 때 핵무장해제는 시간 속에 멈춰 있었습니다. 오늘 우리는 발전을 봅니다.

우리는 세계보건, 환경파괴 없는 지속적인 발전과 교육부분에서 발전했습니다. 말라리아로 인한 사망을 없애는 일을 제대로 궤도에 올려놓았습니다. 마지막 진격을 하면, 오래 전에 천연두를 근절시킨 것처럼 우리는 소아마비를 근절시킬 수 있습니다.

우리는 수대에 걸쳐 가난하고 취약한 사람들을 가장 큰 경제적 격변으로부터 보호했습니다.

파괴적인 자연재해가 일어나면, 우리는 아이티, 파키스탄, 미얀마와 같은 곳으로 가서 생명을 구했습니다.

유엔은 과거와 달리 수단, 콩고민주공화국, 소말리아, 아프가니스탄, 이라크, 중동에서 사람들을 보호하며 평화증진에 도움이 되고자 선두에 섰습니다.

우리는 민주주의, 정의, 인권을 확고히 지지합니다.

우리는 보호하려고 책임을 지는 새로운 면을 창조했습니다. 우리는 도처에 있는 여성들의 능력을 길러주는 유엔 여성을 만들어냈습니다. 그러한 일은 유엔조직 자체에 포함되어 있습니다.

하지만 우리는 얼마나 멀리 가야 하는지 절대로 망각하지 않습니다. 우리가 함께 시작했던 중요한 임무를 계속해야 합니다.

각하,

신사 숙녀 여러분,

우리가 미래에 대해 생각할 때 우리는 단호하고 일치된 행동이 필요하다고 인정합니다.

경제적으로 힘든 시기에 우리는 자원을 최대한 이용하며, 적은 자원으로 더 잘 이용해야 합니다. 우리는 한 자원으로 기대한 만큼의 결과를 낼 수 있는 능력을 개발해야 합니다. 우리는 국제적인 문제 간에 공통된 관계를 이해하려면 더 많은 일을 해야 합니다. 그러면 한 국제적인 문제에 대한 해결책이 모든 문제에 대한 해결책이 됩니다. 즉, 여성과 아동의 건강, 녹색성장, 더 공평한 사회 및 경제 개발과 같은 문제에 대한 해결책이 됩니다.

명확한 기한이 앞에 놓여 있습니다. 그것은 2015년 밀레니엄 개발 목표 예정일, 내년 리오+20 회담, 9월 핵 안전에 대한 고위급 회담과 내년 서울 핵 안보 정상회담입니다.

이런 모든 일을 할 때 우리의 궁극적인 힘은 협력입니다. 우리의 유산은 무엇이든 간에 공동의 목적을 위해 앞장서는 세계의 지도자들의 동맹으로 기록될 것입니다.

과거처럼 저는 여러분들의 지지와 더 강렬한 협력을 기대합니다. 저의 임기를 연장하기 위해 확고하게 행동하신 여러분들은 시간이라는 선물을 주셨습니다. 즉 우리가 함께 시작했던 중요한 임무를 완수할 수 있는 시간을 주었습니다.

앞으로 우리는 여러분들의 견해와 아이디어를 얻기 위해 여러분들에게 연락하겠습니다. 여러분들과의 토론을 이용하여 저는 내년 9월 총회에서 더 폭 넓은 장기 비전을 제시하겠습니다.

저의 전임자인 다트 하마르스크욜드 총장은 "절대로 평안과 고요함을 얻으려고 자신의 경험이나 신념을 부정하지 마라"라고 전에 말했습니다. 저의 고귀한 전임자처럼 저는 이 교훈을 마음에 새겨놓겠습니다.

사무총장으로 일하는 것은 큰 영광입니다. 또다시 한 번 더 일하도록 여러분들이 저에게 요구한 것은 더욱더 영광스럽게 만듭니다.

여러분들의 지지와 격려에 감사하며, 여러분들의 신임을 영광으로 생각하며, 저는 여러분들의 지지를 받아들이면서 최대한 헌신할 것을 맹세합니다. 여러분들의 지지를 받아들이게 되어 자랑스럽고 겸허한 마음이 듭니다.

사무총장으로서 저는 유엔의 회원국 간에 그리고 유엔과 다양한 국제협력 기구 간에 중재자와 조정자로서 일할 것입니다.

위대한 현인 노자를 인용한다면, 천도는 타인을 이롭게 하며 해를 끼치지 아니하는 것입니다. 현인의 도는 실천하는 것이지 경쟁하는 것이 아닙니다. 우리가 하는 일에 이런 불후의 지혜를 이용합시다. 의견들의 경쟁을 버리고, 실천 속에서 화합을 찾읍시다.

여러분들의 신임을 영광스럽게 생각하며, 저는 최대한의 헌신과 활발한 활동을 맹세하고 신성한 헌장의 기본 원칙을 지지할 것을 다짐합니다.

다 함께 이 숭고한 조직이 세계의 시민들을 더 잘 봉사하도록 우리가 도울 수 있는 모든 일을 합시다.

단결하면, 어떤 난관도 너무 크지 않습니다.

단결하면, 어떤 일도 불가능하지 않습니다.

감사합니다.

5. 아세안 정상회담

우리들 중 많은 사람들이 칸에서 모였던 일이 단지 어제인 것 같습니다.

G20정상회담을 지배하고 있는 심각한 경제문제는 여전히 일상적인 우리의 관심을 받을 만하고, 앞으로 상당한 기간 그렇게 될 것 같습니다.

우리가 알고 있는 것처럼 아시아는 최근에 세계 성장의 핵심 요인이 되었습니다.

국제 금융상황을 안정시키려면 아시아는 현재 위기의 일부 부담을 견뎌야만 할 것입니다.

유엔 사무총장으로서 제가 할 일은 당면한 위기에서 약간 뒤로 물러서서 우리 미래에 닥쳐올 시련에 대해 어느 정도 장기적인 견해를 취하는 것입니다.

저는 아시아 3개국 방문을 곧 끝맺을 예정입니다. 저의 방문 목적은 특히 보건과 그 중에서도 여성과 아동 건강분야에서 아시아 3개국이 제대로 일을 하고 있는 분야에 대해 관심을 끌게 하는 것입니다.

태국과 인도네시아는 자신들의 사회에 상당한 혜택을 주는 일반 의료보험을 진행시키고 있습니다.

방글라데시에서 어떻게 농촌지역 보건소에 대한 투자가 생명을 구하고 있는지 저는 목격했습니다. 훨씬 더 적은 여성들이 분만 도중에 사망하고 있습니다. 유아 사망률은 급격히 떨어지고 있습니다.

이런 이유 중 일부는 아시아 3개국들이 국민들에게 많이 투자하기 때문입니다.

제 생각으로는 이런 것은 재치 있는 경제정책일 뿐만 아니라 사회정책입니다. 건강한 국민들은 건전한 사회를 만들고, 건전한 사회는 더 번영하는 사회가 되는 경향이 있습니다.

동아시아와 동남아시아 국가들은 장기적으로 미래에 투자하고 있습니다. 바꿔 말하면 경쟁력, 생산력, 장기성장이라는 기초토대에 투자하고 있다는 것입니다.

이 지역의 많은 국가들은 다른 지역의 경제 위기가 자신들에게 번지는 것을 두려워하고 있습니다. 그리고 두려움과 불안감의 전염성을 과소평가하는 것은 심각한 실수임이 분명합니다.

하지만 저는 이런 문제에 대해 약간 다르게 생각합니다.

저의 주된 걱정은 더 부유하고 산업이 발달한 국가들이 국민에 대한 투자를 줄이는 것입니다. 국내뿐만 아니라 국경 너머의 사람들에 대한 투자까지도 줄이는 것입니다.

또한 아시아 국가들이 두려움 때문에 인적자원에 대한 투자를 줄이는 것을 걱정합니다.

만일 그런 일이 일어난다면, 즉 우리가 두려움에 굴복한다면, 세계경제는 정말로 더 욱더 침체될 것이고, 여기 아시아에서도 그런 일이 발생할 것입니다.

저의 주장은 이렇습니다.

사회투자란 세계 경제가 회복되면 선택 가능한 사치가 아니라는 것입니다. 그와 반대로 사회투자는 현재의 성장 엔진입니다. 그래서 우리는 사회투자에 대한 책임을 유지해야 합니다.

저는 한 가지 더 강조하고 싶습니다. 그 점을 오늘 아침에도 주장했습니다. 아시아는 세력과 영향력을 얻었지만, 우리가 함께 공존하는 더 큰 세계를 위한 자신들의 책임을 아직 받아들이지 않았습니다.

아시아가 오늘날의 위기에 충실히 대처하는 것이 필요합니다. 즉 세계적 규모의 협동 관리와 금융안정이라는 위기에, 북아프리카와 중동에서 진행 중인 거대한 변화라는 위기에, 우리 모두에게 영향을 끼치는 다양한 문제라는 위기에 대처할 필요가 있습니다.

이런 것은 정치적이며 도덕적인 책임입니다.

그렇기 때문에 저는 앞으로 5년 동안 세계가 실천할 다섯 가지 책임을 제시하겠습니다. 큰 과제를 받아들이고 인적 및 지구 자본의 축적을 증가시킴으로써 더 번영하는 미래로 가는 길을 찾을 수 있습니다.

그것은 무엇보다도 환경파괴 없이 지속 가능한 개발을 의미하며, 연료를 태우거나 소비를 통해 더 좋은 미래로 갈 수 없다는 사실을 받아들이는 것입니다. 그것은 기후변화에 대해 합의하려고 노력하는 것을 의미합니다. 그것은 환경파괴 없이 지속 가능한 모든 국가의 에너지 정책을 의미합니다. 그것은 또한 다음세대의 거대한 시장으로 부상하는 여성과 아동을 위해 새로운 기회를 만드는 것을 의미합니다.

내년 6월에 열리는 리오+20회의에서 이런 과제를 정면으로 다루어야 할 것입니다. 이런 과제는 기후변화, 에너지, 식량, 여성의 능력향상입니다. 또한 우리가 이런 문제를 다룰 때, 우리가 이행해야 하는 역사적으로 중요한 의무를 인식해야 합니다. 여러분 모두가 내년 6월에 열리는 리오회의에 직접 참석하길 진심으로 권합니다.

단결, 우리의 단결은 중요합니다. 우리는 새로운 세계에 살고 있습니다. 과거의 규칙은 더 이상 적용되지 않습니다. 어떤 국가나 국가 연합도 혼자 힘으로 할 수 있는 일은 없습니다.

이점에 대해 우리 모두는 동의합니다. 이런 정신으로 이제 실천합시다. 우리 최상의 국익인 국제사회의 단결을 통하여 실천합시다. 감사합니다.

6. 세계개발원조 총회 연설

여러분들께서 민간부문 포럼에 오신 것을 환영하게 되어 기쁩니다.

사무총장으로서 지난 5년 동안에 제가 배운 주요한 교훈 중에 하나는 재계와 시민사회의 지원이 없다면, 유엔이 제대로 기능을 발휘할 수 없다는 것입니다. 우리 유엔은 정부, 재계와 시민사회라는 세 곳의 지원이 필요합니다.

그래서 저는 오늘 부산에 우리와 함께 참석해주신 여러분들께 감사 드립니다. 원조가 필요한 곳에 원조를 하며, 현명하고, 원조금의 목적에 맞고 책임 있는 방식으로 원조가 사용되도록 하려는 중요한 시도에 동참해주셔서 감사 드립니다.

개발 협력은 기로에 서있습니다.

현재는 재정적으로 궁핍한 시대입니다. 양적으로나 질적으로 원조에 대한 불안전성이 증가하고 있습니다.

동시에 새로운 세력이 등장하여 세계 경제와 정치적 상황뿐만 아니라 원조 및 투자 상황도 변화시키고 있습니다.

이런 극적인 시류와 변화를 겪는 상황에, 민간부문이 다음과 같은 틈을 메우는데 중대한 역할을 한다는 폭넓은 의견 일치가 있습니다. 분명히 수요와 공급 간의 불일치인 틈이 존재합니다.

사업은 일자리를 창출하고 혁신을 일으키는 중요한 원동력입니다.

단지 충분한 민간 투자가 광범위한 성장을 가능하게 하기만 하면, 세계는 지속적으로 개발될 수 있습니다.

이것은 중요합니다. 그렇기 때문에 저는 오늘 협력의 중요성에 대해 밝히고 싶습니다.

신사 숙녀 여러분,

지난 10년 동안 세계의 최저개발국에 대한 민간부문의 관심이 증가하는 것을 목격했습니다.

작년에 외국의 직접투자는 5,740억 달러로 공식적인 개발 원조보다 4배나 더 많았습니다. 최고 기록은 원조국이 개발도상국에 1,300억 달러를 기부했던 작년도였습니다.

처음으로 개발되고 변화하는 국가들이 이 기금의 반 이상을 유치했으며, 원조를 절실히 필요로 하는 많은 국가를 투자가 앞지른 기간 동안에는 환영할 정도로 상당히 개선되었습니다.

개발도상국이 투자한 것도 최고 기록에 이르렀습니다. 이런 투자금은 다른 개발도상국으로 대개 이동했으며, 그것은 남남협력이 깊어지고 넓어지고 있다는 징조입니다. 이런 기금은 북에서 남으로만 흘렀지만 오늘날에는 이런 기금이 남남 간에 그리고 심지어 남에서 북으로 흐르고 있다는 견해가 널리 인식되고 있습니다.

심지어 민간부문의 투자목표는 변하고 있습니다.

최근까지 주된 목표는 비용을 절감하는 것이었습니다.

오늘날 투자는 시장을 창조하는 것입니다.

그렇다면 이제부터 어떻게 하면 될까요?

신사 숙녀 여러분,

효과적인 개입과 투자금에 대해 가장 큰 가치를 가져올 수 있는 전략으로 투자가 가장 필요한 곳으로 갑시다.

이달 초, 저는 방글라데시, 태국, 인도네시아를 방문했습니다.

저는 전 세계 보건을 증진시키는 일에 성공 사례를 강소하려고 특히 여성과 아동의 건강을 강조하려고 갔습니다.

분만할 때 유아 사망률과 임산부 사망을 줄이고 있는 방글라데시와 인도네시아의 섬인 칼리만탄에 있는 지방 진료소를 보았습니다.

저는 태국에서 일반 의료보험의 장점과 효과를 보았습니다.

저는 두 가지 교훈을 배우고 떠났습니다.

간단한 해결책으로 생명을 구할 수 있습니다. 예를 들어 농촌 지역에서 조산사를 훈련하거나 신선한 물과 값싼 백신 같은 필수적인 것을 공급하는 도움을 주는 일입니다.

두 번째 교훈으로 국가가 국민들에게 이와 같은 모든 위생 및 보건서비스를 제공하기 전에 국가는 부유해질 때까지 기다릴 필요가 없습니다. 예를 들어 태국은 개인당 국민소득이 단지 400달러였을 때, 전 국민 의료보험 보장을 위한 프로그램을 진행시키길 시작했습니다. 태국의 소득은 중류층에 속하지만 그들은 오래 전에 시작했습니다. 그러므로 국민들에게 이런 보건서비스를 제공하려고 부유해질 때까지 기다릴 필요가 없습니다.

세계에서 가장 빈곤한 국가가 인적자원에 투자하고 다른 국가들에게 모범사례가 되는 것을 보는 일은 상당히 고무적인 일이었습니다.

또한 이런 성공사례는 원조의 진정한 잠재력을 보여주기 때문에 고무적인 일이었습니다.

정부는 적당한 규제체제와 장려책으로 기반을 마련해야 합니다.

하지만 민간부문과 시민사회도 원하는 결과를 얻는데 도움이 될 수 있습니다.

청량음료 제조사들은 깨끗한 물을 나누어 주는 일을 도와주고 있습니다.

제약사들은 약과 백신의 비용을 줄이고 있습니다.

외딴 지역에 있는 여성들이 필요한 치료를 받으려고 의사와 간호사들과 연락할 때 휴대폰 회사들은 도움을 주고 있습니다. 오늘날 심지어 농촌지역에서도 간호사, 보건소 직원들은 환자에게 통보하기 위해 휴대전화를 사용하고 있습니다.

정말로 민간부문은 성장의 주력이 될 수 있습니다.

하지만 기억합시다. 성장, 투자 및 사업 활동은 지속적이며 책임을 져야 하고, 최고 높은 수준의 기업 윤리를 유지해야 합니다.

이런 것은 유엔의 글로벌 공동협약에 구체적으로 나타난 원칙입니다.

약 140개국에서 6천 개 이상의 회사들이 이런 계획에 참여하고 있습니다.

그들은 기업이 장기적 가치를 창출하려면 단기성 재정 이득 이상을 내다보아야 한다는 것을 인정합니다.

더욱더 많은 재계 지도자들은 원칙과 이윤은 서로 연관되어 있다는 것을 인정합니다.

기업 성장의 지속성이라는 것은 대세가 되고 있습니다.

이것 때문에 기업체들이 개발에 참여하는 방식에 근본적인 변화가 일어나고 있습니다.

오늘의 빈곤한 시장이 내일의 번영하는 시장이 됩니다.

종종 개발도상국의 성장률은 선진 국가들의 성장률보다 훨씬 더 높습니다.

다국적 기업에서 소규모 판매점에 이르기까지 가난한 자들에게 호의적인 비즈니스 모델이 기업체와 사회의 요구를 모두 충족시킬 수 있다는 것을 경험을 통해 알 수 있습니다.

게다가 때로는 고통스럽게 우리가 배운 점은 종종 허약한 국가가 투자를 절실히 필요로 할 때 갈등과 불안정은 절실히 필요한 투자를 쫓아 버리기만 한다는 것입니다.

공동체들이 성공하면 기업체들은 성공합니다.

폭력과 법의 부재로 국가가 영향을 받을 때 기업은 평화의 메신저가 되어야 합니다.

투자, 고용, 지역공동체와 관계, 지역 환경보호에 관련된 기업체의 결정은 한 국가가 갈등을 극복하는데 도움을 줄 수 있습니다. 그렇게 하지 않으면 갈등을 더욱더 악화시킬 수 있습니다.

기업체들이 가능한 모든 노력을 다하여 책임을 지고, 갈등에 민감하게 대처하는 사업 관습을 실행할 것을 강력하게 권고합니다.

인권을 지지하고, 폭력의 악순환을 깨고, 경제활동을 자극하면, 기업체들은 자신들의 기업이 번성하는 조건을 창조하는데 도움을 줄 수 있습니다.

신사 숙녀 여러분,

지난 15년 동안 원조기구와 기업체들 간에 협력이 증가하는 것을 보았습니다.

그런 협력을 하면, 협력자 모두가 각자의 장점을 합치는 것을 가능하게 합니다.

기업체들은 자본, 제품, 기술을 동원할 수 있습니다.

원조기구들은 지식과 네트워크를 동원할 수 있습니다.

협력하면, 소규모의 투자로 큰 영향력을 줄 수 있습니다.

우리는 필수적인 서비스와 중요한 제품을 전달할 수 있습니다.

우리는 원조금을 전달하는 일에 기업체의 효율성을 적용할 수 있습니다.

새로운 협력과 해결방안은 공공부분, 기업체, 민간사회를 단결시키고 있습니다.

세계적인 협력관계를 강화시키기 위해 이런 노력을 더 많이 해야 하는 시기가 다가왔습니다.

시장접근을 포함해 최저개발국에 더 많은 기회를 줍시다.

사회적 기업을 만듭시다.

이미 새로운 두 개의 유엔 계획에 일환인 다른 사업에 여러분들이 동참할 것을 강력히 권합니다.

첫 번째 계획은 모든 여성, 모든 아동이라는 계획이며, 이 계획은 여성과 아동의 건강을 증진합니다.

그리고 두 번째 계획은 모두를 위한 지속적인 에너지입니다. 유엔은 전 세계적으로 2030년까지 전기가 부족한 모든 사람들에게 에너지를 이용하게 할 수 있는 야심찬 계획을 가지고 있습니다. 우리는 에너지의 효율성을 두 배로 늘릴 것입니다. 우리는 세계 에너지 믹스의 재생 가능 에너지의 효율성을 두 배로 늘릴 것입니다.

다음 달 더반 협상을 포함해 기후변화에 대비해 싸우는 일에 함께 노력합시다.

매우 중요한 내년 6월의 리오+20 정상회담의 지속 가능한 개발에 대한 민간부문 포럼에 가장 좋은 아이디어를 제시하십시오.

그리고 당연히 글로벌 공동협약에 참여하십시오.

신사 숙녀 여러분,

수년 동안의 경험으로 무엇이 효과적이고 무엇이 효과가 없는지 배웠습니다. 우리는 밀레니엄 개발목표를 어떻게 달성해야 하는지 알고 있습니다.

지금은 우리 모두가 이런 해결방안과 혁신을 고려해볼 수 있는 절호의 기회입니다.

지금은 원조를 더 효율적으로 만드는 일에 기업체가 도움을 줄 수 있는 절호의 기회입니다.

지금은 더 평화롭고 번영하는 세상이라는 공동 목적을 실현하기 위해 더욱더 긴밀하게 협력할 수 있는 절호의 기회입니다.

오늘 이곳에 참석해주신 일에 한 번 더 감사드리며, 모든 사람들을 위해 이 세상을 더 좋게 만들려고 유엔과 협력하고 있는 여러분의 강한 헌신과 지도력을 확신합니다.

대단히 감사합니다.

7. 부산유엔기념공원에서

오늘 우리는 조용하고 신성한 이곳에 마지막 안식을 찾은 2천3백 명의 전몰장병들에게 경의를 표합니다.

유엔 사무총장으로서, 한국인으로서, 그리고 무엇보다 세계시민으로서, 저는 2천3백 명의 전몰장병들에게 가장 깊은 경의를 표합니다.

약 반세기 전에 그분들은 공산주의자들의 침략에 저항했습니다. 그분들이 싸우고 전사하였기에 우리는 더 큰 자유를 누리며 살며, 오늘 이곳에 있을 수 있습니다. 우리는 결코 그분들을 잊지 않을 것입니다.

이곳은 세계에서 유일한 유엔 공동묘지입니다. 그러고 저는 이 신성한 곳을 방문한 첫 번째 유엔 사무총장입니다.

여러분들과 함께 이곳에 있는 것은 매우 감동적인 특권입니다. 한국인으로서 여러분들은 저의 동포며, 형제며, 자매입니다. 여러분들의 공헌과 희생에 빚을 졌기에, 고마워하는 세계와 유엔의 감사와 안부를 특히 여러분들 가운데 재향 군인들에게 전합니다.

신사 숙녀 여러분,

이곳은 저에게 개인적으로 특별한 의미가 있습니다.

어린 소년일 때 저는 유엔의 푸른 깃발이 휘날리는 것을 보았습니다. 저의 조국을 지켜주셨던 많은 병사들에 대해 알고 있습니다. 그분들은 용감했고, 그분들은 친절했습니다.

그 당시 한국은 붕괴직전이었다는 것을 여러분들도 기억하실 것입니다. 평화를 사랑하는 16개국 병사들의 용기와 5개국의 지원은 한국을 공산주의자들의 포학행위로부터 구했고 오늘날 우리나라가 되는데 도움을 주었습니다.

이제 유엔 사무총장으로서 신성한 이곳이 용감한 유엔병사들을 위한 아름다운 기념물이 된 것을 보게 되어 기쁩니다. 그들은 유엔헌장에 기술되어 있는 집단안전보장이라는 비전인 숭고한 이상을 위하여 목숨을 바쳤습니다.

이 유엔기념공원은 어떤 문화, 신념, 지형이 있는 나라와 민족도 자유, 정의, 민주주의라는 보편적인 원칙을 위해 싸우기 위해 단결할 수 있다는 증거입니다.

이곳에 쉬고 계신 분들의 가족에게, 그들의 자손과 저의 동포에게 저는 다음과 같이 말합니다.

고마워하는 대한민국 국민을 대표하여 감사 드립니다.

유엔을 대표하여 감사 드립니다.

"인생은 준대로 받는다"라는 현명하고 오래된 속담이 진실이라고 말할 수 있습니다.

한국전쟁 동안 부산항은 유엔군이 한국으로 들어가는 통로였습니다. 오늘날 부산은 대한민국이 평화유지군을 세계로 보내는 곳입니다.

얼마 전의 일로 한국정부가 남수단의 새로운 나라에 평화유지 기증품을 보내기로 결정한 것을 고맙게 생각합니다.

결국 과거에서 현재로 우리는 제자리로 돌아왔습니다. 얼마나 고무적인 일입니까?

친애하는 여러분,

오늘 우리는 자유의 이름으로 전사하신 분들을 추도합니다. 그리고 전쟁의 암울한 흔적 때문에 아직도 고통을 받고 있는 가족과 공동체를 추도합니다.

한반도를 다시 통일시키는 일에 헌신합시다. 그러면 모든 한민족은 앞으로 여러 대에 걸쳐 평화롭게 번영하며 살 수 있습니다.

여기 계신 장병들이 목숨을 바친 평화라는 대의를 진척시키기로 더 굳게 결심하고 떠날 것입니다. 대단히 감사합니다.

8. 팔레스타인과 결속을 위해

각하,

식사 숙녀 여러분,

반기문 유엔 사무총장을 대신하여 오늘 여러분과 함께 있게 되어 매우 기쁩니다. 그 분께서는 현재 공무상 여행 때문에 유엔본부에 안 계시므로 그 분을 대신하여 이 성명서를 읽는 영광을 저에게 주셨습니다.

60년 전 오늘 유엔총회는 위임통치령을 두 개의 국가로 분할하는 것을 제안하는 결의안 181을 채택했습니다.

안전한 이스라엘 옆에서 평화롭게 사는 팔레스타인 국가를 설립하는 일은 오랫동안 지연되었습니다.

그 지역에서 역사적으로 중요한 변화가 일어나고 있기 때문에 이런 분쟁을 해결할 필요성은 더욱더 절박해졌습니다.

이스라엘과 팔레스타인 지도자들은 팔레스타인과 이스라엘의 어린이들을 위해 더 밝은 미래를 열 수 있는 양국으로 분할하는 해결책에 동의하려는 용기와 결심을 보여줘야 합니다.

이런 해결책은 1967년에 시작된 점령을 끝내야 하고 정당한 안보 우려에 부응해야 합니다. 예루살렘을 모두의 성지로 받아들이는 타협과 함께 협상을 통해 예루살렘은 양국의 수도로 등장해야 합니다. 그리고 그 지역에 흩어져 있는 수백만 명의 팔레스타인 난민들을 위해 합의를 통한 공정한 해결책을 찾아야 합니다.

이런 목표를 달성하려면 많은 난관이 있지만, 지난해 팔레스타인 당국의 역사적으로 참으로 중요한 업적을 인정합시다.

이제 팔레스타인 당국은 팔레스타인 국가가 형성되면 국가의 책무를 떠맡을 제도상 준비가 되어있습니다.

9월에 열렸던 특별 연락위원회의 회의에서 국제사회의 다양한 회원국들은 이것을 지지했습니다. 이렇게 훌륭한 성공을 이룬 팔레스타인 대통령 마흐모드 아바스와 국무총리 살람 파야드는 칭찬을 받아야 합니다.

그 점에 대해서 이스라엘정부가 팔레스타인 당국에 지불할 관세 및 세금의 송금을 현재 중단시킨 일은 이런 진보를 해칠 위험이 있습니다. 이런 수입금은 지체 없이 송금되어야 합니다.

무엇보다도 정치적 목표는 중요합니다. 이스라엘과 팔레스타인 간에 신뢰가 계속 쇠퇴하는 동안에 양자 간에 협상이 이루어지고 있지 않은 것은 대단히 걱정할 문제입니다.

중동의 4자(러시아, 유럽연합, 미국, 유엔)와 그들의 협정에서 어렴풋한 희망이 보입니다. 국경과 안보문제에 대해 양측은 진지한 제안을 하려 하고, 2012년 말까지 합의에 이르려면 서로 헌신하려는 상황에서 중동 4자의 적극적인 지지를 받으면서 그들은 서로 직접 의논해야 합니다.

당사자들은 도발을 멈추고 의미 있는 협상에 유익한 환경을 조성해야 하는 특별한 책임이 있습니다. 동 예루살렘과 웨스트 뱅크에서 이스라엘이 최근에 정착지 활동을 강화시킨 일은 주된 장애물입니다.

정착지 활동은 국제법과 로드맵에 어긋나므로 멈춰야 합니다. 국제사회는 일방적인 지상 활동을 받아들이지 않을 것입니다.

또한, 팔레스타인 당국으로서는 긴장된 상황을 단계적으로 축소하여 분열을 초래하는 압도적인 분위기를 개선하는데 도움이 되고, 협상으로 해결책을 찾는 일에 직접 참여하는 일에 도움이 되는 방법을 찾아야 합니다.

게다가 팔레스타인 주민들이 중동 4자와 아랍 평화계획의 입장과 팔레스타인 해방기구의 공약을 근거로 자신들의 분열을 극복하는 것은 중요합니다. 아바스 대통령은 과도정부를 형성하려는 노력을 계속하고, 그 과도정부는 5월에 있을 대통령과 입법부 선거를 준비할 것입니다.

협상으로 2개국을 형성하는 해결안을 지지하는 팔레스타인의 단결은 가자와 웨스트뱅크 지역에서 팔레스타인 국가를 설립하는데 필수적입니다.

유엔은 가자지구의 주민을 위해 강력히 지속적이며 강력한 헌신을 할 것이며, 안전보장 이사회 결의안 1860의 모든 측면을 이행하는 일에도 지속적이며 강력한 헌신을 할 것입니다. 이스라엘은 폐쇄를 완화하려는 조치를 취했습니다. 하지만 아직도 현재 사람과 상품의 이동을 심각하게 제한하는 조치를 없앨 필요가 있고, 가자지구의 경제의 회복과 재건을 지지하는 유엔의 능력을 제한하는 조치도 없앨 필요가 있습니다.

또한 이스라엘을 향해 로켓을 발사하고 무기를 밀수하는 가사시구 주민들에게 이런 행동은 받아들이기 어렵고, 팔레스타인 이득에 전혀 적합하지 않은 것이라고 오늘 그들에게 상기시켜야 합니다.

가자지구에서 이스라엘로 로켓을 발사하는 것을 멈춰야 하고, 이스라엘은 최대한의 자제력을 발휘해야 합니다. 양측은 국제인도법을 아주 차분하게 준수하며 존중해야 합니다.

수백 명의 팔레스타인 포로와 한 명의 이스라엘 병사를 석방한 최근의 포로교환은 인도적인 면에서 의의 깊은 진전이었으며, 차분하게 통합하고 가자지구의 폐쇄를 끝낼 수 있는 더 많은 조치가 잇따라야 합니다.

국가 건설을 바라는 정당한 열망을 실현시키는 일에 이렇게 많은 난제가 있는 가운데 팔레스타인 지도부는 유엔의 회원이 되려는 신청서를 제출했습니다. 이것은 회원국이 결정해야 하는 문제입니다.

이런 문제에 대해 어떤 견해를 취하든 국경, 안보, 예루살렘과 난민을 포함한 모든 사항에 대해 협상을 통한 평화협상을 맺으려는 최종목표를 잃어버려서는 안 됩니다.

세계의 날에 결속을 긍정적인 행동으로 옮기려는 우리의 헌신을 재확인합시다.

국제사회는 현재 상황을 역사적으로 중요한 평화협정으로 이끌어 가는 일을 도와줘야 합니다.

불신을 극복하지 못하면 팔레스타인과 이스라엘의 미래세대가 분쟁과 고통 속에서 살게 될 뿐입니다.

안전보장 이사회 결의안 242, 338, 1397, 1515, 1850과 과거 협정, 마드리드 프레임워크, 로드맵과 아랍 평화계획을 토대로 한 중동의 정의롭고 지속적인 평화는 이런 불행을 피하는데 중요합니다.

사무총장은 가능한 모든 방법을 이용하여 지속적으로 노력할 것입니다.

감사합니다.

9. 유엔의 평화유지 활동

사무총장으로서 저는 여행을 자주합니다. 그리고 제가 가는 곳이 어디라도 유엔 평화유지군을 만나보려고 노력합니다.

하지만 이번 방문은 특별합니다.

어떤 국가도 여러분보다 우리(유엔)의 (평화유지)노력에 더 많은 것을 기여하지 않았습니다.

사실 10명 중 1명의 유엔 평화유지군은 방글라데시 출신입니다.

그런 이유 때문에 제가 이곳에 왔습니다. 저는 "감사합니다"라고 간단하고 직접적으로 말하고 싶습니다.

근무하고 계신 모든 분들께 감사 드립니다.

조직하고, 훈련하고, 지원하는 분들께 감사 드립니다.

남편과 아들에게, 아들과 딸들에게, 자신들의 사랑하는 이들을 집에서 떨어진 곳으로 보낸 모든 가족들에게 감사 드립니다.

그리고 무엇보다 전사한 평화유지군 가족들에게 감사 드립니다. 우리는 여러분들에게 영원히 빚을 졌습니다.

신사 숙녀 여러분,

지난 20년 동안에 콩고 민주공화국, 아이티, 레바논, 서사하라와 같은 멀리 떨어진 곳에서 방글라데시의 군인들이 평화를 유지했습니다.

오늘날 1만6백 명 이상의 방글라데시군 및 경찰 직원이 10여 개의 유엔 평화유지 작전에 참여하고 있습니다.

그분들 중 대부분은 이곳에 있는 이 센터에서 훈련을 받았습니다.

가장 혹독한 기후와 가장 험악한 기후에서 여러분들의 병력을 보았습니다.

그들은 고향에서 수천 마일 떨어진 곳에 배치되어 있습니다. 그들은 현지 언어를 모를 수도 있습니다. 하지만 그들은 세계의 더 큰 가치를 위하여 희생합니다.

어떤 것도 더 숭고하지 않습니다.

지난해 끔찍한 지진이 아이티를 강타했습니다. 수십만 명의 주민들이 사망했습니다.

백만 명의 사람들이 집을 잃었습니다. 집을 잃고 대피한 사람들을 위해 1천여 개 이상의 난민 대피소가 설치되었습니다.

여성들과 어린이들이 특히 취약하다는 것을 알고 있습니다.

또한, 이와 같은 상황에서 여성 평화유지군들이 특별한 역할을 한다는 것도 알고 있습니다. 대피소에 있는 여성들은 여성 평화유지군들을 더 신뢰하는 경향이 있습니다. 특히 성폭력과 성별에 근거한 폭행이 발생했을 경우에 대피소에 있는 여성들은 여성 평화유지군들에게 비밀을 털어 놓곤 했습니다.

대피소의 안전을 증진하기 위하여 우리는 평화유지군 파견국들에게 긴급한 요청을 했습니다. 방글라데시는 즉시 응답했습니다.

방글라데시는 아이티에 여성으로만 구성된 경찰대를 배치시켰습니다.

그들은 범죄와 싸우고 강간과 폭행을 예방하는데 도움을 주었습니다. 그들은 식수, 음식, 약품을 나누어줬습니다. 그들은 인도적인 수송차량을 보호했습니다.

그들은 평화를 전달했습니다.

이것은 한 예입니다. 이런 예는 더욱더 많이 있습니다.

여러분들은 개척자입니다.

전 세계에서 인간의 생명과 인간의 존엄성을 보호하는 일을 도와주신 여러분들께 감사 드립니다.

10. 유엔과 미국의 관계

고무적인 연설을 하시고, 그리고 더욱이 연설이 매우 중요하기에 오바마 대통령께 감사 드립니다.

지난 66년 동안 유엔 본부를 미국에 있게 해주신 미국과 미국의 관대한 국민들께 우리는 변함없이 감사 드립니다. 이번은 66번째 모임입니다.

뉴욕시민들께 특별한 감사 말씀을 드리겠습니다. 뉴욕시민들은 지진과 그 다음에는 허리케인을 당했고, 이제 세계 정상들이 갑자기 몰려왔기 때문에 많은 교통체증을 일으키고 있습니다.

그리하여 우리는 시민들의 인내심을 대단히 고맙게 여깁니다.

서슴없이 말씀 드리면, 이번은 유명한 세계지도자들과 다섯 번째 오찬입니다. 그리고 여러분들의 강력한 지원에 대해 매우 감사 드립니다.

그런 점에서 이번이 저의 마지막 오찬이 아니고 우리는 앞으로 5년 동안 (사무총장으로 재선되었기 때문에) 다섯 번 더 많은 오찬을 할 수 있기에 매우 기쁩니다.

이번 기회를 통하여, 저는 강력히 지지해주신 모든 국가 원수 및 총리들에게 감사의 마음을 정말로 진심으로 표현하고 싶습니다.

저에게 기대를 해도 좋습니다. 또한 이처럼 위대한 조직을 위해 일하는 것은 대단한 영광입니다.

오바마 대통령, 당신의 전임자였던 존 에프 케네디 대통령이 50년 전 이번 주에 유엔 총회에서 연설을 하셨습니다. 그분은 오셔서 다른 세계 지도자들에게 동참하자고 말했습니다. 그리고 그분의 말씀을 인용하면, 위협의 세계 건너편에 있는 평화의 세계를 보자고 말씀했습니다.

세상 밖을 내다보면 우리는 상당한 위협을 볼 수 있습니다.

우리가 어디에 살든 고국으로 더 가까이 가면 좌익 대 우익, 부자와 가난한자 그리고 상류층 대 하류층의 싸움, 즉 정치 생활에서 발생하는 익숙한 투쟁을 봅니다.

그렇지만 논쟁이 더 감정적이거나 귀에 거슬린 적도 없습니다. 그래도 단결의 필요성이 더 중요한 적도 없습니다.

우리는 해결해야 할 난제가 무엇인지 알고 있습니다. 우리는 사람들의 삶에 지속적인 변화를 일으킬 수 있는 정말로 드문 기회를 얻었다는 것을 말하는 것 이외에는 저는 연설에서 반복하여 말하지 않겠습니다.

만일 지도자들이 오늘 말씀하신 모든 것에 공통된 주제가 있다면 그런 기회를 실현할 때 단결과 결속이 절대적으로 중요하다는 것입니다.

우리는 단결해야 합니다. 세계적인 문제를 해결할 때 선택적으로 기피할 수 있는 조항은 없습니다.

11. 핵무기 없는 세상

여러분들께서 극진히 환영해주셔서 대단히 감사합니다. 여러분들과 오늘 저녁에 여기 있는 것은 정말로 대단한 영광이라고 말하고 싶습니다. 저는 여러분들의 각고의 노력과 헌신에 대해 알고 있습니다. 여러분들의 원칙과 신념을 지지하기 위해 얼마나 많은 것을 희생했는지 저는 알고 있습니다. 가장 고귀한 인간의 열망인 세계 평화에 대한 신념을 밝히고, 항의하고, 지지하는 것이 얼마나 많은 용기가 필요한지 저는 알고 있습니다. 그래서 무엇보다도 여러분들의 강력한 헌신, 용기, 지도력에 대해 감사드리려고 오늘밤 여기에 섰습니다. 이처럼 유명한 곳인 리버사이드 교회에서 여러분들에게 연설하니 매우 겸허해진다고 말하면서 연설을 시작하겠습니다. 바로 이곳에서 마틴 루터 킹 주니어가 베트남 전쟁에 대해 반대 의견을 말한 것을 저는 알고 있습니다. 넬슨 만델라가 감옥에서 풀려나고 미국을 최초로 방문했을 때 이곳에서 연설한 것을 저는 알고 있습니다. 여러분들과 함께 서서 밖을 내다보면, 저는 그분들이 보았던 것을 볼 수 있습니다. 바로 세상을 변화시키려고 세계 방방곳곳에서 오신 많은 헌신적인 분들을 볼 수 있습니다. 삶에서 가장 중요한 것은 널리 알릴 수 있는 권한을 가진 자로부터의 메시지가 아니라 신도석에서 나온 행동이라는 것을 우리에게 생각나게 합니다.

우리가 함께하는 비전은 가까운 곳에 있으며 그것은 바로 핵무기가 없는 세상입니다. 월요일에 시작되는 핵확산금지 조약 검토회의 전야인 오늘도 세상이 지켜보고 있다는 것을 알고 있습니다. 세계가 우리의 외침에 관심을 가지게 합시다. 이제 핵무장을 해제합시다.

신사 숙녀 여러분, 유엔 사무총장으로 취임한 첫째 날부터 핵무장해제를 최우선 과제로 삼았습니다.

아마 전쟁 직후에서 자란 한국의 어린 소년이 겪었던 저의 개인적 경험에서 이런 개인으로 깊은 헌신은 나왔을 것입니다. 저의 학교는 폐허였습니다. 벽이 없었습니다. 저는 땅바닥에서 공부했습니다. 우리들은 야외에서 공부했습니다.

유엔은 저의 조국을 재건했습니다. 저는 훌륭한 교육을 받을 정도로 충분히 운이 좋았습니다. 하지만 그것보다 더 중요한 것은 저는 평화와 결속에 대해 배웠다는 것입니다. 그리고 무엇보다도 공동체 활동의 위력에 대해서 배웠습니다. 이런 가치는 저에게 추상적인 원칙이 아닙니다. 저의 인생은 그런 가치에 은혜를 입었습니다. 제가하는 모든 일에서 그런 가치를 실현하려 합니다.

바로 일주일 전에 저는 카자흐스탄의 세미팔라틴스크에 있는 과거 핵실험 장소였던 그라운드 제로에 가봤습니다. 그곳은 소련이 지배하던 시절에 유명한 핵실험 장소였습니다. 그들은 450개 이상의 핵 폭발물을 폭파시켰습니다.

그곳은 이상할 정도로 아름다웠습니다. 눈으로 볼 수 있는 먼 곳까지 크고 푸른 초원이 뻗어 있었습니다. 하지만 당연히 눈에는 폐허가 된 지역이 곧바로 보이지 않았습니다. 사람들이 아직도 살 수 없고, 갈 수 없는 광활한 지역이 폐허로 변했습니다. 호수나 강을 못 쓰게 만들었습니다. 암과 기형발생률이 높습니다. 1991년 독립을 한 후 카자흐스탄 대통령 나자르베이예프는 그 지역을 폐쇄하고 그 지역에서 모든 핵무기를 추방했습니다.

오늘날 세미팔라틴스크는 강력한 희망의 상징이며, 그곳은 무장해제를 위한 그라운드 제로(시발점)이며, 중앙아시아에서 핵무기가 없는 지역이 탄생한 곳입니다.

8월에는 저는 또 다른 그라운드 제로로 아키바 시장이 자랑스럽게 생각하는 히로시마를 방문할 것입니다. 그곳에서 저는 핵무기 없는 세상을 다시 요구할 것입니다. 히로시마 사람들, 나가사키 사람들, 특히 히바쿠샤 사람들은 핵전쟁의 공포를 너무나 잘 알고 있습니다. 핵전쟁은 다시 일어나서는 안 됩니다.

하지만 (지금으로부터) 65년 후에도 세상 사람들은 여전히 핵무기에 대한 불안감속에서 살 것입니다. 이런 핵무기를 제거하려고 얼마나 오랫동안 우리는 기다려야 합니까? 얼마나 오랫동안 이런 문제를 다음세대에게 계속 전가해야 합니까?

오늘밤 이곳에 참석한 우리는 이런 무분별한 반복을 끝낼 시기가 되었다는 것을 알고 있습니다. 핵무기 무장해제는 멀지 않고, 달성할 수 없는 목표가 아니라는 것을 우리는 알고 있습니다. 그것은 우리가 성취할 수 있는 꿈입니다. 그것은 지금 당장 (시작해야 하는) 긴급하게 필요한 일입니다. 우리는 그것을 성취할 수 있는 각오가 되어있습니다.

사실 과거에 목표에 가까이 간적도 있습니다. 24년 전에 아이슬란드 레이캬비크에서 로날드 레이건 대통령과 미하일 고르바초프 서기장은 모든 핵무기를 제거하기로 합의할 뻔했습니다. 그 사건은 우리에게 비전이 있으면, 즉 정치적 의지가 있는 한 어느 정도까지 우리가 나갈 수 있는지를 극적으로 상기시켜 주는 것입니다.

현 세대의 핵무기 협상가들은 레이캬비크를 교훈으로 삼아야 합니다. 대담하고 넓게 생각해야 합니다. 왜냐하면 그러면 더 큰 결과를 가져오기 때문입니다. 그런 이유 때문에 여러분과 같은 사람들이 또 다시 필요합니다. 세계가 지나치게 무장되어 있고 평화에 필요한 재원이 부족하다는 것을 이해하는 사람이 필요합니다. 변화를 위한 시기가 바로 지금이라는 것을 이해하는 여러분과 같은 사람이 필요합니다.

신사 숙녀 여러분,

핵 비확산조약은 40년 전에 시행되었습니다. 그 이후 줄곧 그 조약은 비확산 체제와 핵무기 무장해제를 위한 노력의 토대가 되었습니다. 그것은 20세기의 중대한 협정에 속합니다.

잊지 맙시다. 1963년에 일부 전문가들은 20세기 말인 현재까지 25개국이나 되는 핵무기 보유국이 있을 수 있다고 예언했습니다. 주로 핵 비확산조약이 세계를 옳은 방향으로 이끌고 나갔기 때문에 그런 일은 발생하지 않았습니다. 오늘날 우리가 새로운 낙관론을 가질만한 이유가 있습니다. 세계 여론은 우리 쪽으로 움직이고 있습니다. 정부들은 핵 문제를 새로운 견해로 보고 있습니다.

최근의 매우 긍정적인 상황전개를 잘 생각하길 바랍니다. 솔선수범하는 미국이 핵무기에 대한 정책을 재검토하겠다고 발표한 것입니다. 즉 핵무기를 보유하지 않은 국가들이 핵 비확산조약을 준수하기만 하면, 그들에 대한 핵무기사용을 포기하겠다는 것입니다. 프라하에서 버락 오바마 대통령과 디미트리 메드베데프 대통령은 상당한 무기 감축을 동반한 전략무기감축 협정의 후임 체제에 조인했습니다. 워싱턴에서 핵무기와 원료가 테러리스트의 손에 들어가지 않게 하기 위해 47개국의 지도자들은 힘을 모았습니다.

저도 유엔 대표자로서 그곳에 참석했습니다. 그리고 월요일에 핵 비확산조약의 역사에 새로운 장을 열길 바랍니다.

2005년 지도자들이 핵 비확산조약을 마지막으로 검토하려고 모였을 때 결과는 기대에 미치지 못했습니다. 더 쉽게 말하면 완전히 실패했습니다. 우리는 다시 실패할 여유가 없습니다. 실패는 선택 가능한 것이 아닙니다. 어쨌든 세계의 무기고에 2만5천 개의 이상의 핵무기가 있습니다. 핵무기 테러리즘은 현실적으로 존재하는 위험으로 남아 있습니다. 중동에서 핵무기가 없는 지역을 만드는 일에 진척이 없습니다.

이란과 조선민주주의 인민공화국(북한)의 핵 프로그램은 핵 확산을 억제하려는 국제적인 노력에 심각한 문제입니다. 이런 문제와 다른 문제를 처리하려고 저는 다섯 가지 조항이 있는 행동 계획을 마련했습니다. 그리고 고무적인 반응을 해주신 여러분들께 감사 드립니다.

특히 저는 핵무기 조약을 체결하는 견해에 내한 여러분의 지지를 기꺼이 받아들입니다. 핵 비확산조약의 6조항에 따르면 국제 관리를 받으며 당사국들에게 전반적이고 완전한 군축 조약을 협상할 것을 요구합니다. 이런 협상은 오래 전에 행해졌어야 합니다. 다음 주에 저는 모든 국가에 특히 핵무기를 보유한 국가에 이런 의무를 이행하도록 요구할 것입니다.

신사 숙녀 여러분,

우리는 회담에 대해 비현실적인 기대를 해서는 안 됩니다. 하지만 우리의 목표를 낮출 여유가 없습니다. 먼 곳에 보이는 것은 핵무기가 없는 세상입니다. 제 앞에 보이는 것은 그런 세상을 만드는데 도움을 주는 여러분들과 같은 사람입니다.

지금처럼 계속 하십시오.

위급함을 알리고, 계속 압박을 가하십시오.

여러분들의 지도자들에게 핵 위협을 제거하려고 개인적으로 어떤 일을 하고 있는지 물어보십시오. 무엇보다도 중요한 것은 계속 양심의 목소리를 내십시오. 우리는 핵무기를 이 세상에서 없앨 것입니다. 그리고 우리가 그런 일을 한다면, 여러분들과 같은 사람들이 있기 때문입니다.

이 세상은 여러분들에게 감사해야 합니다.

여러분들의 헌신과 노력에 감사 드립니다.

감사합니다.

12. 지속적인 시장 창출을 위해

각하,

저명한 패널리스트,

신사 숙녀 여러분,

다보스에 여러분들과 함께 다시 있게 되어서 기쁩니다.

이번이 사무총장으로서 두 번째 방문이며, 저는 과거의 낙관적인 성향과는 분위기가 매우 다르다고 말할 수밖에 없습니다.

저는 금년도를 위기가 많은 해로 부르고 있습니다.

국가들은 곤경에 처해있습니다. 경기나 시장에 대한 신뢰는 쇠퇴했습니다.

사람들은 어디에 있든 자신의 일자리에 대해 걱정하고, 생존하려고 애쓰고 있습니다.

이런 어려움에 빠져 있지만, 우리는 또 다른 위기에 맞서고 있습니다. 그 위기는 수년 동안 더욱더 커졌고, 전 세계적으로 퍼지고 있습니다. 기후변화는 개발과 사회발전을 위한 우리의 목표를 위협하고 있습니다. 정말로 그 위기는 지구에 실존하는 위협입니다.

다른 한편, 위기는 우리에게 최고의 기회를 제공합니다. 기후변화에 정면으로 대처하면, 우리는 세계적인 경기침체라는 위협을 포함한 현재의 많은 고민거리를 해결할 수 있습니다.

신사 숙녀 여러분,

우리는 갈림길에 서있습니다. 우리에게 선택권이 있다는 것을 깨닫는 것은 중요합니다. 늘 그러듯이 우리는 근시안적인 일방주의와 사업을 선택할 수 있습니다. 또는 우리는 전에 보지 못했던 규모의 세계적 협력과 제휴를 받아들일 수 있습니다.

정확하게 10년 전, 저의 전임자인 코피아난이 이 강당에 서 있었습니다.

다 함께 공유할 수 있는 가치와 원칙을 담은 "글로벌 콤팩트"를 시작하자고 재계 지도자들에게 요구했습니다. 그는 세계시장에 인간적인 모습을 부여하려고 했습니다.

그 당시의 세계는 지금처럼 자신감의 위기를 맞이하고 있었습니다. 맞습니다, 세계화가 많은 사람들을 가난으로부터 구제했습니다. 그렇지만 자유시장과 자본의 확산은 모든 사람들에게 혜택을 준 것은 아닙니다. 사실, 세계의 가장 빈곤한 사람들 중 많은 이들에게 세계화는 상처를 주었습니다.

글로벌 콤팩트는 우리의 현명한 대응이었습니다. 그것은 기업들에게 큰 문제에 대해 보편적인 원칙을 받아들이고 유엔과 제휴할 것을 요구했습니다.

그런 문제 중에 주요한 것은 밀레니엄 개발 목표였습니다.

글로벌 콤팩트는 10년 동안 지속적으로 세계에서 가장 큰 민간기업의 성장지속성에 대한 발의였습니다. 우리는 약 130개국 중에 6천여 개 이상 기업참가자들이 있다는 것을 자랑으로 삼을 수 있습니다.

글로벌 콤팩트는 기업의 (사회적) 책임에 대한 대명사가 되었습니다. 회원들은 단순한 자선행위 이상으로 초월했습니다. 그들은 인권과 노동법분야에서 "최상의 관례"라는 새로운 기준을 개척했습니다. 여러 나라에서 그들은 환경을 보호하기 위해 노력하고 부패와 싸우기 위해 노력하고 있습니다. 그들은 세계 여러 나라에서 보건, 교육, 인프라(기반시설) 부분의 수백 개 프로젝트를 착수했습니다.

이제 새로운 위기는 새로운 사명감을 요구합니다.

그래서 오늘 저는 여러분들에게 글로벌 콤팩트의 새로운 단계에 참석할 것을 요구합니다. 우리는 이것을 글로벌 콤팩트 2.0이라고 부를 수 있습니다.

신사 숙녀 여러분,

우리는 새로운 시대에 살고 있습니다.

이 시대의 과제는 협력에 의해, 오로지 협력에 의해서만 해결될 수 있습니다.

우리시대는 리더십에 대한 새로운 정의인 글로벌 리더십을 요구합니다. 우리시대는 세계 공동의 이익을 위해 협력하는 정부, 시민사회, 민간부문으로 구성된 국제협력의 새로운 구성을 요구합니다.

그런 비전은 천진난만한 것이라고 일부 사람들은 말할 수 있습니다.

그런 비전은 희망사항에 불과한 것이라고 말할 수 있습니다.

하지만 우리에게는 반대의 상황을 증명하는 고무적인 예가 있습니다. 기업은 종종 중요한 역할을 했습니다. 아시아에서 수백만 명을 가난에서 구제한 1960년대의 녹색혁명을 생각해보십시오. 1979년까지 천연두를 근절시킨 세계적인 예방접종 캠페인을 생각해보십시오. 기업과 정부의 협력은 오존층 파괴를 역전시켰습니다. 그리고 우리는 에이즈, 결핵, 소아마비, 말라리아에 대한 싸움에서 실질적인 발전을 목격했습니다.

오늘날 우리는 이런 고무적인 예를 기반으로 발전할 수 있는 기회와 의무도 있습니다. 하지만 장기적인 해결책을 찾으려면 근시안적 사고라는 압제에서 벗어나야 합니다. 그렇게 하려면 새로운 글로벌 콤팩트라는 중심원칙에 새롭게 헌신해야 합니다.

이런 경제위기가 있는 시기에는 민족주의, 보호주의와 다른 주의로 후퇴하려는 성향이 있다는 것을 저는 알고 있습니다. 이런 주의는 세계 공통의 목적보다는 편협한 사리사욕을 조장합니다.

그렇게 하는 것은 실수이며, 예를 들어 가난한 사람들에게 생계를 유지하도록 공평한 기회를 주는 글로벌 개발 목표를 위한 것도 아닙니다. 또한 그것은 자국의 이익추구를 손상시키는 것입니다.

오늘날 우리가 직면한 문제는 본질적으로 세계적입니다. 협력하여, 우리는 그런 문제를 해결할 수 있습니다. 글로벌 콤팩트는 훌륭한 도약의 발판이 됩니다. 몇몇 예를 들어보겠습니다.

글로벌 콤팩트의 "기후 돌보기"는 기후변화에 대한 세계에서 규모가 가장 큰 기업 중심의 계획입니다. 최고 경영자들은 탄소배출량을 밝히고 포괄적인 기후정책을 따르고 있습니다. 그들은 재생 가능한 에너지를 사용하고 있고, 에너지 효율에 투자하고 있으며, 예를 들어 컴퓨터를 이용한 가상회의라는 기후에 우호적인 관행을 장려하고 있습니다.

"CEO 워터 맨데이트"는 드립 관계(방울 물주기)와 물을 모으는 전략을 통하여 수질관리를 향상시키고 있습니다. 새로운 기술로 제품을 제조할 때 사용된 물을 재활용하여 환경으로 안전하게 돌아갈 수 있게 하고 있습니다.

백만 명 이상의 주민들이 사는 도시를 위해 식수를 생산할 수 있는 풍력을 이용한 제염 공장이 지어지고 있습니다.

금융시장에서 글로벌 콤팩트에 참여한 기업은 책임지는 투자원칙에 따라 주요투자자들과 협력하기 시작하였습니다. 그래서 자신들의 투자평가에 주요 환경, 사회, 관리 문제를 포함시킬 수 있습니다.

신사 숙녀 여러분,

오늘날 경기침체와 기후변화로 인해 기업의 위험성은 어느 때보다 높습니다. 하지만 비전이 있는 기업에 대한 보상은 마찬가지로 높습니다. 지난 몇 달 동안 세계의 "녹색 뉴딜"이라고 부르는 것의 기세는 커졌습니다.

지난주에 미국의 새로운 대통령이 취임하는 것을 목격했습니다.

버락 오바마 대통령은 "녹색 경제를 부양시켜" 미국 경제를 소생시키겠다는 명확한 약속을 했습니다.

녹색 경제는 탄소배출량을 줄이고 에너지 효율적입니다. 녹색 경제는 일자리를 창출합니다. 자원을 고갈시키지 않고 이용할 수 있는 기술에 대한 투자는 오늘날의 위기를 미래에 환경 파괴 없이 지속 가능한 성장으로 바꿀 수 있습니다.

오바마 대통령은 그런 길(녹색성장)을 선택한 유일한 정치 또는 재계 지도자는 아닙니다.

그러므로 저는 여러분들의 납품회사와 동업자들과 함께 인권, 노동자에 대한 대우, 환경, 부패방지 분야에서 훌륭한 정책과 관행을 개발할 것을 여러분 모두에게 권합니다.

여러분들은 글로벌 콤팩트의 평가기준을 사용하여 여러분들의 발전을 매년 발표할 수 있습니다.

그렇게 하시면, 여러분들은 단지 옳은 일만 실천할 것이 아닙니다. 또한 시장에 대한 신용, 신뢰, 진실성을 회복시키는데 도움이 될 것입니다.

최근 여론 조사에 의하면 기업에 대한 신뢰가 급격히 감소되었습니다.

네 명 중 세 명의 미국인은 1년 전보다 기업을 덜 신뢰합니다.

단지 3분의 1만이 기업이 옳은 일을 한다고 믿고 있습니다. 특히 젊은이들 간에 신뢰 상실은 두드러집니다. 이런 통계치는 전 세계적으로 반영됩니다. 그리고 같은 여론 조사에 의하면 전 세계적으로 66퍼센트의 사람들은 우리의 공통문제를 다루는 일에 기업이 적극적으로 참여해야 한다고 생각합니다.

이런 의견에 반대하는 사람들은 단지 3퍼센트에 불과합니다.

신사 숙녀 여러분,

불길한 조짐이 명확하게 보입니다. 신뢰가 없으면 우리는 번영할 수 없습니다. 망설이지 않고 이런 과제를 진지하게 받아 들여야 할 시간이 되었습니다.

경기침체에 대처하려고 여러분들 중 많은 분들이 비용을 절감하고 있습니다. 하지만 미래의 경제에 맞게 여러분들의 조직을 적응시키는 일이 중요하다는 것에 여러분들이 동의할 것이라고 생각합니다.

모든 불황 다음에는 호황이 따릅니다. 지금 여러분들이 올바른 투자를 한다면, 중요한 장기적 문제에 대처할 수 있는 기반을 마련할 것입니다.

여러분들은 새로운 녹색 경제의 선두에 있을 것입니다.

여러분들이 저탄소 경제를 기반으로 한 미래를 창조하는 일에 도움이 되길 권합니다. 저탄소 경제란 녹색 일자리, 재생 가능 에너지와 에너지 효율성을 의미합니다.

또한 금년도 말, 코펜하겐에서 열리는 기후변화 정상회담에 포괄적이고 의미심장한 합의를 이루기 위한 운동에 참여하길 부탁합니다.

세계도처에서 반드시 클린테크놀러지가 개발되고 적용될 수 있도록 납품회사를 충분히 이용해주길 부탁합니다.

그리고 여러분들이 솔선수범하여 통솔해주길 부탁합니다.

여러분들의 소비자, 납품업자, 노동자들에게 정보를 주십시오.

여러분들의 기술을 가난한 자들과 공유하십시오.

이것이 바로 모든 사람들의 번영을 기대하면서 지속적으로 개발할 수 있는 미래로 향하는 유일한 길입니다.

신사 숙녀 여러분,

우리에게는 선택권이 있습니다.

지금이 바로 신뢰를 다시 쌓을 수 있는 시기입니다. 신뢰를 회복할 수 있는 시기입니다.

우리는 실제 문제에 대해 진심에서 우러난 장기적인 해결책을 제시함으로써 이런 일을 할 수 밖에 없습니다. 우리가 현명하고 옳은 일을 하고 있다고 사람들은 확신해야 합니다.

이것은 미래 경제라는 새로운 경제에 투자하는 것을 의미합니다.

현명한 이기심은 기업책임의 본질이며 더 좋은 미래로 가는 비결입니다.

감사합니다.

Part II 성명서 및 논평을 중심으로

13. 공중위생

지난달에 저는 여성 및 아동 보건의 발전과 부족한 부분을 강조하려고 나이지리아와 에티오피아를 방문했습니다. 방문 기간에 정부, 기업체, 시민단체의 간단한 개입은 큰 영향을 끼칠 수 있다는 것을 깨달았습니다.

공중위생을 개선하는 것은 그런 개입에 속합니다. 그런 이유 때문에 공중위생은 밀레니엄 개발 목표를 달성하기 위한 업무대상에 당연히 포함되어 있습니다.

매일 5천 명의 어린이들이 설사로 사망합니다. 그것은 5세 이하 어린이 사망의 주된 원인입니다. 하지만 피해는 여기서 멈추지 않습니다.

설사는 비극적인 결과를 낳은 원인과 결과가 되는 연속반응을 일으킵니다. 그것은 영양결핍과 밀접하게 관련되어 있으며, 영양결핍은 5세 이하 사망의 50% 이상에 해당됩니다.

영양이 결핍된 어린이들은 면역체계를 위태롭게 합니다. 그러므로 그들에게 폐렴을 포함하여 치명적이거나 체력을 쇠퇴시키는 질병이 종종 발생합니다. 폐렴은 어떤 다른 질병보다 더 많은 어린이들을 사망하게 만듭니다. 또한 영양결핍은 성장 및 지능 발달을 방해합니다.

14. 에이즈

The elimination of new HIV infections among children and keeping their mothers alive

잠비아에 사는 타실라라고 불리는 젊은 여인은 그녀가 임신 중 산전관리를 받으러 갔을 때 에이즈바이러스에 양성 반응이 나왔다는 것을 알았습니다. UNICEF의 도움으로 타실라는 항 레트로 바이러스 치료약으로 치료를 받기 시작했습니다.

그녀의 아들이 태어났을 때, 생후 1주일 동안 조산원은 아들에게 약을 투여하는 방법을 그녀에게 가르쳐 주었습니다. 생후 6주에 아기를 팔에 안고 있던 타실라는 그녀의 아들이 아직도 에이즈바이러스가 없다는 것을 알았습니다.

그녀의 아들이 두발로 설 수 있었을 때, 아들은 다시 음성반응을 나타냈습니다. 그는 어머니의 기쁨을 이해하기에 너무나 어렸지만, 우리는 어머니의 기쁨을 이해할 수 있습니다. 게다가 우리는 그 기쁨을 전 세계로 퍼뜨릴 수 있습니다.

에이즈바이러스(후천성 면역 결핍증)를 앓고 있는 사람들에게 설치된 모든 정치적, 법적, 사회적 장벽을 부수려고 저는 아주 열심히 노력했습니다.

저는 그런 장벽을 부수는 일에 헌신했습니다. 저는 이런 제한 조건을 부수려는 오바마 대통령의 용기 있는 결정을 봤습니다. 그렇게 되면 누구나 자유롭게 미국에 갈 수 있습니다.

그리고 저는 중국정부의 지도자들과 한국정부에 저의 의견을 말했습니다. 그래서 자신의 조국으로 돌아가는 사람들에게 입국 제한을 하는 나라는 거의 없습니다.

At observance of World AIDS Day

에이즈는 사회적 문제이고, 인권의 문제이며, 경제적인 문제입니다. 청소년들이 경제 개발, 지적 성장에 기여하며 자식들을 기르고 있어야 할 때 에이즈는 그들에게 영향을 끼치고 있습니다.

에이즈는 여성들에게 너무나 큰 피해를 주고 있습니다. 에이즈는 수백만 명의 어린이들을 고아로 만들었습니다. 에이즈는 인체에 영향을 끼치듯이 사회에 영향을 끼치고 있습니다. 즉 회복력을 줄이며 능력을 약화시키고, 성장을 방해하고 안정을 위협합니다.

이런 일이 일어나서는 안 됩니다. 우리에게는 청소년들이 감염되는 것을 예방할 수 있는 방법이 있습니다. 우리에게는 감염된 사람들을 치료할 수 있는 방법이 있습니다. 우리에게는 간호하고 돌볼 수 있는 방법이 있습니다.

비록 새로운 데이터는 세계적인 에이즈바이러스의 유행이 안정되었다는 것을 보여주지만, 감염자의 수는 아직도 충격적이며, 에이즈는 아직도 세계적으로 주된 사망원인으로 남아있습니다.

모든 사람들이 에이즈의 예방, 치료, 간호, 지원에 접근하도록 확실하게 하는 일은 우리의 중대한 임무입니다. 이런 일에는 어디에 살든, 어떤 일을 하던 간에 모든 사람들을 포함하는 것입니다.

치욕(사회적 낙인)을 극복하는 것은 가장 큰 난제 중 하나로 남아 있습니다. 치욕은 여전히 에이즈에 대한 공적 활동에 대한 가장 큰 장애물입니다. 치욕은 전염병(에이즈)이 계속 전 세계적으로 엄청난 피해를 입히고 있는 이유에 속합니다.

오늘 저는 에이즈바이러스와 관련된 치욕(사회적 낙인)을 근절시키는데 새로운 리더십을 요구합니다. 에이즈에 감염된 사실을 공개하고 살고, 에이즈바이러스 보균자들의 권리를 꾸준히 옹호하고, 에이즈에 대해 다른 사람들을 교육하는 용감한 개인들에게 박수갈채를 보냅니다.

15. 여성 및 아동의 건강

저는 마이타마 병원을 방문하게 되어 영광으로 생각합니다.

여러분들은 젊은 어머니들과 그들의 아이들을 구하고 있고, 그들이 건강한 미래를 내다볼 수 있도록 돕고 있습니다. 여러분들은 다른 사람들이 병에 걸리지 않게 하고 있으며, 그들이 아플 때 회복하도록 돕고 있습니다.

제가 유엔 사무총장이 된 때부터 이런 일은 저의 최우선과제입니다. 건강한 여성, 건강한 어머니, 건강한 아동은 건강한 사회를 의미합니다. 여성과 아이들에게 효과적인 보건제도는 모든 사람들에게 효과적인 보건제도입니다. 불행하게도 전 세계적으로 보건제도는 여성과 아동들에게 효과적이지 않습니다.

1천 명의 여성들이 매일 임신과 분만으로 인한 합병증으로 사망합니다. 이런 종류의 합병증은 이와 같은 병원에서 치료할 수 있고 치료해야 합니다. 또한 매일 2만2천 명의 5세 이하 아이들이 사망합니다. 정말로 이런 일은 받아들일 수 없습니다. 특히 대부분의 이와 같은 사망은 쉽게 예방할 수 있기 때문입니다.

그런 이유 때문에 우리는 여성과 아동의 건강을 위한 세계적 전략을 만들었고, 모든 정부가 그것을 지지합니다.

세계의 모든 여성과 어린이가 오랫동안 건강한 삶을 살 수 있도록 최선을 다하여 헌신해주셔서 감사합니다. 저에 대해 말하면, 병원이 아니라 한국 농촌에 있는 평범한 작은 집에서 태어났습니다. 그런 사실에는 이상하거나 특이한 점은 없습니다.

제가 성장한 곳에는 병원과 진료소는 먼 곳에 있는 사치품이었습니다. 그래서 같은 동네에 사는 나이든 아낙네들은 한 집에 모이곤 했습니다. 그들은 어머니, 시어머니, 이모, 이웃들이었습니다. 종종 그들이 받은 유일한 의료훈련이란 경험이었습니다.

오늘날 이 세상에 너무나 많은 여성들이 아이를 낳는 동안에 생명을 잃고 있습니다. 예방할 수 있는 임산부 사망이 너무 많다는 것은 사실입니다. 수천 명 중 수백 명의 사망은 정말로 받아들일 수 없는 일입니다. 21세기에 이런 일이 일어난다는 것은 받아들일 수 없습니다. 일부 국가에서 임산부 사망은 감소하고 있습니다. 그것은 좋은 소식입니다. 하지만 임산부 건강의 발전은 아직도 느릿느릿 진행되고 있습니다.

16. 체르노빌 원전 사고

지난주에 체르노빌을 방문하는 기간 동안에 저는 황폐화된 상태를 직접 목격했으며 가슴 아픈 경험이었습니다. 그리고 그 경험은 참사의 영향과 희생되거나 영원히 변화된 생명체에 대해 심사숙고할 기회를 주었으며, 과거와 미래의 사람들에게 질병의 가혹한 현실과 환경 피해를 직시할 기회를 주었습니다.

우크레인 정부와 국제원조 단체는 2015년에 더 안전하고 더 환경 친화적인 보호 외장 설비를 준공하는 것을 축하할 수 있길 바랍니다.

게다가 안전하고 혁신적인 핵에너지 이용에 대한 키예프 정상회담이 전 세계의 핵 안전체제를 강화해야 하는 필요성을 재평가하는 중요성을 성공적으로 강조하게 되어 기쁩니다. 최근 후쿠시마 핵발전소의 최근 원전사고로 인하여 그 일을 해야 할 절박함은 강조되었습니다. 그래서 그것은 핵 안전을 국제사회의 의제 중 최상위로 다시 되돌려 놓았습니다.

17. 아동의 재활

제가 러시아 방문의 첫 번째 일정으로 아동재활센터를 방문한 것은 아주 유쾌한 일입니다.

이 센터의 아동들은 당연히 우리의 최대한 관심, 배려, 지지를 받아야 합니다.

이 센터의 교사와 지지자들도 우리의 최대한의 지지와 칭찬을 받아야 합니다.

장애로 살고 있는 사람들은, 특히 장애가 있는 어린이들은 세계적인 문제입니다.

러시아에 장애로 살고 있는 사람들이 50만 명 이상이 있습니다.

특히 UNICEF가 이끄는 유엔은 장애가 있는 사람들이 사회생활에 적응할 수 있도록 돕기 위해 열심히 일하고 있습니다.

18. 말라리아

우리는 말라리아에 대한 전쟁의 성공을 축하하고 아직도 남아 있는 난제에 대한 대응 계획을 세우려고 이 자리에 모였습니다.

우리는 질병과 싸움에서 역사에 남을 만한 방향전환을 목격하고 있습니다.

최근까지 말라리아를 퇴치할 수 있다는 희망은 거의 보이지 않았습니다.

상황은 악화되고 있었습니다.

이제 이곳에 있는 분들과 칭송 받지 못하는 수천 명의 영웅들의 헌신 덕분에 아프리카는 가장 무거운 부담과 발전에 대한 가장 큰 장애물로부터 해방되고 있습니다.

머지않아 단지 말라리아를 저지하려는 시도에서 치료를 필요로 하는 모든 사람들에게 효과적이며 적절한 치료를 하는 목표로 세상은 변할 것입니다.

19. 아동범죄

여러분들의 어린이에 대한 중요하고 감동적인 일을 볼 수 있는 기회를 주셔서 감사합니다. Libreville과 Port Gentil에 이와 같은 프로젝트가 몇 개 더 있다는 것을 저는 알고 있습니다. 이런 프로그램의 경우 UNICEF를 통하여 국가, 시민사회, 사기업체, 종교단체, 유엔 간에 협력으로 성취할 수 있는 결과를 보여 줍니다. 각 아동의 삶에 여러분들이 만드는 변화는 막대합니다. 여러분들은 그들에게 다시 한 번 진정한 기회를 주고 있습니다. 책임을 져야 할 사람들을 반드시 찾아내서, 기소하고 유죄를 입증해야 합니다. 어린이에게 범죄를 저지르고 처벌받지 않는 시대는 끝났습니다.

가봉 정부가 아동의 밀매매와 학대를 없애려는 노력을 증가시키는 것을 강력히 권합니다. 정부, 시민사회, 사기업체, 경찰은 어린이를 보호하려는 법을 만들고 실행하면서 지신의 역할을 수행해야 합니다. 한 사회가 가장 약하고 상처를 받기 쉬운 구성원들을 어떻게 대우하냐에 따라 평가를 받습니다. 오늘 제가 여기서 목격한 것은 미래에 대해 큰 희망을 품을 수 있는 징조입니다.

20. 만성질병

천연두에 대해 아무도 더 이상 많은 이야기를 하지 않습니다. 마지막 희생자는 30 년 전에 사망했습니다. 하지만 제가 주요한 공중보건의 난제를 마주할 때마다 천연두가 떠오릅니다. 왜냐하면 천연두는 심지어 가장 무시무시한 살인마도 이길 수 있다는 것을 보여줬기 때문입니다.

밀레니엄 개발목표는 전염성 질병에 대한 전례 없는 협력과 발전을 예고했습니다. 이곳에 계신 여러분들을 포함한 정부, 시민사회, 산업계가 협력하여 에이즈(인체면역결핍바이러스) 캠페인으로 생명을 구하고 있습니다.

비 전염성도 질병도 마땅히 비슷한 관심을 받아야 합니다. 열 명 중 여섯 명의 사람이 암, 당뇨, 만성 폐질환 또는 심혈관 질환으로 사망합니다. 매년 3천5백만 명이 사망합니다. 문제는 심각하고 더욱더 커지고 있습니다. 이미 심장 질환, 뇌졸중, 당뇨는 저소득과 중간 소득 국가의 국내총생산에 5퍼센트 정도의 비용을 들게 하는 것으로 평가되고 있습니다.

2030년까지 아프리카, 중동, 동남아시아에서 만성질병 관련 사망자는 50퍼센트 이상까지 증가할 것입니다. 세계적으로 당뇨로 인한 사망은 3분의 2 정도 증가할 것입니다. 만성질병은 부자들의 질병으로 여겨지곤 했습니다. 더 이상은 아닙니다. 건강에 유해한 생활방식은 세계 전체로 퍼지고 있습니다. 비 전염성 질병으로 사망하는 사람들의 85퍼센트는 개발도상국에 있습니다. 선진국에 생명을 연장하는 조기 발견과 같은 수단은 흔합니다. 개발도상국은 그렇지 않습니다. 개발도상국은 일반적으로 보건체제가 약하고 감염성 질병에 잘 걸리는 상황에 처해 있기 때문입니다. 개발도상국이 처한 보건문제를 만성질병이 더욱더 증폭시키는 것을 내버려 둘 수 없습니다.

21. 새로운 인플루엔자 바이러스

여러분들이 아시는 것처럼 지난 며칠 동안에 우리는 새로운 인플루엔자 바이러스가 등장한 것을 목격했습니다. 그 바이러스는 미국, 멕시코, 캐나다에서 확인되었고 다른 나라로 이동했다고 생각됩니다. 이 바이러스가 새로운 유행병을 일으킬 수 있다는 것이 걱정됩니다. 유행병의 영향은 가볍거나 어쩌면 심각할 수도 있습니다. 유행병이 어느 쪽으로 향하는지 우리는 아직도 모르고 있습니다.

하지만 멕시코에서 사망한 사람들의 대부분은 젊거나 건강한 성인이라는 것이 걱정됩니다. 이번 일은 지난 3년 동안 국가 공동체(유엔)가 떠맡았던 유행병 대비 작업을 처음으로 테스트할 것입니다.

정말로 우리가 유행병에 직면하고 있다면, 우리는 전 세계적인 결속을 보여줘야 합니다. 돼지 인플루엔자의 발생은 서로 연결되어 있는 세상에서 어떤 국가도 그런 규모의 위협을 독자적으로 대처할 수 없다는 것을 다시 보여줍니다.

22. 식량안보

금년 말까지 세계에서 굶주린 사람들의 총수는 참을 수 없는 정도인 10억 명에 이르렀습니다.

이런 통계수치는 놀라운 것입니다. 하지만 기아에 영향을 받고 있는 각 가정에 대한 이야기와 영양실조로 고통을 받고 있는 아이에 대한 이야기는 정말로 끔찍합니다. 어렸을 때 제가 태어난 마을에서 그런 모습을 직접 봤습니다. 여행할 때 저는 그런 모습을 지금도 봅니다. 그리고 그런 모습 때문에 저는 계속 걱정을 합니다.

부모들은 자식들이 충분히 먹게 하기 위해 자신들이 먹는 음식을 줄이고 있습니다.

가족들은 먹을 것을 사려고 가축, 땅, 심지어 집까지도 팔고 있습니다. 어머니들은 영양실조라는 육체적, 정신적 상처로부터 아이들을 보호하려고 매일 발버둥치고 있습니다.

농업과 식량 생산체제를 개선하지 않으면 세계의 빈곤은 감소될 수 없습니다. 대부분의 가난한 사람들은 농부이기 때문입니다. 대부분의 농사일은 여성들이 하고 있기 때문입니다.

식량 및 영양 불안정, 기후변화, 식수부족, 동물 질병 때문에 가난한 사람들은 끊임없이 어려움을 겪고 있습니다. 지역사회의 회복력을 증진하고 장기적 절망과 파괴를 막을 수 있는 사회 보호체제를 강화하려면 우리는 훨씬 더 많은 것을 해야 합니다.

지난해 많은 훌륭한 일을 해냈습니다. 이런 위기를 대처하려고 영향을 받고 있는 많은 나라의 농민 단체, 지역사회 조직, 개인 기업과 정부는 종종 협력하여 열심히 일했습니다.

식량안보를 확보하려고 많은 국가들은 자국의 프로그램을 증가시켰습니다.

원조국들은 가능한 최대로 원조를 증가시켰습니다.

그래서 국제사회의 회원국들은 로마에서 열린 고위급 회담과 뉴욕에서 열린 유엔총회에서 원조하기 위해 더 많은 일을 하기로 함께 모여 맹세했습니다.

23. 자폐증

더욱더 많은 아동들과 사람들이 자폐증 질환이 있다는 진단을 받고 있습니다. 자폐증은 차별 없이 공격하지만, 자폐증을 앓고 사는 사람들은 중단되어야 하는 참을 수 없는 차별로 고통을 받을 수 있습니다.

우리는 힘을 모아야 합니다. 어떤 것이 효과적이고 어떤 것이 효과가 없는지 경험을 우리는 공유해야 합니다. 그리고 실행 가능한 해결책을 실천적인 행동으로 바꾸려면 우리는 기금을 조성해야 합니다.

현재 문제가 되는 것을 생각할 때 저는 동생이 자폐증이 있는 한 젊은 여성이 기억납니다. 그의 질환을 이해하지 못하는 사람들은 “저 아이에게 무슨 일이 있지? 왜 저렇게 행동하지?”라고 질문하곤 합니다. 한때 “왜 그 아이의 부모들은 더 좋은 부모가 될 수 없을까?”라고 말하면서 그녀의 어머니와 아버지를 비난했습니다. 그 소녀는 이런 말에 너무나 큰 상처를 입어서 그 말을 결코 잊지 못할 것입니다.

우리 모두에게 다행스럽게도, 그녀는 자폐증에 대처하는 가족 간의 모임을 주최하여 이런 무지에 대처했습니다. 가족들은 완전히 다른 질문을 했습니다. 그들은 그녀의 부모를 판단하는 대신 “괜찮아요? 뭔가 필요한 것이 있나요?”라고 말하며 알기를 원했습니다.

비난과 지지, 판단과 동정 간에 다른 점이 세계 자폐증 인식의 날에 본모습입니다. 우리의 과제는 타인을 오해하는 것으로부터 타인을 이해하도록 사람들을 변화시키는 것입니다. 이것은 자폐증이 있는 사람들과 그들의 가족을 넘어선 전 세계적인 운동입니다. 이것은 우리 모두를 위해 더 좋은 세상을 만드는 운동입니다.

24. 주의 산만한 운전

전 세계에서 매년 120만 명 이상의 사람들이 사망하고, 5천만 명이나 되는 사람들이 부상을 당합니다. 이런 사망 중 90퍼센트 이상은 저소득이나 중간 소득 국가에서 발생합니다. 자동차 사고는 이제 젊은이들을 전 세계에서 최고로 많이 죽이는 것입니다.

많은 요인들이 위험성을 증가시키고 있습니다.

그 위험성에는 고속, 음주운전, 안전벨트 미사용, 아동 보호용 의자 또는 오토바이 헬멧 미착용입니다. 주로 이동전화를 사용하여 발생하는 운전자의 주의 산만이라는 최근에 등장한 주요 난제를 목격하고 있습니다.

연구조사에 의하면 이동전화를 사용하는 것은 충돌할 위험을 약 4배 정도까지 증가시킵니다. 그럼에도 불구하고 일부 국가에서 90퍼센트 정도에 이르는 사람들이 운전 중에 이동전화를 사용하고 있습니다. 우리는 도로 안전을 생각하는 문화를 가르쳐 주어야 합니다. 전화통화를 하거나 문자메시지를 보내려고 주의가 산만한 채로 운전하는 문화는 받아들일 수 없습니다.

법과 대중의 눈으로 볼 때 그런 문화는 받아들일 수 없습니다.

25. 군비축소와 세계 안보

저는 오늘 네 가지 사항을 강조하고 싶습니다.

첫째, 우리는 군비축소와 다른 세계적인 문제들 간에 관계를 살펴봐야 합니다.

세계는 지나치게 무장되어 있고, 개발자금은 부족한 상태입니다. 세계적으로 무기에 사용하는 비용은 1년에 1조 달러를 훨씬 넘었고 증가하고 있습니다. 이런 군비증강을 중요시하는 것은 전환되어야 합니다. 군비축소를 촉진시키면, 우리는 기후변화와 싸우고, 식량불안정에 대처하고, 밀레니엄 개발 목표를 달성하기 위해 필요한 재원을 확보할 수 있습니다.

둘째, 군비축소는 국제협력을 강화하는데 도움이 되고 세상을 새로운 다자간 공동정책을 형성하는 방향으로 변화시킨다고 인정합시다.

군비축소와 핵확산 방지에 대한 새로운 관심은 국제안보와 안정에 상당한 도움이 될 것입니다. 하지만 우리는 신뢰하고, 협력하고, 단결하고 서로 의존하는 정신으로 관계를 맺음으로써 우리의 목표를 성취할 수밖에 없습니다.

셋째, 우리는 유엔총회와 안전보장 이사회 간에 협력을 더욱더 늘려야 합니다.

지난 9월에 열린 핵확산 방지와 군비축소에 대한 안전보장 이사회 정상회담은 정말로 획기적인 사건이었으며, 그 사건을 기반으로 더 발전시켜야 합니다. 또한 유엔총회는 중요한 임무가 있습니다. 그리고 그 점을 핵 군비축소와 핵확산 방지에 대한 저의 실천계획에서 인정했습니다. 두 기구는 나름대로 명백한 책무가 있지만, 그들의 협력은 절대적입니다.

넷째, 군비축소에 대한 우리의 임무는 대량 살상무기와 재래식 무기 규제를 다루어야 한다는 것입니다.

엉뚱한 손에 있는 작은 무기는 생명과 생계수단을 파괴하고, 평화유지 노력을 방해하고, 인도적 원조를 방해하고, 마약 불법거래를 촉진시키며, 투자와 개발을 방해합니다.

26. 유엔건물 폭파사건

On Second Anniversary of the bombing of UN Premises in Algiers

2년 전 오늘, 알제(알제리 수도)에서 발생한 끔찍한 폭탄공격에 생명을 잃은 친애하는 동료와 친구들을 추도하고 경의를 표하려고 우리는 여기에 모였습니다.

제가 알제에서 충격을 받은 희생된 분들의 가족과 동료를 만난 일은 방금 전에 일어난 것 같습니다. 제가 그날 느꼈던 슬픔과 분노를 결코 잊을 수 없습니다. 폭탄공격은 절대로 사라지지 않을 고통과 분노의 원인이 되었습니다. 어떤 것으로도 잔인한 살육과 파괴를 정당화시킬 수 없습니다.

사망하는 동료들은 식량안보, 인권, 산업개발에 이르는 광범위한 유엔문제를 개선하려고 노력하고 있었습니다. 그분들은 가능한 모든 경우에 자신과 자신들의 자녀를 위해 더 나은 삶을 개척하기 위해 알제리 국민들을 돕는 일에 헌신했습니다. 그분들과 헌신과 전문성으로 자신이 맡은 임무를 지속적으로 수행하는 분들에게 경의를 표합니다.

알제 폭탄공격, 2003년 바그다드 폭탄공격, 그리고 아프가니스탄과 파키스탄에서 발생한 금년도의 끔찍한 살인 사건은 우리가 직시해야만 하는 진실을 가리키고 있습니다. 이제 유엔은 테러단체의 표적입니다. 아직도 우리는 이런 사실 때문에 발생할 수 있는 모든 결과를 검토 중입니다.

당연히 이것은 모든 유엔직원들에게 매우 중대한 문제입니다. 여러분들이 가능한 가장 안전한 상황에서 여러분들이 생존하며 중요한 임무를 수행할 수 있게 하려고 유엔 안전 및 안보부서와 회원국들과 함께 일하고 있습니다.

유엔직원은 어떠한 단체 또는 다른 단체에게 이롭게 하기 위해서가 아니라 세계평화와 안보, 인권과 개발, 세계의 모든 사람들을 위해 현장에 있습니다. 우리는 유엔헌장에 있는 위대한 이상을 실현하려고 현장에 있습니다.

To commemorate the 5th Anniversary of the bombing of the UN Headquarters in Baghdad

먼저, 오늘 우리와 함께 모이려고 먼 거리를 여행하신 분들께 감사 드립니다. 전에 여러분들 중 몇 분을 만나보는 특권을 가졌지만, 우리 모두가 이곳에 함께 모인 일은 이번이 처음입니다. 이번은 엄숙한 모임이지만 이번 모임이 앞날을 생각해볼 수 있는 기회가 될 수 있길 바랍니다.

바그다드 폭파사건이 일어날 당시에 저는 유엔에 없었지만 그 사건 때문에 저는 매우 놀랐습니다. 작년 알제에서 유엔이 또 다시 공격 당했을 때 저는 황폐하게 파괴된 모습을 직접 목격했습니다. 그것은 가슴 아픈 일이었습니다. 하지만 여러분들에게 그 사건에 대해 말할 필요는 없을 것입니다. 여러분들은 그 일을 너무나 잘 알고 있기 때문입니다.

여러분들 중 많은 분들에게 지난 5년은 매우 힘든 해였습니다. 일어난 사건을 다시 체험하고, 왜 그런 일이 일어났는지 의아하게 생각하고, 그런 사건을 예방할 수 있었을지 그리고 어떻게 예방할 수 있었는지 생각했기 때문입니다.

오늘, 유엔본부에서 나온 저의 동료가 폭파사건에 대한 여러 수사상황을 자세히 설명드릴 것이고 여러분들의 모든 질문에 응답할 것입니다. 여러분들이 필요한 대답을 얻는데 이번 기회를 이용하십시오.

27. 위기관리와 안보

저는 조직 간의 협력은 위기관리 이상을 넘어선다고 말하면서 시작하겠습니다.

우리는 기후변화, 에이즈바이러스, 성, 이주문제에서 긴급구조, 개발 및 평화구축에 이르는 광범위한 정책 및 운영상의 문제에 대해 협력하고 있습니다. 이렇게 협력하는 유산은 위기관리와 안보문제에 대해 우리의 협력을 강화할 수 있는 건전한 기반을 제공합니다. 특히 지난 5년 동안에 그런 협력이 얼마나 빠르게 발전했는지 상상할 수 있던 사람은 거의 없습니다.

오늘날 유엔과 유럽연합은 위기를 예방하고 조정하기 위해, 무너지기 쉬운 평화합의를 지원하기 위해, 장기적인 평화유지를 증진하기 위해 거의 모든 대륙에서 협력하고 있습니다.

28. 테러 희생자

오늘 네 분의 테러희생자들과 함께 있게 되어 영광스럽습니다. 제가 나중에 그분들을 소개하겠습니다. 테러는 종교, 국적, 성, 나이 또는 세계 어디든 출신지역과 상관없이 세계의 모든 사람들에게 영향을 끼친다고 그분들은 설명합니다. 테러는 다양한 모습을 가지고 있고 어떤 이미지나 어떤 사람으로 요약될 수 없다고 그분들은 설명합니다. 가장 잔인하고 분별력 없는 폭력행위에 반대하여 공개적으로 말하는 것은 큰 용기가 필요합니다.

오늘 참석한 귀빈들은 그런 용기를 여러 번 보여줬습니다. 저는 어제와 오늘 아침에 참석한 모든 귀빈들과 충분한 의견교환을 했습니다. 거의 두 시간 전에 유엔 총회가 유엔의 글로벌 대테러 전략을 채택했을 때, 역사에 남을 만한 일보 전진을 했습니다. 처음으로 회원국들이 모여서 테러라는 문제에 대해 공통된 입장을 취했습니다. 그리고 희생자와 그분들의 가족인 가장 고통을 받는 사람들의 도움이 없다면 테러를 정복할 수 없다는 것을 그들은 인정했습니다. 또한 희생자들은 우리의 지지가 필요하다는 것을 인정했습니다.

테러 희생자와 그들의 가족에 대한 지원을 강화하는데 필요한 실행가능하고 구체적인 해결책을 토의하기 위해 유엔이 정부, 시민사회, 테러희생자들을 모이게 한 것은 처음이므로 오늘 좌담회는 역사적으로 남을 만한 순간입니다.

테러희생자들에게 유엔의 문을 열고 우리가 그들이 필요한 것에 관심을 기울이는 일은 정말로 오래 전에 했어야 할 일입니다. 지금 진행되고 있는 이 좌담회가 몇 가지 중요한 성과를 이루는데 도움이 되길 우리는 바랍니다.

첫째, 우리는 테러와 같은 재앙에서 비롯된 비극적 결과에 인간적인 모습을 더하고 싶습니다. 그리고 테러에 기여하는 주요 조건 중 하나인 희생자들의 인간성 말살이라는 문제를 해결하는 것입니다.

둘째, 희생자들을 지원할 때 회원국, 희생자, 시민사회가 서로의 경험을 공유할 수 있고 최선의 관례를 모을 수 있는 기회를 제공하고 싶습니다.

셋째, 우리는 희생자들과 전문가들 간에 희생자들이 필요한 것과 그런 것을 해결하는 최선의 방법에 대한 대화를 시작하길 원합니다.

29. 기후변화

우리의 의무와 책임은 환경이 파괴되지 않고 지속할 수 있는 우리의 지구를 다음세대에게 물려주는 것입니다. 우리는 강한 책임감을 느낍니다. 그렇기 때문에 제가 이곳에 와서 이 문제에 대해 여러분과 협력할 것을 굳게 약속합니다.

제가 사무총장으로 취임한 이래로 자주 말했듯이 취임한 첫째 날부터 기후변화 문제를 유엔 전체뿐만 아니라 저의 가장 중요한 일로 받아들였습니다. 세계에서 가장 크거나 두 번째로 큰 경제 대국인 미국이나 일본처럼 한나라가 아무리 강할 지라도, 기후변화는 어떤 나라, 회사, 지역사회가 홀로 대처하기에는 복잡한 문제입니다.

여러분들은 홀로 대처할 수 없습니다.

이와 같은 세계적인 문제는 전 세계의 대응을 요구합니다. 그렇기 때문에 저는 정치적 의지에 활력을 주려는 시도를 해왔습니다. 우리에게는 재원이 있고 기술이 있습니다. 하지만 지도자들의 정치적 의지가 대체적으로 부족합니다. 그래서 저는 내일 푸쿠다 총리와 함께 토의할 예정입니다.

30. 기아

여러분들께 감사 드립니다. 특히 아프리카 북동부지역에 있는 에티오피아, 케냐, 디지보우티와 소말리아의 국가원수와 정부수반이 참석해주셔서 감사 드립니다. 여러분들께서 참석하신 것은 다음과 같은 문제를 다루려는 확고한 헌신을 증명하는 것입니다.

신사 숙녀 여러분,

아프리카 북동부지역은 위기에 처해 있고, 그 위기는 날이 갈수록 더욱더 심각해집니다. 에티오피아, 케냐, 디지보우티와 소말리아에 사는 1천3백만 명 이상의 사람들이 우리의 원조를 필요로 합니다.

소말리아에서 남부의 광대한 지역으로 기근이 퍼졌습니다. 75만 명의 남성, 여성, 아동이 아사할 절박한 위험에 처해있습니다. 4백만 명의 사람들은 촌각을 다투는 원조를 필요로 합니다. 수만 명의 난민들이 모가디슈로 이주해서 한정된 인프라(기간 시설)에 압박을 가하고 있습니다. 이웃국가에 있는 초만원인 난민 수용소로 가려고 수만 명의 주민들이 국경을 넘었습니다.

한편 에티오피아, 케냐, 디지보우티의 수백만 명의 사람들이 지속적으로 심각한 곤경에 처해 있습니다. 난민 수용소 주변에 있는 지역주민들은 동등한 대우를 요구하고 있습니다. 유엔과 협력단체들은 1백만 명 이상의 사람들에게 식량, 건강관리, 다른 원조를 제공하고 있습니다.

소말리아에서 아주 심각한 곤경에 빠져있는 사람들을 돕는 일에 진전을 보이고 있습니다. 하지만 아직은 그것으로 충분한 것은 아닙니다.

유엔 사무총장 **반기문 – 명언 ⑲** 근면 Diligence

One can't stop / a diligent person.
누구도 막을 수 없다 / 근면한 사람을

누구도 근면한 사람을 막을 수 없다.